El encuentro

Para Juanita y
sus estudiantes,
¡y que sigan
estudiando!
Rita Wirkala
5.17.14

Ribera del Loira, 28
28042 Madrid
www.pearsoneducacion.com/planlector

ISBN: 978-84-205-3573-9
Depósito Legal: M-13.407-2011
Impreso en España – *Printed in Spain*

Editora: Lupe Rodríguez Santizo

Diseño de la colección: César de la Morena

Coordinadora de Diseño: Elena Jaramillo

Ilustración de cubierta: Alejandro Magallanes

Rita Wirkala

El encuentro

Madrid • Londres • Nueva York • San Francisco • Toronto • Tokyo • Singapur • Hong Kong
París • Milán • Munich • México • Santafé de Bogotá • Buenos Aires • Caracas

¿Adónde irá veloz y fatigada
la golondrina que de aquí se va?
Oh, si en el viento se hallara extraviada
buscando abrigo y no lo encontrará.

Junto a mi pecho hallará su nido
en donde pueda la estación pasar;
también yo estoy en la región perdida
¡oh, cielo santo! y sin poder volar.

«La golondrina» (canción)

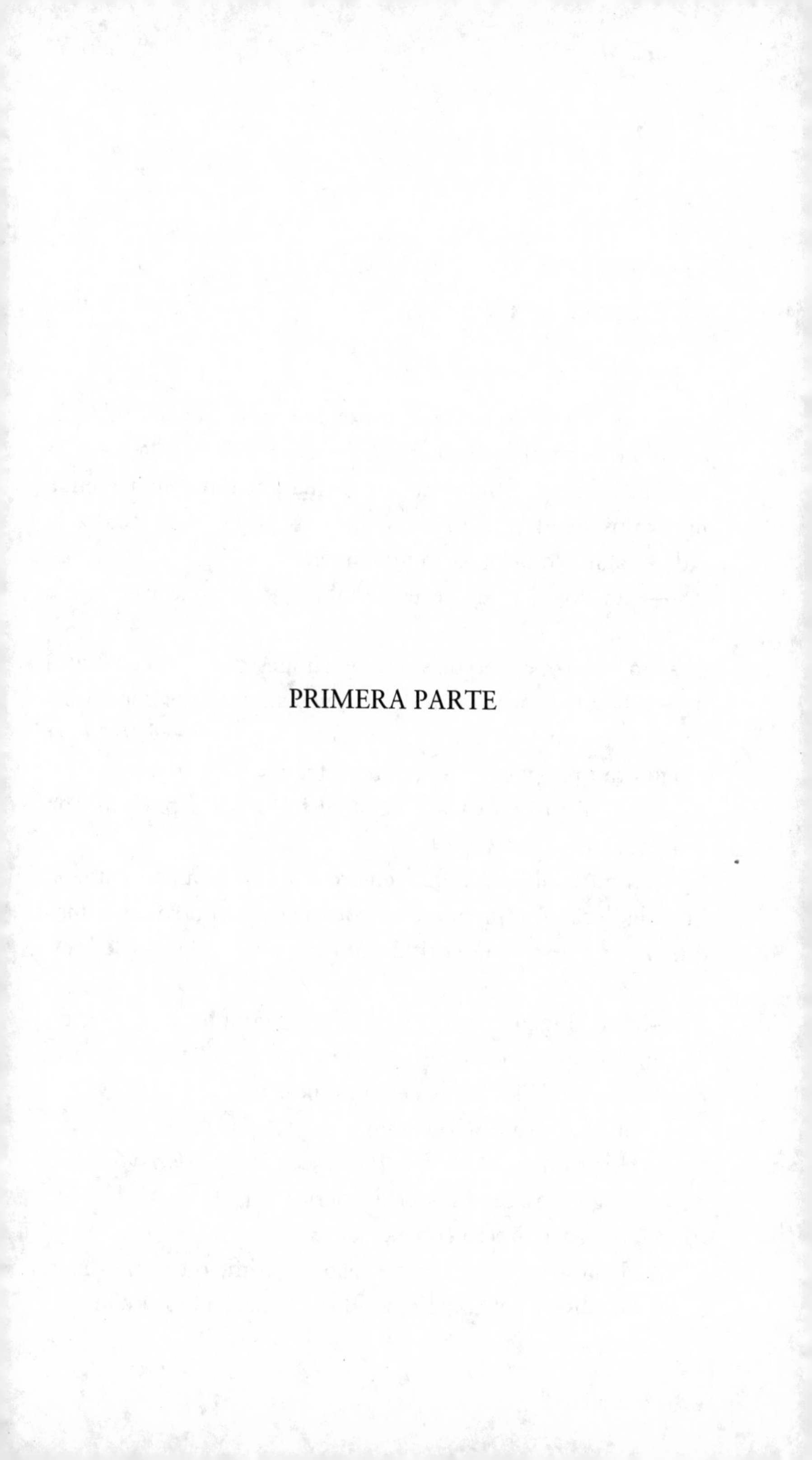

PRIMERA PARTE

1976, Sacha Sur (Ecuador)

Las torres de fuego flamean sobre una inmensidad verde que se curva hacia el horizonte. De lejos, el techo de la selva es una superficie de homogénea rugosidad de donde emergen, a intervalos regulares, los picos luminiscentes. Por debajo, la vida se agita en un espasmo de muerte.

—Arévalo, ¿de qué necesita hablar, con tanta urgencia, a esta hora? Ya me iba.

—Ingeniero, acabo de ver el presupuesto, y no vi una cifra dedicada a la terminación de las piletas. Si no pone los desechos en tanques de almacenamiento —y no he visto llegar ningún tanque por aquí—, o si no los vuelve a inyectar en el subsuelo, al menos va a tener que forrar esas piscinas con cemento, ¿no le parece?

La mirada oblicua del ingeniero Ruiz no lo amedrenta. Al final, él lleva años metido en esto, piensa; y el otro no es más que un inexperto con el título universitario colgado del pescuezo.

—Mire, ingeniero, yo soy apenas contador, y si digo cemento es porque no sé qué otro material se usa para el revestimiento de las piletas en esta industria.

—Nada, Arévalo. No vamos a usar nada.

—¿Usted quiere decir que los desechos van a ser volcados en esos agujeros cavados en la tierra, así, de cara al cielo? ¿Y en contacto directo con el suelo?

Desde la ventana del tercer piso del edificio central, Esteban Ruiz observa el complejo industrial Sacha Sur, una mancha marrón y acero en medio de esa interminable verdura ondulada. Recorre con la mirada la fila de columnas fulgurantes, rojas y amarillas, grandes como casas, temblorosas, donde el gas arde inalterable y se consume controlado, día y noche, noche y día, bajo sol, trueno y lluvia, con furia incesante. Nota la distorsión del cielo violáceo a través de la atmósfera reverberante y calcinada, y el aire acondicionado de la oficina le produce un ligero estremecimiento.

Piensa unos instantes antes de responder al contador.

—Vamos, hombre. No es petróleo. ¡Es barro!

—Sí, sí, pero contiene bencina, ¿no?, plomo y metales pesados, según yo entiendo. Y usted sabe cómo esos desperdicios nocivos van a permear el suelo y contaminar toda la región, ingeniero. Esta es la cuenca amazónica, es un sistema frágil, usted sabe.

Arévalo se pone rojo mientras habla, un poco por la situación incómoda de estar rompiendo el protocolo y desafiando la jerarquía —al final, el otro, por más joven que sea, es su jefe—, pero más que todo de pura rabia. Que un gringo venga a echar pestilencias en su país, piensa, es inaceptable. Bueno, Ruiz no es exactamente un gringo, se recuerda el hombre, es un español, pero para el caso da igual. Vive en Texas y trabaja para la Petrounido. Claro, él mismo también trabaja para La Compañía, recapacita el contador. Y este último pensamiento lo avergüenza y lo enrojece aún más.

—No soy yo quien decide eso, Arévalo. A mí me dan un presupuesto y yo hago lo que puedo —dice Ruiz—. Y me dijeron clarito que aquí en Ecuador las cosas se hacen así, que el Gobierno en Quito no se mete. Se presentaron los planes para este bloque que nos concedieron, fueron aprobados y eso es lo que importa.

—Comprendo, ingeniero. Pero solo para su información, y con esto ya lo dejo en paz: aquí, en esta región del Oriente, también vive gente. Esta gente usa el agua de los ríos para beber, para cocinar, para bañarse, y hay napas de aguas subterráneas a no más de tres metros de profundidad, que surgen aquí y allá, en la selva, y desaguan en los ríos; es decir, entran en el sistema fluvial. Y ni hablar de las lluvias que van a arrastrar los tóxicos y también terminan en los afluentes.

—Mire, Arévalo, antes de que eso ocurra, la misma tierra va a..., digamos, filtrar los restos de los hidrocarburos y el agua va a llegar pura a los ríos, ¿me entiende? Los suelos aquí funcionan como un filtro de barro —explica Ruiz, pestañeando repetidamente—. ¿Ya vio esos filtros de cerámica que se usan en el campo? Es el mismo procedimiento.

El otro lo observa con irritación. «¿Este me toma por idiota? —piensa—. ¡Un tóxico no es una ameba, ni un microorganismo!».

—No se preocupe, hombre —dice Esteban Ruiz, mientras conduce al contador hacia la puerta de salida y lo palmea en la espalda—. La selva aquí es poderosa, absorbe y recicla todo. ¡La naturaleza se ocupa de curar sus propios males!

«Imbécil», piensa el contador, pero se lo traga.

1990, Anhelo

Viernes, 1 de junio - Ecuador

El joven maestro coloca su portafolio de cuero gastado en la mesa y recuerda a los niños que la tarea del día era una composición, y el tema, el amor. «Si tuvieran un nido mágico, donde pudieran poner todo lo que aman, no importa qué de inmenso sea, ¿qué pondrían en él?», les dijo el día que les asignó la tarea. Les recalcó que eran libres de llenar el nido con las cosas más queridas.

Hace pocos meses que Mario Romero vino al Oriente ecuatoriano desde Quito, impulsado por un empecinado idealismo y espíritu altruista. «¿No es el Oriente también parte del país? —se repite a sí mismo—. ¿No son acaso esas caritas morenas que me están observando, risueñas, anhelantes, tan ecuatorianas como aquellas otras de las altas sierras de los Andes?».

«Quichua, blancos, mestizos, shuar... todos somos hermanos», les dice a sus estudiantes.

El día que llegó quedó algo decepcionado. Baeza es un pueblo provinciano. La escuela que le asignaron es un humilde establecimiento emplazado en las afueras, donde comienza la selva. Él es uno de tres maestros, uno para cada sala donde se junta a niños de dos grados diferentes para poder atender a todos. Los útiles escolares son escasos y el material de lectura, lamentable. Romero tuvo que mandar a buscar sus libros para poder ofrecerles algo más sustancial a sus estudiantes. A pesar de todo, debió reconocer que a estos no les faltaba creatividad: cuando supieron del arribo del nuevo maestro, recortaron el sol y sus planetas en cartulina colorida y los colgaron con hilos del techo de palma, para que la brisa se ocupara de mantenerlos en movimiento perpetuo.

«Pero el pueblo es aburrido —pensó— y de una indolencia intratable».

Sin embargo, a medida que pasaba el tiempo y el maestro se animaba a continuar por el sendero que sale de la escuela mata adentro, un nuevo mundo se le iba abriendo, como una flor; la selva le iba largando sus secretos, y él los iba aprendiendo.

Aprendió a nombrar los árboles, los pájaros, a encontrar panales entre los troncos vestidos de musgos como cabelleras ondulantes y a trenzar sombreros con las hojas de las palmeras que se inclinan hacia la tierra húmeda ofreciendo el material de sus abanicos.

La entrega absoluta llegó el día en que los chicos lo llevaron en canoa por un río sedoso que parecía llevarse un cielo. El reflejo del azul intensísimo y de la vegetación, que colgaba de la orilla como un encaje de luz verde, hizo que Mario Romero se sintiera como un astronauta navegando ingrávido entre dos planos del espacio. Reconoció entonces que la sequedad de las montañas donde había nacido y sus amaneceres escarchados nunca se avinieron a su espíritu, que cada hombre tiene que encontrar su lugar en el mundo y que ese era su lugar: la selva primigenia del Oriente.

Esa noche inició su primer libro de poemas, al que va a llamar *El selvinauta*.

Romero pide un voluntario para leer su trabajo. No está de acuerdo con la práctica de algunos colegas de llamar de improviso a una víctima al frente de la clase, como un verdugo que fuerza al acusado al patíbulo.

Una manito delgada se estira en el aire con ademán decidido.

—Yo, señor Romero.

—Adelante, Rosa.

La niña se pone de pie, radiante, y comienza a leer:

Me llamo Rosa Epayuma. Si tuviera un nido mágico, lo llenaría de libros. Amo los libros, y quiero ser escritora, como mi maestro. Por las tardes, después de terminar nuestras tareas, mi abuelo siempre me pide que le lea algún poema. Es decir, que le lea y le traduzca algunas palabras, pues él no sabe leer y tampoco entiende bien el español. Él solo habla y canta en huaorani.

«¿Huaorani? ¿Los reductores de cabezas? —se pregunta Romero—. ¿O esos eran los shuar?». El maestro toma nota para averiguarlo más tarde.

... Por la noche —sigue Rosa—, cuando mi abuela me hace apagar la lámpara para conservar querosén y los grillos comienzan a cantar, yo salgo al patio y enciendo una antorcha para leer debajo del árbol grande.

Esto ya se lo habían advertido en Quito, recuerda el maestro: la electricidad y el agua corriente no llegan a los asentamientos en la selva. Pero no importa mucho, le dijeron. Los indígenas del Oriente usan la resina de los árboles para quemar y producir luz. Y hay muchos ríos. Esa gente vive feliz con poco, le aseguraron.

Rosa sigue leyendo:

... Si el nido fuera bien grande, pondría también a mi familia, a mi caballo, a mi perro, a mi casa, y a la chacra entera. Mi chacra está en la selva, en un claro que abrió mi abuelo a machetazos, para la familia. Es un lugar protegido. Aquí no entra La Compañía.

¿La Compañía? El maestro está por pedirle que sea más específica. ¿A cuál compañía se refiere? Pero no quiere interrumpirla.

... Pero antes que cualquier cosa del mundo y de todo el universo, pondría a mi madre. Ella se fue para el Norte, en un barco. Ya hace un año que salió. Y nos manda dinero. Por eso, en casa no nos falta nada. Pero yo la echo mucho de menos. Es decir, muchísimo. A veces, a la noche, cuando siento como una espina que se me mete en el corazón, me pongo una camiseta que era de ella, que todavía tiene un poco de su perfume, y así me duermo, pensando que mi mamá está allí, envolviéndome con sus brazos.

Ecos de un dolor, como el recuerdo de un aroma punzante aunque distante, le rozan un nervio a Mario Romero.

... El perfume ya se está perdiendo. Creo que se ha gastado de tanto que lo vengo aspirando. ¿Se habrá gastado también el amor de mi mamá? Ah, ¡ojalá que no se olvide de mí, allá en el Norte!

Con ademán inconsciente, el maestro se lleva la mano al pecho, no sea que de repente un sentimiento aletargado se le despierte y lo acuchille a él también. Y se apresura a decir algo para borrarlo a tiempo.

—¡Bien hecho, Rosita! Has volcado tus sentimientos en la palabra escrita. Eso hace bien. Serás una buena escritora.

—Señor Romero —interrumpe un niño—, mi papá también está en los Estados Unidos.

—Y yo tengo dos tíos en Chicago —agrega una niña.

El maestro se sorprende al ver varias caritas ansiosas por hablar.

—Vamos a ver, ¿quiénes tienen padres, parientes o amigos en los Estados Unidos? —pregunta con cierta alarma.

Treinta voces responden en coro con un «yo, profesor» mientras treinta manitos se levantan simultáneamente apuntando hacia el techo, donde giran los planetas de cartulina.

Viernes, 1 de junio - California

El padecimiento de Ernesto es tan intenso que cree que tiene que volver a aprender a respirar. Ha estado sentado allí, en la escalinata del porche de la casa y al lado de su mochila, en un estado casi cataléptico, desde que llegó de la escuela. Esto es, hace una hora, o dos, ¿o tres? El tiempo se le ha vuelto una realidad escurridiza; apenas una sucesión de emociones sin longitud mesurable.

Frente a él, un perro y un gato juegan y se mordisquean sobre el césped impecable. El chico observa la algaraza de los animales con envidia. Piensa en él y en Carlo, en su mutuo odio y desdén. Recuerda con dolorosa nitidez el episodio de esa tarde, de esa cosa desmesuradamente verdadera que le echó a la cara su enemigo y que ahora lleva clavada adentro como una astilla de vidrio. De vidrio y de veneno.

El ingeniero Ruiz llama a su hijo desde la cocina.

—La mamá de Carlo acaba de llamarnos y dice que el chico está bien, pero tuvieron que darle cinco puntos en la cabeza.

El hombre mira a Ernesto con una intensidad cargada de interrogantes. El chico no responde.

—¿Me puedes explicar, a mí y a tu madre, por qué demonios has hecho semejante cosa? ¿Se puede saber por qué tanta agresión?

El muchacho agacha la cabeza.

—¡Explícate, Ernesto!

—Carlo me estaba molestando —responde al fin, viéndose forzado a afrentar la mirada de su padre—. Me decía cosas, como siempre, y yo vengo aguantando y aguantado, y nunca le hago nada —dice ahora con una voz mellada—. Pero esta vez no lo aguanté. Tuve que defenderme.

—Y entonces perdiste la cabeza, ¿cierto? Y le propinaste una trompada formidable. Y lo estampaste contra el mueble de metal. ¡Y por poco lo matas! ¿Y todo eso porque te decía cosas? ¡Vamos, hombre!

—Tuvo mala suerte. Cayó mal. Eso no fue culpa mía.

—Pero tú lo agrediste. Según me han dicho, el chico ni te tocó. Y ante la ley, tú eres culpable. ¿Te das cuenta, Ernesto, de que podrían haberte encerrado en un centro juvenil, con los delincuentes de San Diego?

Ernesto recuerda la sangre brillante que comenzó a correr en un hilo escarlata por la cara del otro, el griterío de las chicas y las maestras, la llegada de la ambulancia, el súbito pánico, el no saber dónde meterse y la vergüenza frente a la policía y sus padres.

—¿Cuántas veces te he dicho que hay que saber dominarse? No estamos pagando el colegio más caro de la ciudad para que tú entres en peleas con tus compañeros solo porque «te dicen cosas». La escuela es para aprender, para moldearse el espíritu, para domar los impulsos, para...

—Pero ¿y qué es lo que te dijo? —interviene la madre.

—Carlo es un imbécil. Me persigue, me hace quedar como el... me hace quedar mal frente a los otros. ¡Y no quiero hablar de esto ahora! —una ola de náusea le sube del estómago, que ya está hecho un mar borrascoso—. No quiero cenar tampoco.

—Pues si no quieres explicarte, va a ser mejor que te vayas a tu cuarto. Y vuelve cuando estés dispuesto a hablar.

El muchacho sube las escaleras hasta su cuarto y se sienta en el suelo, escaneando el lugar en busca de algo que aligere su pena.

Se le antoja que tal vez el otro lo fustiga de puros celos, porque él, según dicen, es guapo, piensa, y las chicas siempre le hablan. Pero a Carlo ni le dan la hora. Seguro que por aquí viene la cosa.

¿O será racismo?

La idea, incipiente al principio, le empieza a subir y trepar por el cuerpo, por la cara, por el pelo, como una enredadera maligna que chupa la savia vital de un árbol.

Tal vez sería mejor asistir a una escuela pública, razona el chico, donde hay chavales como él. O por lo menos, que se parecen más a él.

En la cocina, la madre trata de encontrar palabras atinadas. No quiere crear un conflicto con su esposo, pero tampoco puede refrenarse.

—Pobre Ernesto. ¡Qué poco sabemos de él y de sus preocupaciones! —dice con tono estudiadamente calmo—. Esteban, no seas muy duro con él. No me cabe la menor duda de que ese Carlo lo martiriza. Tú sabes cómo son a veces esos jóvenes aquí, pueden llegar a ser muy sádicos.

—Claro, siempre hay de esos individuos que ya de chicos moldean su identidad a fuerza de burlarse de otros. Y está bien que Ernesto le haga bajar la cresta, pero no recurriendo a la violencia de esa manera descontrolada. ¡Lo podría haber matado al chaval! ¡Esto es serio! Y no te olvides, Isabel, que nuestra responsabilidad con Ernesto va más allá de la de padres comunes.

Sábado, 2 de junio - Ecuador

La casa de Rosa no está lejos de la escuela. Apenas una caminata de media hora por la selva, pasando un arroyo y una loma, allá está: bajo el cielo abierto, de palmas y cañas, dorada al sol.

El abuelo Caento quien, como muchos huaorani, nunca duerme de un tirón, anoche se levantó tres veces, las tres veces se puso a cantar y, después, se volvió a dormir. Y ahora está a la orilla del río. Debe de estar hambriento.

La abuela Umi acarrea un cubo con agua desde el río y la vierte en la olla de aluminio algo renegrida. La equilibra sobre los tres troncos dispuestos en forma de Y en el piso de tierra de la cabaña, y espera. Rosa se despierta con el crepitar del fuego, que no está lejos de la hamaca donde duerme.

Como todos los segundos sábados del mes, la familia se apronta para ir al banco del pueblo a retirar el dinero que Alba, la mamá de Rosa, envía desde su autoimpuesto destierro. En tiempos de cosecha —como ahora, cuando se doblega en los surcos de las fresas siete días a la semana—, dobla la remesa, de modo que hoy en la chacra todos andan con un semblante feliz.

—Gabriel, ¡agárrame aquella gallina colorada! Enrique, ¡ayuda a tu hermano! —manda la matriarca.

La caza de la gallina es la rutina de los sábados. Los hermanos de Rosa corren por el patio y por la huerta con salvaje alegría hasta que uno de ellos atrapa su presa que ahora, inútilmente, cacarea y se debate entre sus manos.

—¡Qué pena que por aquí no hay capibaras! —comenta la mujer, como parte del ritual que precede a la matanza del ave— y hay que conformarse con estas gallinas que se apestan siempre.

Lo cierto es que la carne de caza escasea en esta zona. Pero ya comenzó a faltar en el protectorado, recuerda. Nada es como antes en el Yasuní, donde nacieron ella y su esposo, rezonga la vieja Umi. El día que les avisaron de que tenían que salir fue el comienzo de un exilio en dos etapas. Primero, al protectorado evangelista donde arrearon a los huaorani a finales de la década de los setenta. Después, a la chacra de Baeza.

Umi no se adaptó muy bien al protectorado, pero tampoco se quejó. Hasta se avino a cubrirse los senos y a aprender bien el español. Pero conservó su nombre huao: Umi. ¡Umi y basta!, como dice ella. Allí nacieron sus tres hijos: Muchi, Alba y Numpa.

En aquel momento, Umi creía que su salida del Yasuní para el protectorado se debía a algún incomprensible motivo de caridad cristiana y sería provisoria. Pero después, cuando su hija Alba, ya grande, llegó a comprender los intereses que estaban detrás de todo eso, y se lo explicó bien clarito, Umi se dio cuenta de que su destierro sería permanente. La Compañía, le dijo la hija, necesitaba el territorio limpio para continuar la construcción de la Vía Auca y comenzar la explotación del petróleo en la tierra de los huao. El Gobierno lo aprobó. Y los misioneros de los Estados Unidos se prestaron de muy buena gana a hacer el trabajo de evacuarlos, le explicaba, porque querían salvar las almas de los huaorani.

«¿Salvarlas de qué?», le preguntaba Umi. «Del infierno, mamá», decía Alba levantando las cejas. A Umi no le asustaba eso del infierno. Solo hubiera querido que la dejaran volver a su querido Yasuní y vivir bajo la mira del ojo majestuoso del jaguar, que vigila el mundo huaorani.

La vieja Umi recuerda lo pequeño que era el protectorado para tanta gente metida allí, y cómo la caza se hizo intensiva y acabó por agotarse. Pecaríes, capibaras, tapires y caimanes fueron pronto reemplazados por azúcar, arroz y gallina.

La mujer evoca esas memorias del pasado con fastidio y descarga su disgusto en el pescuezo del ave, quebrándole el gañote de un solo movimiento, limpio y eficaz. Sin el jaguar, el natural custodio de la selva, reflexiona, nada puede andar bien.

Poco después el aire se impregna de olor a plumas quemadas.

«Bueno, al menos salimos de allá —se consuela Umi—, gracias a este terrenito para la chacra que compramos con el dinero que mandó Alba desde el Norte. Y aquí vivimos como se nos da la gana. Claro, sin mucha carne de caza... ¡Y estas gallinas que se agarran un moquillo por nada!».

—¡Rosita, ayuda a tu abuela! —grita la tía Aepi.

Pronto Rosa tendrá que aprender a afilar el cuchillo, le recuerda su tía, y a degollar y a desplumar, como lo está haciendo ahora Umi. En ausencia de su madre, tanto la abuela como la tía se esmeran en educar a Rosa en las tareas de la casa, porque no es en la escuela donde la chica va a aprender a ser mujer.

La niña se amarra con un elástico la abundante mata de cabello oscuro que le cubre la espalda. Con la nariz arrugada, limpia la sangre y las plumas, y luego vuelve a la cabaña para repasar los títulos de los libros que le prestó Romero. Los guarda con amoroso cuidado y los tiene envueltos en un plástico para que no queden ahumados.

Terminado el desayuno —sopa de gallina con yuca—, las mujeres trozan el ave en presas pequeñas, las envuelven en una hoja de palma y las guardan en una cesta que llevarán consigo para almorzar durante su excursión al pueblo. Rosa separa unos menudos para el perro. Lo llama con un silbido agudo, y la bestia, animal listo y fiel, llega al galope y se echa a sus pies. Luego le toca al caballo. Recoge un poco de paja con la mano y se lo acerca a la boca. Lo rasca, lo palmea y lo deja comer a sus anchas.

El amor de estos dos es tan predecible e incondicional como el sol que sale cada día, o el curso del río que corre en medio de la chacra, donde el abuelo ahora está pescando.

El viejo Caento farfulla algo ininteligible.

—¿Qué pasa, abuelo?

—La pesca está mala, hija. Seguro que los shuar están dinamitando el río, allá arriba. Raza inútil, esos shuar. Desde que conocieron la dinamita, no saben más pescar con red. Mira esos pescaditos, ¿los ves? —dice el hombre con voz fatigada.

El viejo señala unos peces plateados nadando debajo de las cañas amarillas que se inclinan hacia el río.

—Son un montón de espinas. ¡No sirven para nada! No es como en nuestros ríos, allá en el Yasuní. ¡Allá sí que había abundancia, Rosa!

El abuelo Caento usa una de las palabras favoritas de su gente: «abundancia», principio y fin de la existencia en la cosmogonía huaorani. Luego hace una pausa, y Rosa ya sabe lo que se viene.

—Sí, abundancia... hasta que los peces empezaron a bajar muertos —se lamenta el viejo—. Fue aquel día después de las lluvias. ¿Te conté, Rosita? El río se puso todo rojo y negro.

La imagen de los peces oleosos flotando panza arriba en un río rojo y negro invariablemente estremece a la niña, y hace una mueca de pena y asco. Recuerda a su padre, quien un día llegó por aquel otro río, según le cuentan, todo sucio de un líquido viscoso.

Caento se adaptó peor aun que su esposa a la vida en el protectorado. Ni se molestó en aprender español. Y por supuesto, tampoco se cambió de nombre, pero sí lo pasó a sus hijos, para que lo usaran como nombre de clan. Así tendrían nombre y apellido, como los blancos, si eso les apetecía: Alba Caento, Numpa Caento, Marucha Caento.

Él sí se quejaba. Allá había mucho ruido del altoparlante que usaban para los sermones a cualquier hora del día, decía, y muchas prohibiciones. Al viejo le gusta decir, con una risita penetrante de perico, que para los evangelistas todo lo que él hacía era «cosa del Diablo». Pero lo peor era cuando no había nada para hacer, cuando empezó a escasear la caza, porque, según explicó muchas veces el viejo, los habían empujado a violar la ley de la selva.

—¿Y cuál es la ley de la selva, abuelo? —les gustaba preguntar a los chicos desde pequeños.

—No caces un animal más grande que tú.

Los huao, explicaba el viejo, no matan animales grandes cuando hay abundancia de iguanas, tortugas, monos y pájaros. Pero los evangelistas decían que eso era tabú, que «Todo bicho que camina es para comer», porque así lo dispuso el dios de la Biblia. Y por eso la caza comenzó a quedar cada vez más y más exigua en un territorio pequeño, hasta que terminaron comiendo comida blanda, de los blancos.

—Y así nos quedamos más blandos, Rosa. ¡Pero no más blancos!

Es verdad que en Baeza la familia está bien. Claro que a los abuelos les gustaría volver al Yasuní, y como cualquier desarraigado, sueñan con el retorno. Pero ¿cómo desandar una senda que ha sido borrada con dinamita y topadoras, cruzada por viaductos y oleoductos, y maldecida por la mano voraz de La Compañía? Los huaorani como ellos no pueden volver atrás, bien lo sabe la familia. Bien se dan cuenta de que quedaron atrapados en el destino de una selva petrolífera como moscas inocentes en una tela de araña.

—Solo el espíritu del jaguar nos va a poder salvar de que la araña nos chupe la sangre —suele decir el tío Numpa a Rosa y a sus hijos—. Y ese espíritu me dijo que solo copiando al enemigo y aprendiendo sus artes es que vamos a poder salvarnos de convertirnos en pordioseros. Así que, ¡aprendan bien de los libros de los blancos, niños, porque lo van a necesitar!

—Dígame, abuelo, ¿para qué quiere tanto el petróleo esa gente de La Compañía? ¿Para qué sirve? —pregunta Rosa cuando consigue ahuyentar la imagen de su padre y los peces muertos y el río de colores aberrantes.

—Para hacer gasolina, hija, para los coches y los autobuses. Para eso lo quieren.

—Ah, para las ciudades. Porque, lo que es nosotros, ¡ni siquiera tenemos caminos!

—Mejor así, Rosa. No los queremos. Mira cómo los caminos en territorio huaorani solo nos han traído desgracia.

Debe de ser cierto, piensa Rosa, porque después de que La Compañía construyó la Vía Auca, su papá murió de esa enfermedad invisible que le carcomió la médula, y después su mamá se marchó para el Norte, dejando ese enorme vacío en su alma.

Después de pasar la tarde en el pueblo, la familia vuelve a casa, cargada de compras: semillas, vacunas para las gallinas, gas o querosén para las lámparas, pilas para la radio, arroz, sal y azúcar. Mientras caminan rápido por la senda que lleva al asentamiento, la conversación gira en torno al uso del dinero que sobró del giro que mandó Alba. La abuela insiste en guardarlo para la época de las vacas flacas. El tío quiere invertirlo en un alambrado para el gallinero. Los chicos aceptan dividirlo con ecuanimidad fraternal, antes de que los mayores se lo apropien todo para algún proyecto de gente grande. Pero Rosa no parece estar interesada en el reparto. No necesita más ropa o zapatos o muñecas. Ya ni caben en la casita los regalos que le manda su madre cada Navidad y cumpleaños.

—Rosita, ¿qué te pasa que andas tan callada, hija? ¿Por qué andas tan pensativa?

—Abuelo, abuela, ¿cuándo puedo ir a los Estados Unidos a ver a mi mamá?

—Pues, no sé. Ahora no. Eres muy niña. Ir al Norte es peligroso.

—¿Por qué es peligroso?

—¿Por qué? Pues, porque debes ir con un *coyote,* uno de esos hombres que te llevan a escondidas.

—¿Y por qué a escondidas? ¿Por qué no puedo tomar un avión yo sola? ¡Mi mamá tiene con qué pagar el pasaje!

—Porque necesitas visa, que es un permiso escrito. Y a nosotros no nos dan esa visa. ¿Entiendes?

—¿Y por qué no?

—Es complicado, Rosa. Mira, para nosotros, la única manera es pagar a una persona para que te pase al otro lado, como hizo tu madre. Es un viaje largo y lleno de peligro para una niña de diez años.

—Claro, ellos conocen la ruta —asegura Gabriel—. Te llevan en autobús, en barco, en tren, en carro... ¡y hasta a pie!

—Pasan por la frontera de noche —añade Enrique—, pero los patrulleros de los Estados Unidos pueden descubrirte y entonces... ¡sácate! ¡Te llevan presa!

—Y si consigues cruzar la frontera y después el coyote tiene algún problema, desaparece y te deja en medio del desierto, solita —dice la abuela.

—Y allí te pica una víbora.

—Te roban...

—Te pegan...

—Te...

Rosa se cubre los oídos. El deseo de ver a su madre es tan vehemente que ya se ha vuelto una enfermedad del corazón; un corazón que ahora le late destemplado como gorrión que cayó del nido.

Sábado, 2 de junio - California

Pesadillas violentas y de colores estridentes lo arrancan del sueño, y Ernesto se levanta con el corazón pesado. Bien le gustaría decirles a sus padres cómo empezó la pelea de ayer con Carlo; pero un interno pudor, o vergüenza, le está trabando la lengua. Nunca les dijo nada y le parece que tampoco lo hará hoy.

El caso es que el otro lo viene hostigando desde tiempo atrás con indirectas, con alusiones vagas aunque maliciosas; pero ayer, para azuzarlo más y probar los límites de su poder, optó por cambiar de estrategia.

—Eh, Ernesto —le dijo el chico, cuando la maestra ya salía de la clase—, esto de la genética es muy interesante. Mientras la profe hablaba se me ocurrió pensar en tu caso. ¿Cómo es que tú saliste tan moreno, si tus padres son blancos?

—Déjame en paz, idiota, si no quieres que te rompa la jeta aquí mismo —dice el otro, y le vuelve la espalda.

—Ah, qué tonto soy, se me había olvidado. Bueno, no hay problema con ser adoptado, supongo. El problema es... —Carlo se le acerca por atrás y baja la voz—... no saber quiénes son tus verdaderos padres, ¿no? Yo en tu lugar trataría de averiguar. Tú sabes, es siempre bueno asegurarse de dónde proviene uno.

El chico hace una pausa para dejar que sus palabras penetren y el veneno decante.

—¡Quién sabe! —prosigue, exhalando un aliento húmedo en la nuca de Ernesto—. Tu padre podría haber sido un *mojado*. ¿Alguna vez te lo preguntaste? O un *narco*. ¿Y tu madre? ¡Vaya uno a saber!

Ernesto estaba acostumbrado a los acosos del otro, pero este fue un golpe inesperado, tremendo, como si le hubieran hundido una mano de hierro en el pecho y se lo hubieran abierto para arrancarle el corazón. En ese instante una mezcla explosiva de adrenalina y sangre le subió a la cara y la sintió arder. No sabe bien en qué momento giró el torso hacia el otro, levantando el brazo y trazando un arco en el aire. Ni recuerda el momento en que dejó caer el puño cerrado en la cara de Carlo, con tal ímpetu que, desprevenido, cayó de lado, trastabillando. Tampoco sabe cómo el chico llegó a clavar la cabeza en el ángulo del escritorio. Lo que sí vuelve a su memoria una y otra vez es el sonido hueco y metálico del cuerpo golpeando contra el mueble y deslizándose hacia el piso hasta caer sentado, el miedo que le cortó el resuello al ver el rojo encendido en las manos del otro, que se tocaba la herida entre el pelo sucio de sangre, y su expresión incrédula, los ojos centellantes y la boca abierta en un rictus de espanto.

Claro que no quiso matarlo, de esto Ernesto está seguro. Quiso apenas borrarlo, a él y a sus palabras, tacharlas para siempre de su vida.

La tormenta que esto le desató por dentro ya amainó un poco, aunque solo para abrir paso a un nuevo dolor. O tal vez no sea nuevo, porque la pena y la sensación de desarraigo por su origen incierto siempre estuvieron ocultas en algún pliegue de su memoria, y de vez en cuando se asoman y le dan un apretón. Lo que es nuevo, sí, es la magnitud del deseo de saber, desencadenado por esa frase de «quiénes son tus padres».

«Algún día —se promete Ernesto con súbita determinación—, algún día lo voy a saber».

Lo que el chico sí sabe por cierto es que una tarde del mes de junio de 1978 alguien dejó un bebé en la puerta de una iglesia en el centro de la ciudad de San Diego; que de allí fue a parar a la guardería de un convento y que, prendido a la manta del bebé, encontraron un papel escrito en español que decía:

> *Este es mi hijito, Ernesto. Por el amor de Dios, ¡cuiden bien de él!*
>
> *María Moreno, de Esperanza.*

Ese «alguien» era una tal María Moreno.

Cuando los Ruiz comprobaron que no podrían tener hijos, se decidieron por otro camino. Poco después de que Esteban Ruiz dejara la Petrounido por otro trabajo en California, una visitadora social les trajo un «bebé mexicano abandonado», como le llamaban las monjas que lo recibieron, y después de un tiempo reglamentario se pudo hacer la adopción oficial. Para honrar el origen del niño, respetar la elección de su madre y darle también su propio apellido, lo bautizaron con el nombre de Ernesto Moreno Ruiz.

Ya sea por curiosidad o para estar preparados para las ineludibles preguntas del futuro, los Ruiz buscaron en un mapa de México la población Esperanza, y no tardaron en encontrarla, en el estado de Sonora. El pueblo de Ernesto —o de su familia— fue encerrado en un círculo; y el mapa, prolijamente doblado y guardado en un estante. Padres modernos y bien educados como ellos eran, nunca ocultaron al niño su historia, pero tampoco se habló mucho del asunto en la familia, tratando de mantener un equilibrio entre el deber de conocer la verdad y el derecho a olvidarla. Cuando Ernesto, de pequeño, les preguntaba de dónde eran sus padres, siempre recibía la misma información, corta y como casual: «De Esperanza, hijo. Un pueblo de México». Por supuesto, él sabía la repuesta, pues nunca variaba. Pero era parte de su ritual, porque a continuación el pequeño abría la caja donde su madre guardaba la batita de bebé y a escondidas se la llevaba a la nariz, para ver cómo olía México.

Todavía tenía una ligera fragancia a flor de naranjo.

En una ocasión, y a instancias de Ernesto, los Ruiz acudieron al convento para preguntar por María Moreno, y allí les aconsejaron que no perdieran su tiempo porque la madre del niño había sido deportada.

Ernesto nunca olvidaba ese círculo alrededor de Esperanza y, de vez en cuando, una fuerza insurgente lo llevaba a encaramarse a una silla y sacar el mapa del estante para contemplarlo e interrogarlo. Pensar en ese círculo lo dejaba consternado y hasta le producía un vago sentimiento de rabia; pero por debajo de eso había una tremenda nostalgia, una añoranza de algo o alguien que lo atraía desde un desconocido polo magnético. Ese círculo fue transformándose, gradualmente, en el contenido y secreto centro de su existencia, donde hibernaban sus anhelos.

Pero ayer desbordó como un volcán.

SEGUNDA PARTE
1995

1. Esperanza

I

El 95 fue un año diferente para Ernesto. Intenso. Una sucesión de tardes enclaustrado en bibliotecas, de noches en vela y de domingos de renuncias; y al fin, una maratón de exámenes aprobados. Hoy el sacrificio llegó a su término, y los Ruiz abrieron las puertas de su casa a amigos y profesores para celebrar la temprana graduación de su hijo.

El año anterior, cuando Ernesto les habló por fin a sus padres de su deseo de viajar a Esperanza, no le fue nada bien. Ni siquiera les dijo que era un deseo apremiante, que tenía un volcán que había estado tronando dentro de su pecho por largo tiempo, y que ya lo estaba quemando. No. Eso no podía contárselo. Les dijo, en cambio, que sentía cierta curiosidad por saber sobre su familia biológica; solo eso, y que necesitaba un permiso escrito para viajar.

Esteban Ruiz puso todo tipo de trabas, e Isabel lo secundó. Que su hijo saliera por el mundo en busca de padres más legítimos los hería un poco, aunque no lo admitieran delante del chico. Pero usaron una lógica implacable: que tenía apenas dieciséis años, que México no era un buen lugar para viajar solo, que debía terminar la secundaria antes de volar. Ernesto recuerda la vehemencia con que habló su padre aquel día: «En este momento, tu educación es lo importante, Ernesto. Ya tendrás tiempo de escarbar en el pasado, si eso es lo que te atrae. Nadie te niega ese derecho, pero no ahora. Espero que comprendas».

Tampoco era la primera vez que padre e hijo disentían. Pero Ernesto tenía la habilidad de tomar lo negativo como combustible para la acción. Y aquella tarde, diez meses atrás, cuando se dio a la tarea de descubrir quién era, y cuando recibió aquella negativa fulminante, se propuso cortar por lo sano: acelerar su graduación para tener al menos un impedimento fuera del camino.

Y así lo hizo. Porque de tanto acariciar su deseo, se le abrió como un profundo surco en la mente donde gravitaban todos los pensamientos, como los afluentes que alimentan un río y lo hacen cada vez más caudaloso.

Hoy Ernesto se siente bien armado para ejecutar la segunda parte de su plan de ataque: el diploma, elocuente resultado de sus esfuerzos, está allí, extendido en la mesa.

También hay una carta donde le otorgan un premio en un concurso nacional para adolescentes. Presentó un ensayo titulado: *Einstein, Dios y el azar*. Un trabajo audaz, ya que el chico no tiene mucha idea del avanzado edifico matemático que hay detrás de la teoría cuántica. Era más filosófico que científico. El tema del *quantum* y sus derivaciones (azar probabilístico, partículas entrelazadas, simetrías, universos alternativos y demás), encontró un buen caldo de cultivo en la mente del chico, dado a pensamientos tales como «quién sería yo si no hubiera sido adoptado» y otras reflexiones similares, relativas a su identidad y su destino.

El ensayo cayó muy bien al jurado, y produjo un orgullo de proporciones macrocósmicas en los Ruiz, quienes ahora esperan que Ernesto sea aceptado en el famoso Instituto de Tecnología de Massachussets (MIT).

Pero el chico tiene otros planes. Solo está esperando la oportunidad para hablar con sus padres.

Los últimos huéspedes ya se han retirado y Esteban Ruiz llama a su hijo al cuarto.

—Bueno, hijo, queremos felicitarte y decirte lo orgullosos que estamos de ti. ¡Pocos jóvenes pueden hacer lo que tú hiciste! Y ese premio..., me pregunto si podrías pedirle al MIT que lo adjunten a la solicitud que ya les enviaste.

—Sí, sí, lo voy a hacer. Pero... la solicitud es para comenzar el año que viene.

—¿Cómo? ¿Y por qué te diste tanta prisa para terminar, entonces? ¿Para quedarte seis meses haciendo qué?

El gesto adusto del padre lo hace dudar por un momento; pero enseguida, tragando saliva, larga lo que tenía preparado:

—Tengo otras cosas que resolver.

Ernesto guarda silencio por unos segundos. El aire manso que entra por la ventana, impregnado por la fragancia de los rosales, le induce ese agridulce sentimiento de tristeza y de dicha, las dos caras del opaco cristal de la nostalgia que él conoce tan bien.

—Ustedes saben cuál fue, y es, mi propósito —agrega el chico con un tono nervioso.

La sonrisa se congela en los labios de la madre. El padre, que venía alimentando las esperanzas de que el tozudo de su hijo se hubiera olvidado de sus caprichos de adolescente, no puede evitar ponerse rígido en el sillón. Hasta el perro presiente el cataclismo, y se sienta al lado del chico, con las orejas alertas.

—Cualquiera que sea ese propósito, Ernesto, recuerda que tú eres muy joven e impetuoso.

—Oye, papá, hace un año les dije que quería viajar a Esperanza, a buscar a los Moreno. Y no he cambiado de idea. Solo por eso me quemé las pestañas estudiando.

El chico mira a sus padres y sus padres miran la alfombra, como buscando en el intrincado diseño persa la solución a ese problema que se venía insinuando y que ahora los golpea de frente.

—No es que vaya a irme o a dejarlos a ustedes —prosigue Ernesto—. Apenas quiero saber, de una vez por todas, quiénes son mis padres, si viven, si tengo otra familia; quiero saber de mi raza. Qué se yo... todo eso. Pero necesito el consentimiento de ustedes. Estoy pidiendo algo razonable, ¿no, mamá?

—Razonable, pero apresurado, Ernesto.

—Vas a tener que esperar —dice el padre—. ¡Nosotros no vamos a dejar a un hijo de dieciséis años viajar solo por esos países!

—Diecisiete, en dos meses —replica el chico.

—Si fueras a Burgos, Ernesto, con tus abuelos, o al mismo Bilbao, con tus otros abuelos —argumenta el padre, mirando de reojo a su esposa, cuya ascendencia vasca siempre es motivo de comentarios coloridos—; o a cualquier otro lugar civilizado de Europa, sería diferente. ¡Pero no a un país lleno de bandoleros, donde, además, no tenemos ningún contacto!

«Supongo que habrá bandoleros civilizados, como los de la ETA, y pistoleros salvajes, como los de Latinoamérica —está por decirles Ernesto—. ¿O tal vez sea el caso de "más vale terrorista conocido que criminal por conocer"?». El chico se guarda bien su sarcasmo, para no complicar las cosas. Pero, francamente, le parece un razonamiento, a lo mínimo, ridículo. O, como le gusta decir a su padre, sin asidero.

—Ernesto, yo puedo acompañarte, si quieres... —dice la mamá—. ¿No es una buena idea, Esteban?

—Gracias, mamá, pero no es como yo lo tengo pensado. Este es un asunto personal mío.

—Pues va a ser un asunto personal tuyo cuando seas mayor de edad —puntualiza el padre—.¿Por qué tanta premura, si se puede saber?

—¡Ah, a los dieciocho años! ¿Y qué diferencia hay de diecisiete a dieciocho? ¿Solo porque se puede votar uno se pone más adulto? ¡Qué absurdo, papá!

—Ernesto, esto no se discute más.

—Pues bien, ¡no se discute más! —responde Ernesto en tono desaforado, mientras sale dando un portazo.

El retrato del abuelo Ruiz se desploma de la pared.

Más que un propósito, la idea que hierve dentro de la cabeza de Ernesto es una sed que necesita ser aplacada, una necesidad mental de encontrar a alguien a quien poder decir: «Somos de la misma sangre, tú y yo». «Llevamos los mismos genes, tú y yo». «Somos plumas de la misma ave, tú y yo». Porque esa y no otra, es la tela de la que están hechos sus sueños.

Y esta necesidad impostergable lo lleva a urdir y descartar varios planes, hasta que se decide por uno. Sabe que su padre es un hombre de convicciones inamovibles y que a estas no se las puede encarar de frente, sino que requieren una solución lateral. «A la intransigencia hay que socavarla sembrando la duda, no rebuznando ni peleando», suele decir su abuelo Ruiz.

Dos días más tarde, durante la cena, el chico juega su última carta.

—Papá, creo que tienes razón. Voy a dejar el viaje a México para el futuro. Tengo otros planes. No sé si les conté. La última semana de clase un oficial de la aeronáutica estuvo pasando por las escuelas reclutando a estudiantes. No, no, no es para ahora —el chico calibra bien sus palabras cuando se da cuenta de que su padre casi escupe la sopa—. Tengo que esperar a cumplir los dieciocho, pero el entrenamiento debe comenzar ahora, dicen, porque ya me gradué.

Ernesto pone una carta con el sello de la Fuerza Aérea de los Estados Unidos en medio de la mesa y se reclina en la silla para ver detonar su bomba de tiempo.

Ruiz padre abre la carta. Con un característico gesto suyo aparta con la mano un mechón de pelo rubio que le cae en la frente y lee en silencio. El chico le nota por primera vez unas hebras blancas allí donde le nace el pelo.

—¿Sabes, papá? En algunos círculos se está rumoreando de otra operación tipo *Tormenta del Desierto* en el Golfo Pérsico, porque dicen que esa fue una guerra inacabada, la del 91. Nada oficial, claro. Es apenas un rumor. Pero lo que sí es verdad es que necesitan entrenar a más gente para operativos especiales. Y como a mí me gustan los aviones, creo que va a ser una buena oportunidad.

Después de unos segundos de silencio, el chico continúa:

—Justin ya se enlistó, papá. ¿No te conté?

Su argucia dio resultado, concluye Ernesto al ver la expresión seria del padre. «¡Mordieron el anzuelo!», se felicita el chico. Pero la satisfacción pronto se deshace en pena cuando mira el rostro de su madre, porque sabe lo que desfila por su mente: la imagen del hijo del vecino, inválido desde hace cuatro años, y con apenas una vaga memoria del sol, de la arena, del desierto. «Una vida destruida —comentó su mamá cuando lo trajeron en una silla de ruedas—. Y una familia destruida».

Un silencio pesado se instala entre ellos, como el fantasma de Banquo en la mesa de Macbeth, y se hace nudo en sus estómagos. Durante el resto de la cena no se habla más del asunto. La cara del padre sigue inescrutable hasta que se levanta de la mesa.

Esa noche, los Ruiz discuten en el cuarto.

—Ernesto es tan arrebatado —le dice Esteban Ruiz a su esposa— que es bien capaz de enlistarse, a pesar de que sabe que estamos rotundamente en contra de esas guerras imperialistas. Bueno. ¡Allá él! La vida le va a enseñar.

—Esteban, tú siempre dices que eres español, ¿no?, aunque tengas un pasaporte americano. ¿Por qué?

—¿Y a qué viene eso, Isabel? Ah, ya sé por donde vas.

—Contéstame.

—Pues nací en España, y mis padres son de pura sangre visigoda. Pero te juro que me daría lo mismo si fuera italiano o esquimal. ¡Me tiene sin cuidado eso de la nacionalidad o de la raza, tú lo sabes!

—De acuerdo. Pero para ti, tu identidad es indisputable porque sabes de dónde vienes, ¿vale? Y así te defines ante la gente. No dices: «Soy español pero me importa un carajo», ¿verdad? Dices: «Soy español». Y punto. Bueno, el chico no tiene ese privilegio que tenemos tú y yo. Su identidad es difusa, es compleja, ¿lo entiendes? Y no creas que me hace gracia eso de que se vaya a buscar a otros padres. Me duele, pero no quiero ser mezquina.

—Yo también lo entiendo, Isabel. Pero el problema es que Ernesto es menor de edad, y si le pasa algo se nos puede armar un gordísimo rollo. Recuerda todos los papeles que tuvimos que firmar para la adopción.

Ernesto se va a la cama con culpa, algunos resabios de resentimiento y muchos interrogantes, más retóricos que verdaderos: «¿Estoy siendo ingrato? ¿Pero qué puedo hacer? ¿Acaso no fueron ellos quienes me trajeron de aquel convento, y es por causa de ellos que tengo esto metido adentro y no me lo puedo arrancar? Juro que me meto a piloto de guerra si no me dejan ir».

Esa noche, el chico sueña con una cuadrilla de aviones de guerra que se acercaban en forma de V, quebrando el aire sobre un desierto en Kuwait con un ruido atronador. Volaban bajo y listos para bombardear cuando las alas comenzaron a moverse, flexibles y ondulantes como las de un pájaro. Los aviones-pájaro pasaron planeando y casi rozando un campo y luego, ya hechos águilas, remontaron vuelo, alejándose en bandada hasta perderse en el cielo.

Cuando se despierta, el sueño lo retiene en la cama por un buen tiempo. Le sorprende la perfección de las imágenes a pesar del error conceptual, porque, se recuerda, las águilas no vuelan como los gansos. Pero él sabe de sobra que a los sueños no hay que buscarles la lógica, sino captar los símbolos con que entretejen su narrativa y pasan su mensaje a la conciencia. Y a este lo toma como un buen presagio.

—¿Y cuándo quieres ir a Esperanza? —pregunta Isabel Ruiz cuando su hijo se sienta para desayunar.

No menciona el motivo de la súbita aceptación.

—Al final del verano —dice el chico, disfrazando su sorpresa—. Quisiera trabajar estos meses para ahorrar un poco de dinero.

—Tu padre y yo queremos comprarte el pasaje hasta Ciudad Obregón y tú usa tus ahorros para otros gastos. No queremos que pases necesidades por ahí.

El muchacho le agradece y la abraza, un poco cohibido por el sentimiento de culpa. El perro los observa con una mirada amarilla y emite un quejido lastimoso. Porque, para él, cualquier abrazo significa una despedida y una ausencia inminente.

Ernesto espera hasta el atardecer para llamar al abuelo Ruiz, en España, que ya debe de estar tomando el desayuno del otro lado del Atlántico, calcula.

Entre ellos dos siempre hubo un tácito entendimiento. El chico siente fascinación por el carácter individualista de este militante que en las cárceles franquistas, en vez de amargado, se hizo poeta. Por su parte, el misterioso pasado de ese nieto postizo siempre ejerció un oscuro encanto sobre el viejo Ruiz. Además, es justo decir que la verdadera cantera donde el espíritu de Ernesto se ha abastecido desde pequeño ha sido el abuelo adoptivo, y que este a su vez se ha llenado de amor con la receptividad del chico.

—¿Desatinado? Claro que no es un proyecto desatinado, muchacho —le dice el abuelo con entusiasmo cuando el nieto le anuncia su viaje—. Yo lo apruebo y, la verdad, ¡te envidio! Nada más valioso que querer conocer el pasado de uno para entender el presente.

—Gracias, abuelo, sabía que tú lo ibas a aprobar.

—¡Pero eso sí, ¡cuídate, muchacho! —agrega el abuelo—. Cuando los moros andaban por estas regiones de España solían decir: «Confía en Alá, pero, primero, ¡ata tu camello!».

Ernesto imagina a su abuelo arqueando las cejas blancas y frondosas, como dos bes bajas invertidas, como si una garza se le posara en el entrecejo con las alas a medio desplegar, presta a levantar el vuelo. Porque así hace el viejo Ruiz cuando enuncia algo importante. Al chico le gusta decir que el abuelo se vuelve pájaro.

Le promete que va a ser prudente.

A Esteban Ruiz no le hace gracia que su propio padre fomente los delirios de Ernesto, pero sabe que ya no puede hacer nada para evitarlo.

II

Ernesto sueña con Esperanza y con sus padres. Es un encuentro confuso y decepcionante, donde los rostros de gente conocida se superponen a otros rostros desconocidos, y las expresiones de contento se transmutan en muecas de sorpresa o disgusto. El chico se sobresalta cuando la azafata lo despierta. La mujer le da el formulario de entrada a México, que él llena con una letra que recuerda a arañas aplastadas.

Ernesto Moreno Ruiz ... Estadounidense ... Turista ... 20 de septiembre de 1995.

Tiene frío y pide una cobija.

Media hora después el piloto anuncia la llegada a Ciudad Obregón. Por la ventanilla, Ernesto ve unas montañas verdes y ocres. La presión rítmica de la sangre le golpea el pecho como una bomba de tiempo. Enseguida, una ciudad de tamaño regular aparece entre un archipiélago de nubes translúcidas que flotan debajo del avión. Cinco minutos más tarde, las ruedas de aterrizaje ya están tocando la pista. Son las diez de la mañana.

Desciende del avión. Pasa por inmigración, por el control de aduana, por el vestíbulo. Llama a casa. Cambia dinero. Todo está en orden, menos su pulso acelerado.

Aunque su sentido común le repite que no hay razón para estar alterado, no puede ignorar que este no es un viaje común, como tantos que hizo a España con sus padres y aun solo. Este es diferente. Este es el cúmulo de los deseos nacidos, albergados y alimentados por tanto tiempo en su imaginación de niño, que ahora al fin han tomado cuerpo. Por un momento Ernesto tiene ganas de volver en el mismo avión en el que acaba de llegar. Lo paraliza una indecisión que ya ha detectado muchas veces. Tal vez no sea esa su naturaleza, piensa, sino más bien el subproducto de una labor impuesta por su padre para disciplinar su carácter, tan impetuoso, según dicen.

Hoy te vas a enfrentar con tu historia, Ernesto —se dice el chico para darse fuerzas—; vas a llamar a la puerta de aquellos que saben quién eres, y aunque no lo sepan, y aunque te echen los perros, o te saquen a escopetazos, o te tomen por demente o ridículo, vas a seguir adelante. Porque tienes que cumplir con tu destino. Ahora no hay vuelta atrás —se repite—, ¡no hay vuelta atrás!

Sale a la calle con su mochila a cuestas, dispuesto a afrontar esa mañana imprevisible, y el sol del fin del verano le hiere los ojos. Ve un autobús en el que pone «Centro» y se sube.

«¿Y si no encuentro a ningún Moreno? —La pregunta lo asalta de súbito—. ¿Y si es todo un invento? ¿Un sueño de las monjas? ¿Un sueño de mis padres? ¿Una enorme equivocación?».

Aunque lo sea, vuelve a repetir su mantra, ahora no hay vuelta atrás.

El recorrido es corto y Ernesto pronto se encuentra en la plaza central, donde toma otro interurbano para Esperanza.

El centro no se distingue mucho de cualquier otro centro de una ciudad cualquiera: edificios modernos donde trabaja la gente moderna, algunas rotondas floridas, avenidas señalizadas y parques bien cuidados.

Pero a medida que el vehículo se aleja hacia la periferia se va acercando a otra realidad, como si la avenida suburbana separara dos países diferentes.

El autobús entra en un barrio y se detiene en una esquina para recoger pasajeros.

«El Tercer Mundo», piensa Ernesto cuando comienzan a aparecer las viviendas como cajas de zapatos, las paredes de ladrillos a medio revocar, los tejados de cinc, las calzadas adornadas con caca de perro, agua estancada a los lados de las calles, niños jugando a la pelota descalzos en un terreno baldío.

Recuerda cómo su padre lo corrigió cuando usó este término: «No se dice ya "Tercer Mundo", ahora les ha dado por llamarlos "países en vías de desarrollo" o "economías emergentes"». A Ernesto le da igual. Para él es simple y llanamente un mundo de pobreza. Claro que él ha visto incontables veces, en los programas culturales de la televisión, estos suburbios humillados por la carencia, pero verlos desfilar frente a sus ojos es una diferencia abismal. O, tal vez sea el olor lo que da a la experiencia esta dimensión singular. Olor a frituras, a gasolina; olores dulzones, olores ácidos, rancios, penetrantes.

Cierra la ventanilla y el coche se pone en marcha.

«Bien, como quiera que se llame —se dice Ernesto—, este es el mundo de donde yo vengo. Tengo que aprender a amarlo. Ha sido el mundo de mis padres, de mis abuelos, de mis tatarabuelos, de toda esa progenie mestiza que debe de haber detrás de mí. ¡Qué curioso! —se le ocurre—, si yo soy mestizo, de indio y español, hay cierta simetría en todo esto, cierta... circularidad en mi destino. Tengo a España desde el comienzo al fin, por herencia y adopción. ¡Vaya caminos extraños que tiene la vida!».

Los suburbios quedaron atrás y la ruta 15 que va al Norte se abre a través de un campo llano salpicado de cactos y cardones. Hacia el este, la silueta de unas montañas distantes se dibuja difusa en el horizonte. Ernesto pega la nariz al vidrio de la ventanilla. ¿Está viendo él las mismas montañas que vio su propia madre de joven? ¿O sus abuelos? ¿Habrá sido su padre también de Esperanza? ¿Cómo van a recibirlo? Le alienta pensar que las familias mexicanas suelen ser extensas, y seguro que habrá algún Moreno que sepa hablarle de su madre.

«¡María Moreno! ¿Te acordarás todavía de mí?».

III

El autobús no entra en el pueblo. Ernesto tiene que andar el largo camino que lleva de la ruta al centro. En un café frente a la plaza, desayuna por segunda vez y luego se mete en una cabina de teléfonos que hay en la calzada. Porque así le aconsejó su padre: antes de hacer averiguaciones en el municipio, debería consultar la guía telefónica. Y tal como le avisaron, encuentra una guía encadenada a una mesita, precaución algo inútil ya que está cayéndose a los pedazos.

Busca en la *M*. Hay Mariano, Medina, Méndez, Montana, Morelia, ¡Moreno! Otra vez el corazón es un redoble de tambores. Respira hondo, exhala con fuerza para espantar los espectros de la indecisión y disca el número. Responde una voz femenina.

—¿Bueno?

—Por favor, quisiera hablar con el señor o la señora Moreno.

—Un momentito, por favor. Y ¿de parte de quién?

A pesar de lo mucho que ha ensayado este momento, el chico responde de manera vacilante:

—De... Ernestoooo... Moreno.

Enseguida se escucha una voz de hombre en el teléfono:

—¿Bueno?

—Buenas tardes, señor —dice, leyendo las notas que se escribió de antemano, para evitar cualquier tartamudeo inoportuno—. Me llamo Ernesto Moreno Ruiz y soy de los Estados Unidos. Viajé a México para encontrar a mi familia, los Moreno, de Esperanza. Pienso que usted puede ser mi pariente.

Ernesto ahora siente el latido descompasado en la garganta y se pregunta si su interlocutor también lo estará escuchando por la línea.

—¿De los Estados Unidos? Nosotros no tenemos ningún pariente allá. ¿Y por qué cree usted que nosotros somos de su familia?

—Porque mi madre es de Esperanza, y el nombre de su familia es Moreno.

—Hum, interesante. Bueno, venga a mi casa para platicar. Tome nota de la dirección: calle Hidalgo, número treinta y cuatro. Es una casa amarilla, de dos pisos.

Comienza a caminar. Hace calor, pero minúsculas gotitas de sudor frío brillan como pequeños diamantes en la piel castaño-oscura de la frente. Las calles de Esperanza, con sus palmeras altas y delgadas, se parecen un poco a algunas calles de San Diego y esto lo hace sentirse algo mejor. El pueblo no es grande. En menos de tres minutos está frente a una casa grande, rodeada de altas rejas y plantas. Varias ventanas también lucen rejas floridas, al estilo español. Al lado de un gran portón de entrada, la rama de una buganvilla en flor enmarca una placa en la que pone: «Licenciado Jorge Moreno, abogado».

Toca el timbre y sale una mujer de mediana edad, con delantal blanco. Tiene la piel del color del bronce, como él. Hasta tiene los ojos grandes y algo almendrados, como los suyos. ¿Será...? El chico la mira expectante.

—Pase. El licenciado lo está esperando —dice la mujer con voz insulsa, interrumpiendo sus especulaciones.

En el zaguán, una pequeña mesa redonda luce un jarrón de porcelana repleto de gladiolos. La mujer abre una doble puerta con visillos beis en los vidrios y conduce a Ernesto a la sala. El lugar es amplio y elegante. Hay cuadros de artistas mexicanos en las paredes, una mesa larga de roble sobre la que reposa un elaborado candelabro, varios sillones de cuero, alfombras gruesas sobre el piso de madera antigua y una nutrida biblioteca.

Un hombre de unos cincuenta años, alto y calvo, entra en la sala y extiende la mano hacia Ernesto:

—Mucho gusto, eh..., Ernesto, ¿no?

—Sí. Mucho gusto, licenciado.

—¿Así que tú eres un Moreno? —pregunta el hombre, escudriñando al muchacho por encima del marco de sus anteojos.

La mirada, de un azul verdoso algo desvaído, inunda a Ernesto en un mar de dudas.

—Sí, señor —responde, en voz baja.

Quiere sonreír y ser simpático, pero poder hablar ya es una proeza. De ninguna manera esperaba encontrarse con una familia opulenta y con un hombre de ojos claros y de piel de alabastro. Pero todavía le queda una brizna de esperanza. Las familias multirraciales, recapacita, suelen producir casos así, anómalos. Quién sabe...

—Bueno, deja tu morral ahí y ponte cómodo —le invita el hombre, señalándole un sillón, mientras él se arrellana en otro—. Cuéntame cómo y por qué decidiste venir a visitarme.

Ernesto le habla sobre su adopción y la mención del nombre y del pueblo en el mensaje que llevaba prendido en su bata de bebé. Terminada su historia, el muchacho mira al licenciado Moreno con ojos interrogantes. El hombre cruza las manos.

—Nosotros no podemos ser tus parientes porque ningún miembro de nuestra familia emigró a los Estados Unidos. Nunca.

Los dos se miran. A Ernesto no le toma mucho tiempo digerir la información. Ya se lo esperaba cuando lo vio entrar y le extendió una mano pálido-rosada como el nácar; pero de cualquier modo, se siente algo apabullado.

—¿Y no hay otra familia Moreno en Esperanza?

—Sí, hay varios —dice el hombre—, pero son todos parientes míos. Somos todos de la misma rama, de la misma cepa. Llevamos casi cien años en este pueblo y tampoco hubo nunca ninguna María Moreno. Si la hubiera habido, yo lo sabría, porque tengo el árbol genealógico de los Moreno de aquí.

Ernesto guarda silencio. No sabe cómo encajar esta noticia con el plano mental que tenía tan bien estructurado.

—Oye, Ernesto, déjame decirte que... hay muchos pueblos que se llaman Esperanza. Aquí en México y en otros países de habla hispana. Es un nombre común. La familia de tu madre puede ser de otra Esperanza.

¿Otra Esperanza?

El hombre continúa hablando, con tono pausado:

—Además, hay otro problema. «Moreno» también es un apellido extremadamente común, debe haber cientos de miles en el mundo, no sé... Tus padres, siendo españoles, deberían saberlo.

—Cierto, pero los Moreno en un pueblo llamado Esperanza en México... —argumenta Ernesto—, eso reduce las posibilidades, ¿no?

—¿Las monjas hablaron con tu madre?

—No. Solo me encontraron a mí y el mensaje.

—¿Y el papel decía Esperanza en México?

—No lo sé. No creo —agrega después, con algo de pánico por la súbita revelación.

—¿Y cómo saben entonces que ella era de México?

—Dicen mis padres que me llamaban «el bebé mexicano».

—¿Se tratará por acaso de lo que llamamos suposiciones automáticas?

El hombre nota la expresión desconcertada en el semblante de Ernesto.

—A veces uno recibe cierta información. El cerebro la compara enseguida con la base de datos, digamos, que ya tenemos, y la cataloga. No es difícil que hayan «archivado», por así decir, a tu madre en sus memorias como la mujer mexicana, porque la mayoría de los que cruzan la frontera son de México. Tú me entiendes. Es suficiente el nombre María y el perfil racial de tu madre, para que la metan en la misma bolsa, por así decir. ¿Me explico?

Terminado el pequeño discurso, el hombre se reclina en el sillón y agrega:

—Es el riesgo de hacer generalizaciones apresuradas, muchacho.

Ernesto queda intrigado por esa línea de pensamiento. «No por nada el tío es abogado», piensa.

—Me pregunto ahora si mis padres habrán pensado en esto —reflexiona el muchacho en voz alta.

—Mira, ellos recibieron la información de lo que consideraban una fuente fidedigna y así la dejaron. No culpes a tus padres, Ernesto, porque esto les pasa a las mentes más lúcidas. Nos pasa a todos. ¡Conjeturas sin fundamento! —enfatiza—. Lo veo a menudo en mi profesión.

El hombre lee el gesto mudo de «¿Y ahora, qué?» de Ernesto, y le despierta una fibra de ternura.

—Bueno, muchacho... No es el fin del mundo, ni el fin de tus esperanzas, je, je —dice con una risa cordial—. Hay muchas «Esperanzas», y tú puedes encontrar la tuya.

«Encontrar mi Esperanza —discurre el chico—, ni sé por dónde seguir».

Sabe que tiene que hacer un ajuste mental, pero el mundo se le ha vuelto de pronto demasiado ancho.

—¿Te apetece un jugo de piña?

—Sí, gracias.

El hombre llama a la muchacha y le pide un jugo de naranja y un café.

—Oye, Ernesto —continúa el señor Moreno—, yo te quiero ayudar, porque me has caído bien. —Se dirige a la biblioteca y baja un libro enorme—. ¿Ves este Atlas? Aquí en Esperanza no llegó el Internet todavía, pero esto te puede servir.

El hombre lo mira por unos instantes. Ernesto contempla mudo el gigantesco atlas.

—Bien —continúa el otro—, yo tengo que ir a mi despacho, pero tú puedes quedarte aquí estudiando los mapas. Busca otras Esperanzas en el índice. ¡Seguro que hay más! Cuando yo vuelva, tú me las muestras y así podremos elaborar un plan. Aquí tienes papel y pluma. Bueno, con permiso, Ernesto.

El licenciado se retira a un cuarto contiguo y deja al muchacho en la sala. Ernesto estaba preparado para una decepción, por ejemplo, no encontrar a su familia por muerte o por mudanzas. Hasta estaba preparado a que le cerraran la puerta en la cara. Pero no lo estaba para encontrarse con ese panorama de los múltiples Moreno y los múltiples pueblos homólogos. Se toma el jugo de un solo golpe y se sienta a un extremo de la mesa de roble con el atlas frente a sus ojos. Comienza entonces la tarea de compilar una lista de Esperanzas y países.

Y la cosa se vuelve complicada. En el índice del libro el número de pueblos con tal nombre comienza a ser bien numeroso. Hay uno en el mismo estado, no lejos de allí, y hay otro en el estado de Veracruz. Fuera de México, hay Esperanzas en Guatemala, en Ecuador, en Perú, y varios en Argentina. Es decir, en un continente entero, concluye Ernesto.

Le parece un chiste del destino, uno de esos chistes que producen más rencor que risa. Ernesto considera las infinitas posibilidades de una singular partícula cuántica y se pregunta si en el relativo macrocosmos de un destino humano también habrá tal multiplicidad.

Como sea, ese abanico de múltiples salidas lo abruma. Y ese bonito dicho de su madre, «cuando una puerta se cierra, cientos se abren», en vez de consolador le resulta aplastante.

Algún tiempo después, el abogado abre la puerta de su oficina.

—¿Y? ¿Encontraste tus Esperanzas?

—Sí, señor, encontré todos estos pueblos —dice Ernesto, mientras le muestra la lista.

El abogado hace un llamado. Habla con la telefonista de La Esperanza, al norte de Hermosillo, quien le asegura que en la villa no hay nadie con ese apellido. Llama luego a otra Esperanza, en el estado de Veracruz, y consigue comunicarse con un señor Moreno. Le explica el problema. Ernesto trata de imaginar las respuestas del otro lado del aparato.

—Es un joven de diecisiete años, cree que es de familia mexicana —dice el abogado—... María Moreno ... Ah, comprendo. Familia sefardí, comprendo ... Sí, sí, le agradezco, doctor, y disculpe la intromisión. ¡Que tenga un buen día!

El hombre cuelga el teléfono y le transmite a Ernesto lo que no pudo escuchar.

—Esta familia me asegura que ellos tampoco tienen o tuvieron parientes en los Estados Unidos, y nadie con el nombre de María.

—Otra Esperanza descartada.

—Tu próximo destino es Guatemala, entonces. ¿A ver? ¡Ah, pero este es un pueblito muy pequeño! —dice el abogado, mirando el mapa—. Allá no debe haber teléfonos, es una aldea. Hum...

El hombre hace otro llamado a la Biblioteca Nacional de la UNAM en la ciudad de México y le comunican que, efectivamente, en el catálogo de Guatemala no existe un código para tal pueblo.

—Supongo que tienes que ir en persona, muchacho.

Ernesto calcula que el dinero que lleva no le va a alcanzar para ir a otro país, y menos para cruzar un continente.

—No quiero pedir dinero a mis padres para esto —le confiesa el chico, un poco como buscando consejo.

—Paciencia, amigo. Tampoco necesitas hacerlo todo ahora, de un golpe, en un viaje solo.

Ernesto concuerda. Agradece al señor Moreno por su tiempo, por haberle abierto los ojos y por su cordialidad, y se despide.

—Buena suerte, amigo. Un gusto en conocerte —dice el hombre cuando le da la mano a Ernesto, mientras que con la otra mano pone un billete de quinientos pesos en el bolsillo de la camisa del muchacho.

—Oh, no es necesario, señor.

—Llámame o escríbeme para saber de tu vida.

Ernesto está azorado.

—Sí. Sí. Adiós, señor. Y gracias por todo.

—De nada, hijo. Ve con Dios.

IV

—Ernesto, por fin llamaste. ¿Dónde estás?

—En Esperanza, mamá. Encontré a un señor Moreno.

—¿Y? ¿Es pariente?

—No. El hombre me explicó que hay muchos Moreno, mamá, y que debe haber otro pueblo con el nombre de Esperanza.

—¿Otra Esperanza?

—Sí, la más cercana está en Guatemala. Hay bus directo desde aquí. Todavía tengo dinero.

—¿Guatemala? ¡Pero tu madre era de México, Ernesto!

—¿Qué pruebas hay, mamá? ¿Por acaso ella se lo dijo a alguien? ¿El papelito ese lo decía?

La voz enmudece del otro lado.

—Mamá, ¿estás ahí? ¿Me estás escuchando?

—Pero ¿qué estás diciendo, hijo? ¿Qué es eso de que no era de México?

La mujer habla con voz temblorosa, tal vez indignada. No es posible que así, de repente, alguien cuestione lo que ya había sido establecido desde hace años, que se destruya una verdad autoevidente. Ella es una mujer seria, profesional, no es una tola. ¿Cómo es posible que haya errado en algo tan importante?

—¿Y de dónde era, entonces?

—Pero eso es justamente lo que yo estoy tratando de averiguar, mamá. Ustedes tienen que volver a ese convento, agarrar a la monja por el pescuezo y obligarla a aclarar las cosas. Mientras tanto, yo me voy para Guatemala.

—Ernesto, escucha, hijo, no seas obcecado, tu padre no quiere...

El papá toma el teléfono.

—Ernesto. ¿Qué es eso de ir a Guatemala?

—Necesito hacerlo, papá.

—¡Tu madre está muy preocupada!

La mamá toma el teléfono.

—¡Cuídate, hijo! Te queremos mucho. Vamos a ver qué podemos hacer por ti desde aquí.

En un banco de la plaza, Ernesto vacía su mochila y saca un cuaderno. Se prometió registrar los pormenores del viaje, pero solo le salen unas frases secas:

México, Esperanza, 20 de septiembre de 1995. Hoy encontré el pueblo del círculo. Aquí hay muchos Moreno, pero ninguno es el mío. ¡Al final, resultó ser un círculo vacío!

Deja el cuaderno, esculca los bolsillos y encuentra la carta que recibió de su abuelo Ruiz, antes de salir. Vuelve a leerla:

Ernesto, querido nieto de mi alma, quiero desearte un buen viaje. Espero que encuentres lo que buscas, y si no es esta vez, ¡no te desanimes! Habrá otros caminos que recorrer. Al final, la vida es una romería; y en este mundo, somos todos pasajeros y peregrinos.

Las sombras ya se amontonan en la plaza y rodean el banco. El chico levanta los ojos y, a lo lejos, ve aproximarse las luces amarillas del autobús que lo va a llevar a la próxima estación.

2. La quinceañera

I

El negocio de don Pablo en Baeza viene prosperando desde los últimos tres años. En 1992 tenía solo una línea telefónica en su casa. Fue agregando una por año, y ahora cuenta con cuatro. Desde allí se puede llamar al exterior así como recibir llamadas de afuera. Como mucha gente del pueblo —sin hablar la de las comunas en la selva—, carece de servicio telefónico, el hombre cuenta con una clientela constante.

—Cuanto más petróleo extraen, más miseria hay por aquí, más gente emigrando y más necesidad de comunicarse por teléfono. Qué puedo decir yo, mi amigo... ¡Viva el petróleo ecuatoriano!

Pocos son los que comprenden el humor cáustico de don Pablo. Para sus clientes, lo importante es que él se esfuerza en servir bien a todos.

En la casa de Rosa saben que cada primer y tercer sábado del mes, al mediodía, Alba los llama al negocio de don Pablo desde una finca o un centro de empaque de hortalizas en los Estados Unidos. En seis años, nunca ha fallado.

A la abuela Umi le sorprende un poco la visita temprana del mensajero de don Pablo a la chacra, y más hoy que es domingo, avisando que la señora Alba Caento llamó de los Estados Unidos. Pero tampoco se alarma. Ayer fue el cumpleaños de los quince de Rosa y su madre querrá saludarla.

—Rosita, levántate. Tu madre va a llamar en un par de horas. Querrá felicitarte por tu cumpleaños, hija —dice la abuela mientras termina de trenzarse su larga cabellera de hebras negras y blancas.

En un minuto, Rosa está en pie, vestida y calzada en sus botas de goma. Desborda ansiedad por contarle a su mamá los pormenores de la fiesta de anoche.

Abuela y nieta se ponen en marcha. La vieja Umi recorre el camino de su morada al pueblo con el mismo paso ágil de Rosa y el mismo brío juvenil de antaño. No muda el ritmo aunque la senda serpentea hacia arriba o cae, abrupta, en una barranca. Tampoco titubea cuando elige con destreza dónde poner el pie para evitar que el lodo le succione una bota. No por nada ha vivido tantos años en la selva, explica ella. Cuántos años, es difícil de decir, pero asegura andar entre los sesenta y los setenta.

Poco antes de la hora marcada, las dos ya están sentaditas en la sala de la casa de don Pablo, esperando el prometido llamado. Y Alba es puntual. Cuando se siente la campanilla del teléfono y luego la voz del hombre diciendo «Aquí están, señora Alba», de un solo brinco, Rosa entra en la cabina.

En un relato atropellado, la muchacha le cuenta a su mamá sobre la noche anterior:

—¡Cuánta gente que había, mami! El banquete fue fabuloso, y bailamos y tiramos petardos y cohetes toda la noche ... Pues no se fue nadie hasta que los gallos comenzaron a cacarear ... ¿El vestido? Es precioso. Ya va a ver las fotos —Rosa pausa unos segundos—. Pero qué pena que usted no estaba, mamá. Sentí mucho la falta de usted, anoche; la extrañé mucho, muchísimo.

El tono de alegría decae. La muchacha describe la comida de la fiesta, pero sus palabras no tienen el brillo inicial y mal llegan a cubrir el fondo borrascoso que agita a ambas.

Y así es siempre: las conversaciones entre Alba y su hija comienzan con locuaz alegría y terminan en silenciosas lágrimas. Rosa evoca las deliciosas frutas maduras de la selva, que deleitan el paladar hasta que uno parte el carozo, se come la pepita y se lleva un gusto amargo en la boca.

Es cierto que en los dos últimos años a Rosa le fue creciendo una fina corteza en el corazón, y comenzó a poner más energía en curvarse las pestañas, en realzar sus pechos (para nada abundantes como los de su vecina Anita) con *brasiers* apropiados, y en presumir de su pelo largo y espeso. Pero de cualquier manera, el año noventa y cinco comenzó difícil para ella, porque Alba ya anunció en enero que no podría volver para el tan esperado cumpleaños. La ausencia de su madre en la fiesta fue suficiente para resucitar la vieja angustia.

La chica pasa el teléfono a su abuela y sale al patio para que no la vean llorar. Se sienta en un banco de troncos y por largo rato mira las aves, con envidia. Cómo quisiera ser la mujer pájaro, esa de la historia de *Las mil y una noches* que les contaba el maestro Romero, esa que se ponía una capa de plumas y allá se iba, volando, hacia donde su corazón la llevaba. Pero la abuela está tardando. ¿Por qué se demoran hablando tanto tiempo? ¡Esta llamada le va a salir carísima a mamá!

—Gracias por el mensaje, don Pablo —dice la abuela cuando paga por el servicio—. Y aquí tiene unas monedas para su chico.

—¿Qué le pasa, doña Umi? —pregunta el hombre, usando el «doña», que a los huaorani les resulta gracioso—. La veo afligida. ¿Alguna mala noticia del Norte? ¿Su hija está bien?

—No, no está muy bien, don Pablo. Fíjese que le agarró una enfermedad, y no sabe, o no quiere decirme, qué es.

Rosa entra y escucha las últimas palabras.

—¿Mi mamá está enferma? ¿Y por qué no me lo dijo a mí, abuela?

—Porque quería consultarlo conmigo, hija.

—¿Consultar qué?

—Si tú podrías ir a los Estados Unidos, para cuidarla.

Esa tarde, Rosa sale de su casa y se sienta a la vera del río. Según Romero, este riacho desemboca en el río Quijos. Y este, en el Amazonas. Ella lo observa fluir por el valle, deprisa, cristalino, y volver a internarse en la selva. Imagina esa naciente en las montañas que dicen que es donde se origina. Nunca la vio, pero sabe que hay aguas que corren subterráneas, y a veces, cuando se tiende en el pasto, cree que puede escuchar sus murmullos ocultos. Quisiera saber escuchar también esa corriente subterránea que lleva dentro de ella... que hoy está tan alborotada, y que la lleva, quién sabe a dónde.

Una libélula con alas de filigrana brillante se le posa en una mano y le aventa el ensueño.

—Para mí, honestamente, no es una buena idea —dice la abuela Umi—. No se trata de si el coyote es o no es de confianza. Ustedes se olvidan de que mi hija Alba tenía treinta años cuando se fue, pero esta niña tiene quince. ¡Apenas quince!

—Pero Alba insiste, Umi —dice la esposa de Numpa—. ¿No le dijo ella que necesita a alguien de la familia para cuidarla? ¿Que no tiene a nadie allá?

—¡Prefiero ir yo misma! —dice la abuela, enderezándose en la silla.

—¡Qué ocurrencia! ¿A nuestra edad, para el Norte? ¡Ni hablamos inglés! —replica el abuelo.

—Ni español, para decir la verdad, abuelo —agrega Enrique.

—Tú no te metas, que esto es cosa de adultos —lo reprende su padre al instante.

—Rosa tampoco es adulta.

—Pero es la hija. Y Alba quiere que vaya su hija, ¡no su madre o su santo!

—Es verdad. Y el dinero ya está en el banco de aquí.

—Alba está muy decidida.

—Yo quise hacerla cambiar de idea, pero...

La conversación, en una mezcla de huaorani y español, se interrumpe cuando la chica entra en la casita.

—Rosa. Mañana viene señor Zabala —le avisa el tío Numpa—. Sabes quién es, ¿no? El coyote que llevó a tu madre en el año ochenta y nueve, y ella dice que es de confianza.

Los abuelos permanecen callados.

—Pero tienes que ser discreta —continúa Numpa—. Y ustedes chicos, también. No anden diciendo nada por ahí. Se trata de mucho dinero.

—Ay, no sé... —dice Umi—. Todo esto me da mala espina.

Con voz queda, el abuelo emite unos monosílabos en su lengua materna, que nadie escucha.

II

En una mesita bajo el árbol grande del patio, Rosa ya vació los útiles escolares de su mochila y está decidiendo lo que va a empacar para el viaje. Las cotorritas, que hasta hace unos meses eran apenas polluelos con los picos abiertos esperando un gusano, ya han aprendido a volar, y ahora se han congregado en las ramas más altas.

—¡Rosa! —llama la abuela desde la casa—. ¡Ábrele el portón a Anita, que vino a despedirse de ti!

Las cotorras se alzan, alborotadas, y ocupan otro árbol más lejano para reanudar su parloteo. Anita llega de la casa vecina. En veinticuatro horas, todo el valle ya se ha enterado de que Rosa Epayuma se va para el Norte.

—¡Qué suerte tienes, Rosa! Bien quisiera ir contigo.

—No creas que todo es tan fácil allá, Anita. El profe de inglés me dijo que a los que van como yo los llaman *undocumented* y *aliens*.

—¿Y qué significa eso?

—*Undocumented* quiere decir «sin documento de identidad», o sea, nada que indique quién eres. Horrible, ¿verdad? Y *alien,* según mi diccionario, es «extraterrestre».

Anita la mira estupefacta.

—También los llaman *illegal immigrants* —continúa Rosa—, que quiere decir «ilegal». Y yo no sé qué es peor.

—Bueno, creo que es peor ser ilegal que ser extraterrestre, si me das para elegir... Mira cómo aquí La Compañía anduvo botando tóxicos en nuestros ríos. Eso es ilegal, y es malísimo. Ya lo dijo mi papá, que es miembro de la comisión indigenista.

—Ya lo sé. ¡Pero no me queda otra, Ana! Además, no es lo mismo. ¿Qué mal hace uno con ser ilegal por no tener documentos? ¡No es lo mismo! —responde Rosa con un ligero tono de irritación.

La comparación le pareció injusta y odiosa.

Por un rato, las dos muchachas quedan pensativas. Una a una, las cotorras regresan al árbol grande. Anita mira el corazón grabado en el tronco del árbol, con dos palabras en su centro: «Rosa y...».

—Rosita, te vamos echar de menos —dice—. ¿Me vas a escribir? ¿Te vas a acordar de nosotros?

—Claro que me voy a acordar de ustedes. ¡Ay! Aquí llega el señor Zabala. Es el coyote que viene para buscar el dinero. Perdón, Anita. Tengo que entrar, para avisarles a los abuelos.

—Bueno, me voy entonces. Adiós, Rosita. ¿No te vas a olvidar de mí?

—¡Por nada del mundo!

Rosa nota que antes de abrir el portón el hombre esculca el bolsillo de la camisa, saca algo pequeño y blanco, y se lo lleva a la boca.

—Todavía hay pastel de la fiesta. ¿Le apetece un pedazo, señor Zabala? ¿Con un tesito de guayusa? —dice la abuela.

—No, gracias, doña Umi, usted es muy amable. Estoy quedando muy barrigudo —dice el hombre palmeándose el estómago—. Un té sí le acepto.

Rosa lo observa con disimulada agudeza, tratando de leer en sus minuciosas expresiones faciales algún indicio de su carácter interior. Tiene las uñas muy limpias y pulidas y esto le produce a la chica una impresión ambivalente.

—Señor coyote..., eh..., señor Zabala, disculpe, ¿cuándo cree usted que voy a llegar a los Estados Unidos? —pregunta Rosa.

—Bueno, la verdad es que lleva un tiempito... no es como ir en avión, tú sabes. Todo depende de las condiciones climáticas para la navegación. Además, no es tan fácil como en el ochenta y nueve, cuando llevé a tu mamá, porque ahora hay más control de los patrulleros en la frontera de Guatemala, en la de México y en la de los Estados Unidos. Si todo sale bien, vas a llegar en dos semanas o poco más. Pero, como digo, puede ser más. Siempre hay algún imprevisto en este tipo de viajes. Pero nosotros estamos muy bien conectados en todo el trayecto, y podemos solucionar cada problema que se presente sin ningún perjuicio para nuestros clientes. Solo un poquito más de demora, ¿vio, don Caento? Eso es todo.

El abuelo, que entiende muy bien el español pero se niega a hablarlo, le deja la palabra a su hijo.

—Don Zabala, nosotros conocemos bien a su familia —dice Numpa—. Creo que podemos confiar en usted. Mire que esta niña es muy jovencita.

—Pueden quedarse tranquilos. Yo voy a estar en Guatemala, para recibir al grupo y llevarlo a través de México hasta la frontera, y de allí a los Estados. Pero durante la travesía en barco, de Guayaquil a Guatemala, ella va a estar en buenas manos.

El hombre habla con aplomo y esto le confiere autoridad y despierta confianza.

—Bueno. Como acordamos, aquí tiene los cuatro mil dólares de adelanto. Entonces mi hermana Alba le va a pagar los otros cuatro mil así como usted se la entregue, en Oregón —dice Numpa.

El hombre mueve los labios mientras cuenta los billetes de cien dólares. Después levanta la vista hacia el sol y analiza al trasluz cada uno de ellos hasta quedar satisfecho.

—Disculpen tanta prudencia, pero ustedes saben cómo han proliferado los falsificadores. Hoy día hay que ser doblemente precavidos. ¡Hay tanta delincuencia en este país! Es una vergüenza. Pero estos son buenos. Gracias, don Caento. Aquí tiene su recibo —dice el hombre, extendiendo un papel con su rúbrica.

El viejo agradece inclinando la cabeza.

—Bien. Mañana deben estar en el pueblo tempranito, en la esquina del cementerio. El autobús que contratamos va a estar allá a las cinco en punto. Rosa, ya te habrá dicho tu madre que empaques liviano. Una mochila escolar basta para dos mudas de ropa. Llévate también un talquito y un desodorante, porque vienen bien para disfrazar la falta de aseo. Recuerda que en el barco no es como estar en casa. Y un sombrero, ¡muy importante!

Caento y el coyote se dan la mano: una mano esculpida por la selva y otra alisada por el suave rozar de los billetes; y se despiden hasta el día siguiente.

Cuando ya está del otro lado del portón, el coyote extrae de la boca el diente postizo que se puso al llegar, y lo mete otra vez en el bolsillo de la camisa.

III

El chamán ya está subiendo la cuesta con su esposa y sus hijas. La lluvia torrencial que se desata en las tardes de los trópicos se extendió algo más que de costumbre y los atrasó un poco. Solo escampó a las tres y media de la mañana.

—Caento, el sendero está intransitable, y la correntada se llevó el puente —le dice el chamán al abuelo—. De mi casa para abajo, no hay manera de continuar. No hay cómo llegar al pueblo. Vadear el arroyo va a ser imposible, está muy crecido.

La familia no esperaba esta mala jugada del tiempo.

—¡Rosa va a perder el autobús!

—¡Voy a perder el barco!

—¡Deberíamos haber pasado la noche en el pueblo!

—¡Pero esto nunca ha ocurrido!

—Ya nada es como antes. ¡Hasta las lluvias han cambiado!

Los adultos se unen en una letanía de rezongos en contra de los tiempos que corren, en los que todo se está volviendo impredecible.

Rosa mira a sus abuelos con expresión angustiada. Ya le están saltando las lágrimas cuando el viejo anuncia:

—Mientras ustedes dormían como monitos en las ramas, yo arreglé y limpié la canoa. Estaba repleta de hojas y ramas y sapitos. Le limpié todo el musgo y maleza, y le di un nuevo bautismo en el río. ¡Como un cristiano renacido! —dice el viejo, con su risa de periquito.

—¡La canoa! ¡Me había olvidado de su canoa, papá! —exclama Numpa—, por supuesto que podemos ir por el río.

—¡Uuu! ¡Vamos en canoa! ¡Bien! ¡Por fin! —exclaman los chicos.

—Abuelo, usted es un mago, un espíritu de la selva hecho carne, un santo santísimo —dice Rosa, abrazándolo.

—El jaguar sabe más por viejo que por jaguar —agrega Umi, que ya se había alegrado secretamente por el contratiempo.

Pasado el susto, Umi ya prepara el patio para la ceremonia, y lo primero es encender las antorchas, porque todavía es noche cerrada y no hay luna. «Ni la luna quiere ver a Rosa partir», rezonga Umi mientras echa unas hierbas al fuego. Luego alinea unos banquitos en forma de círculo y la familia se sienta a esperar.

Primero llegan las mariposas nocturnas, que comienzan su danza alrededor de las antorchas. Y luego aparecen el chamán y sus niños, emergiendo del interior de la casa con sus mejillas pintadas y adornados con profusión de collares de semillas y plumas, listos para el ritual. Un baile de pasitos cortos acompaña el ritmo simple del instrumento de percusión y la melodía elemental de tres notas que define el canto de la selva.

Aunque la familia ya adoptó algunas creencias cristianas en el protectorado, más por ósmosis que por conversión, no abandonaron del todo la práctica huaorani, y la bendición que hoy da el chamán sigue la tradición de su gente.

Al despedirse, el hombre le da a Rosa un amuleto con un jaguar tallado, y le dice que el espíritu del animal la va a proteger en su viaje de ida y de vuelta. La chica le agradece y se lo guarda en el bolsillo.

Rosa no se molesta con esta yuxtaposición de credos en su familia. Al final, Dios es uno —razona—y uno es Dios, porque de Él venimos y hacia Él volveremos. ¿No dice así la Biblia? ¿O algo parecido? ¿O es el maestro Romero quien lo dice, cuando habla del «Uno»?

La noche está fría. Mientras los adultos beben chicha, los jóvenes se disputan los lugares que cada uno va a ocupar en la piragua.

Pocos minutos después, toda la familia está a bordo, uno detrás del otro. A la proa va el tío, alumbrando el agua con la linterna. La correntada está fuerte y el río baja cargado de ramas. El abuelo, que dice ver en la noche neblinosa a través de los ojos del jaguar, los tranquiliza. Con veteranos movimientos hunde los remos en el agua, apenas para darle dirección a la canoa.

En la oscuridad frondosa de las márgenes que se alejan rápido hacia atrás, algunos pares de ojitos centellean en la oscuridad y luego se apagan entre el follaje, y aquí y allá un chillido nocturno hace de contrapunto al concierto de ranas. Rosa, con la boca abierta y la nariz dilatada, presintiendo una futura nostalgia, se quiere tragar todo el perfume de la selva.

El cielo encapotado de Baeza está dejando caer una llovizna suave. En una esquina en las afueras de la pequeña ciudad, un manojo de paraguas multicolores se amontona al lado de un autobús en marcha, como una colonia de hongos. Bajo ellos se cobijan las varias familias que han venido a despedirse de los viajeros. A nadie parece molestarle el humo que exhala el tubo de escape del vehículo y espanta a los pájaros. Sus corazones, llenos de esperanza, de tristeza, de preocupaciones, y algunos de envidia, están puestos en aquellos que se están yendo al Norte. Hasta el director de la escuela Don Bosco, el cura italiano que le enseñó a Rosa el catecismo, ya está viniendo con su sotana color chocolate flotando en el aire destemplado de la mañana.

—Escondan bien su dinero —dice el cura cuando se acerca al grupo—. Pero dejen un poco en los bolsillos, por si —Dios no lo permita— alguien les quisiera robar. No hay que despertar la ira de los ladrones. ¡Dad al César lo que es del César y a Dios lo que es de Dios!

Y arremangándose la sotana para cruzar un charco, procede a la bendición de los pasajeros, del chofer y del mismo vehículo.

Rosa está muy seria mientras escucha las recomendaciones. Su tía le pregunta al oído si tiene bien guardados los quinientos dólares que le mandó su madre para cualquier emergencia. Rosa asiente con la cabeza mientras se toca el pecho. Otros consejos siguen a los gritos:

—Dime, niña, ¿te has memorizado el teléfono de tu mamá?

—Rosita, cuídate, hijita. Mira que hay muchos sinvergüenzas por ahí. ¡Abre los ojos!

—¡Mira bien con quién hablas!

—¡No andes sola!

—Adiós, niña. Venga un abrazo.

—Adiós, abuelos. Adiós, tíos. Cuida de mi potrillo, Gabriel.

En el último momento aparece Mario Romero. El maestro, que estuvo a cargo del mismo grupo de Rosa del primer al séptimo grado de la Primaria, pasó a ejercer en la enseñanza Secundaria como profesor de Química y Literatura cuando se abrió una nueva escuela; y así continuó la formación de muchos de sus antiguos estudiantes. El hombre corre hasta la puerta del autobús y le da a Rosa una copia de su *El selvinauta* y un paquetito de tarjetas blancas.

—Un escritor siempre debe tener dónde registrar sus impresiones —le dice Romero—. ¡Cuídate, Rosa! ¡Y recuerda que tú puedes!

La chica le agradece. Quiere decirle algo más, algo que le haga recordarla a ella para siempre, pero la voz del tío la interrumpe.

—¡Sube, muchacha, que el bus ya se va!

Los últimos viajeros abordan y las familias se quedan mirando, con caras tristes, bajo un cielo plomizo.

Las treinta personas que viajan rumbo a Guayaquil componen un grupo más o menos homogéneo. Hay unos pocos quichua amazónicos y shuar, pero la mayoría son colonos, aquellos que llegaron a la región hace tiempo, cuando aquí solo había tribus amazónicas. Rosa es la única huaorani.

—¡Pero mira qué compañera jovencita me tocó! —comenta la señora que se sienta al lado de Rosa—. ¿También vas a los Estados Unidos?

—Sí, señora.

—¿Y por qué quieres dejar a tu familia para viajar tan lejos?

—Pues, mi madre está allá. Está enferma y yo voy a cuidarla. Y usted, ¿por qué va? ¿Por dinero?

—Sí, *m'hija,* la vida está difícil aquí para nosotros. No tengo esposo, y aquí no hay trabajo. Así que debo dejar a los niños con sus abuelos, por un tiempito. Por un año, nomás. Tengo una hermana en Connecticut.

Rosa sabe demasiado bien de ese interminable año que su madre le dijo que tenía que esperar hasta su regreso; es un año que se estira, que muere y renace en cada Navidad, cuando su madre anuncia que tampoco viene esta vez, que no ha juntado suficiente dinero, que será la próxima... que le está mandando los regalitos, en papel brillante, de los Estados Unidos, ese papel precioso que ella usa para forrar los libros de la escuela.

—Ah, ¿usted va a Connecticut? —dice el muchacho del asiento lateral—. Yo también. Tengo amigos allá.

—¿Y van a encontrarle trabajo a usted? —le pregunta la mujer.

—Así dicen. Pero yo tengo una misión diferente. Quiero hablar a la gente de allá sobre las compañías forestales que vienen a cortar nuestros árboles. ¡Usted sabe cómo están destruyendo la selva!

—Tala ilegal, supongo.

—¡Claro! Abren caminos, traen sierras eléctricas, grúas, cables, camiones, ¡todo ilegal!, y nos dejan una tierra que ya no sirve para nada. Yo he visto esos parches rojos en la selva desde la avioneta de los misioneros, cuando me llevaron con mi mujer al hospital de Coca. Le juro, parecen manchas de sangre. Y aquí llevo mis fotos, para mostrarles al mundo cómo están arruinando la Amazonía.

El muchacho pasa las fotos entre los pasajeros, que asienten con muestras de simpatía por su declarada misión.

—Sí, comprendo. Es una lástima —dice la mujer—, pero ustedes que viven en la selva también tienen parte de la culpa, ¿no? Yo sé de familias que cortan un árbol cada vez que quieren dinero. Y se lo venden por cualquier precio al primer colombiano que aparece. ¿No estoy en lo cierto, compañero?

—Sí... bueno —replica el muchacho—. Yo sé que se anda cortando mucho árbol por ahí, sin permiso. Pero usted no va a querer comparar los poquitos que nosotros volteamos con un hacha, a las toneladas que sacan las madereras. ¡Por favor, señora!

El polvo de la carretera de grava los obliga a cerrar las ventanillas.

—¡Es que ustedes deberían dar el ejemplo! —insiste la mujer, todavía masticando tierra.

—Sí, sí. Pero la necesidad a veces es grande —explica el otro—. Ya no es como antes, que nos bastaba la selva para todo. Ahora hay que pagar los estudios de los chicos. Un árbol nomás que uno venda paga un año de gastos del colegio. El uniforme, los libros, usted sabe. Y hoy en día, mi señora, todo el mundo quiere que sus hijos estén educados, ¿no le parece? Porque uno es shuar, o quichua, o lo que sea, pero también quiere ser algo más.

¿Algo más?, piensa Rosa. ¿Es que, querer ir a la escuela es querer ser algo más, así como de otra raza? ¿Ser colono? ¿Qué es ella, entonces, que tanto le gusta la escuela? ¿Será que tiene alma de blanca? ¿Es que el alma tiene raza? No es posible. Pero uno es lo que es según de donde viene. ¿O no es así?

Rosa escribe sus meditaciones, algo difíciles para quien apenas ha salido de la pubertad. Pero Romero siempre dice: «Escribir nos ayuda a explorar nuestro interior».

—Por cierto —concuerda la mujer—, uno quiere lo mejor para los hijos, por eso yo estoy yendo para el Norte...

Alguien interrumpe desde el fondo del vehículo:

—¿Y por qué tú te vas a protestar por los árboles y no dices nada de las petroleras, que nos han envenenado por treinta años? ¿Por qué no sacaste fotos de las trescientas y tantas piletas abiertas que todavía están largando los tóxicos, y se las llevas allá a los gringos?

—Porque ahora la Petrounido se está haciendo cargo, ya lo está limpiando, ¿no sabías? Se ha llegado a un acuerdo el año pasado. Y todo el mundo vio los camiones de limpieza de la *Udworclay*[1], que van y vienen de Lago Agrio a Coca.

---

[1] Woodward-Clyde.

Dicen que van a remediar todas las piletas. Ese fue un triunfo de la CONFENIAE.

—¿Qué? ¡No están limpiando nada! Están cubriendo las piletas nomás, con tierra y piedras, con plástico. ¿A eso le llamas remediar? Te lo digo yo que vengo de allá. El petróleo sigue infestando los ríos, y mis chicos están llenos de ronchas. ¡Eso es peor que orín de sapo! No están limpiando un carajo. ¡Es todo mentira, así que es mejor que cierres el pico!

¿Orina de sapo? Rosa recuerda que el abuelo decía que debajo de la tierra hay una bestia enorme y que cuando los blancos la agujerean, a la bestia le comienza a salir la bilis negra de las entrañas.

Y siente otra vez el aguijón de aquella antigua pena que no la suelta. La incansable ave que recorre la memoria se ha posado en la imagen de su padre. Él trabajó por dos años en esas piscinas, recuerda la chica, para pagar una cuenta de hospital de su mamá.

Murió un mes después de cancelar la cuenta.

IV

Son las nueve de la noche cuando llegan a la ciudad portuaria de Guayaquil, después de haber cruzado el país en diagonal atravesando los Andes y por encima de la división de las aguas, hasta llegar al Pacífico.

Los ojos de Rosa, que nunca han visto una metrópolis, son un par de ventanitas pegadas al vidrio. Deslumbrada ante la modernidad de la calle central, luminosa como el día, repleta de gente entrando y saliendo de los teatros y los restaurantes, le parece el cúmulo de la sofisticación urbana. Ya le duele el pescuezo de mirar hacia arriba.

Poco más tarde, el chofer habla por el celular, y los pasajeros comienzan a sentir verdadero respeto por los organizadores del viaje.

—Cuando llegue a los Estados Unidos —dice uno a su vecino—, lo primero que me voy a comprar cuando tenga trabajo es un celular. Siempre quise tener uno.

—¿Siempre? ¡Pero si acaban de llegar al Ecuador!

—Quiero decir, siempre desde el momento en que llegaron, hombre. Pero, escuche, escuche...

El tono de la voz del chofer interrumpe las conversaciones, y la gente agudiza los oídos.

—¿Qué dices? Ah, sí. Claro. Entonces es mejor salir de aquí.

Luego les habla a los pasajeros.

—Señores, hay un problemita. Dicen que la policía está buscando a grupos ilegales y están plantados frente a nuestro hotel. Vamos para otro albergue que me acaban de indicar, un poco más lejos.

Los viajeros se miran inquietos y algunos susurran una protesta:

—¿Ni hemos salido del país y ya nos consideran ilegales?

—Pues este es un coche particular. Se nota de lejos que no es de una línea de transporte público. Es un charter, como le dicen.

—¿Y cómo saben quiénes somos? ¿No podíamos ser turistas, de visita en Guayaquil?

—Si nos agarran, van a saber que no lo somos.

—¿Y qué? ¿Qué le importa a la policía? ¿Acaso está prohibido salir del país? ¡Esto no es Cuba!

El autobús toma una calle lateral, pasa por la estación de bomberos y continúa durante media hora. Luego sube por otras callejuelas oscuras. El diálogo continúa por el celular:

—¿Dónde dices que debo doblar? No encuentro esa calle. Estoy frente a un lote de chatarra. ¿Qué dices? ¡Claro que no hay edificio de correos aquí, hombre! Aquí no hay nada. Solo descampado.

—Creo que el conductor está perdido —dice alguien.

—Sí, ya salimos de la ciudad. Estamos en el cerro de Santa Ana —observa otro, que parece conocer el lugar—. Pero ¿qué pasa allí? Hay gente en el medio de la calle. ¡No nos dejan pasar!

—¡Y están armados!

—¡Y encapuchados!

—Ay, Dios mío, ¡son asaltantes!

—¡Ay, Virgen Santísima!

El conductor blasfema. Esconde el celular y detiene el vehículo. Tres hombres con las caras cubiertas con máscaras de esquiar que dejan ver solo los ojos y la boca, suben al coche y uno de ellos le pone un revólver en la cabeza.

—¡Bájate, o te reviento! ¡Abre el compartimiento de las maletas y pon todo en el suelo! ¡Vamos, muévete!

Otro, también armado, habla con los pasajeros:

—Y ustedes, ¡quietitos! Quiero todo el dinero y los relojes y las joyas en esta bolsa. No quiero usar violencia, así que, ni piensen en esconder nada. ¿Está claro?

Por un instante los pasajeros quedan petrificados. Luego, en silencio y con ademanes cautelosos, se quitan anillos y relojes y vacían bolsillos y carteras. El ladrón amenaza a una mujer con el revólver en la sien. La mujer despega su trasero del asiento y saca la cartera sobre la que se había sentado con intención de ocultarla. El hombre se la arrebata con ademán brusco y una lluvia de obscenidades. Sigue pasando por las filas de asientos y recogiendo su botín, hasta que llega casi al final del coche y ve a Rosa. La chica se quita el brazalete de semillas de la selva que hizo su tía para ella, y se lo alcanza.

—¿Por qué me das esta mierda? —dice el hombre, arrojando la pulsera por la ventanilla.

Una onda de rabia le sube a la garganta de la chica y ahí se le detiene. Es su primer odio profundo.

—¿Y con quién viaja esta muchacha? —dice el hombre.

—Estoy sola —responde ella, con voz desafiante.

—Solita, ¿ah? Pero estás muy niña para viajar. Quédate conmigo, chica, necesito una esposa. Pero, dime, ¿dónde tienes tu dinero? ¡Anda! ¡Quítate los aretes! ¡Y la cadena también! Son de oro, ¿no? No quiero nada de hojalata. Pero ¿qué te pasa? Dame esa cadena, te digo.

Las manos le tiemblan a Rosa y no puede abrir el cierre. El ladrón se la arranca de un manotazo.

—Ahora te vienes conmigo. ¡Y nada de llorar! ¡Mira que no tengo paciencia con las mujeres lloronas!

3. Guía del peregrino

I

Es la hora de la tarde cuando la masa humana se vuelca en las calles y avenidas, y cuando las bocas del metro tragan y regurgitan enormes hileras de transeúntes. Millares de vehículos exhalan roncando sus humos y sus olores mientras millones de narices los absorben y los devuelven reciclados.

El taxista se escurre, ágil, entre dos mamuts que resoplan a su lado. Frena de golpe, cambia de carril, acelera otra vez, pasa a los coches por la derecha, acelera en la luz amarilla y se encarga de cerrarle el paso a cualquier otro coche que amenace con ganarle la carrera.

—Puede ir tranquilo —le dice Ernesto, aferrado a la agarradera encima de la puerta—. No tengo prisa.

—Es que la ciudad de México tiene veinticuatro millones de habitantes y centenas de miles de vehículos —le explica el taxista, con cierto orgullo—, y si dejo que todos nos pasen, joven, no llegamos nunca a su hospedaje.

—Escuché decir que es una de las ciudades más populosas del mundo.

—Es la más populosa —corrige—. Y sigue creciendo. Es que la gente del interior se viene a buscar oportunidades de trabajo. Aquí en el D. F. es más fácil encontrar alguna chambita, joven, y aunque pague mal, basta para traer los frijoles a casa —explica el taxista.

Después de unos kilómetros más de navegar el tránsito con mucho arrojo y dudoso propósito, el taxi se detiene en una callejuela estrecha.

—Bueno. Aquí estamos.

Cuando Ernesto baja del coche, una mujer en chanclas está barriendo la calzada con cierto brío, levantando una polvareda. El chico emerge de la nube de polvo y se encuentra ante un edificio achacoso. Consciente de que tiene que hacer estirar su dinero al máximo, consultó en una agencia de viajes en Ciudad Obregón, y le indicaron este albergue de estudiantes, el más económico. Sube las escaleras de mármol gastado hasta el tercer piso. Enciende la luz. Una única bombilla pelada que cuelga del techo ilumina un cuarto pequeño y el chico lo inspecciona. Una cama con un colchón fino y compacto, un ropero de madera y un lavabo es todo el mobiliario.

Al final de un corredor se encuentra el baño compartido, de paredes forradas en azulejos, que serían bellísimos, si no fuera por los que le están faltando. No hay bañera, pero la ducha, en el medio del cuarto de baño, desagua en una rejilla en el piso de baldosas. Es eléctrica y los cables muestran una cinta aisladora algo despegada. Ya le explicaron en el lobby que se cuide de no tocarlos, porque aquí la corriente es de doscientos veinte.

Nada de esto preocupa al chico ni un poco. Ni siquiera la cucaracha que vio emerger por la rejilla en el piso del baño. La perspectiva de estar en un país extranjero por primera vez sin la mirada supervisora de sus padres le resulta incitante.

Una cacofonía de voces y bocinas lo atrae al balcón, desde donde puede observar el movimiento de la ciudad.

El chico pone su billetera en el bolsillo de la chaqueta y toma un camión para el centro. Ve una plaza, y atraído por la música de un grupo de mariachis, se baja. Encuentra una marquesina con trazos de antigua elegancia, con dos atractivas escalinatas. Los escalones están algo húmedos y Ernesto se sienta sobre su chaqueta. Sus pensamientos flotan leves, como la brisa plácida de la tarde.

Una estatua al otro lado de la plaza le llama la atención y allá se dirige. Al pie de la estatua se lee: Giuseppe Garibaldi. Extraño homenaje, piensa, en extraño lugar.

En ese momento se encienden los faroles. La plaza queda envuelta en una suave luminosidad rojiza, y en un intervalo musical se puede escuchar el *cu-ru-cu-tuuu, cu-ru-cu-tuuu* de las palomas que acomodan las redondas barrigas en las cornisas de los edificios. Los músicos preparan otra actuación y Ernesto se sienta en un banco a escucharlos. Al finalizar el corrido, una historia sombría narrada con sonidos estridentes y alegres, algunos turistas dejan sus dólares en un sombrero. Ernesto quiere colaborar. Sin desviar la mirada de los suntuosos trajes de los músicos, manotea el bolsillo de su chaqueta. Pero no la tiene. «¡Diablos! ¡La dejé en la escalinata!», recuerda de repente con súbito pánico. El chico corre hasta la marquesina y la ve, en el mismo escalón donde la dejó. Pero la billetera ha desaparecido.

—¡Mi dinero! —exclama en voz alta.

Alguien le dice que vio a unos chiquillos corriendo fuera de la plaza, tal vez ellos se la hayan cargado.

—¡Allá están! ¡Saliendo de la plaza! ¡Mira! ¡Córreles!

Ernesto vacila por unos instantes. No le parece bien salir a las disparadas en el centro de la ciudad. Además, si los alcanza, ¿qué puede hacer, él solo? Pero él es más fuerte que ellos, recapacita luego, al final son unos rapazuelos. Aunque alcance a uno, ya tiene cincuenta por ciento de probabilidades de recuperar la cartera.

Se lanza a las carreras por entre el gentío, pero los pequeños delincuentes ya se han escabullido y pronto desaparecen en las calles adyacentes a la plaza.

Ernesto se queda solo en la calzada, pegado allí en el cemento, atrapado en un circuito de pensamientos sin salida: «¿Y ahora? Tengo que llamar a mamá y papá, a cobrar... Pero ¿qué voy a decirles? ¿Que me dejé robar el segundo día? ¿Que no soy capaz de cuidar de mí mismo? ¿Y que me manden un giro? ¡Imposible!».

Echa a andar sin dirección cierta por las calles del centro, trazando el rumbo zigzagueante del perdido, y la autorrecriminación le acecha en cada esquina. Trata de imaginar una alternativa al vergonzoso llamado que tendrá que hacer, pero su pensamiento vuelve una y otra vez a su estupidez, como un bumerán. «¡Maldita indecisión! Si no hubiera tenido ese momento de duda, podría haber alcanzado a esos chavales —se dice—, pero no lo hice. ¿De qué sirve pensar antes de actuar?».

Creció escuchando precisamente eso de su padre, y el recuerdo de la malhadada experiencia con Carlo, aquel día de su niñez en que «se echaron las cartas de su destino», como él suele decir, todavía flota como una nube perenne dentro de su cabeza.

Lo que acaba de suceder confirma lo que ya estaba sospechando: que su naturaleza, su verdadero carácter, fue acuartelada durante años por un mandato paterno, un mandato que ahora detesta, porque ha sido la causa de más de una estúpida vacilación.

Si pudiera, se patearía el culo a sí mismo. Fue siempre demasiado dócil, concluye.

Las luces de la ciudad iluminan un cielo de nubes grisáceas y pesadas que se confunden con la capa plomiza de la contaminación que flota sobre la ciudad. Hay olor a lluvia. Sin siquiera unas monedas para el autobús, Ernesto camina hasta el hostal. Vuelve de noche, exhausto, la ropa mojada del sudor y una metálica sequedad en la boca. Sube al cuarto, se mete en el baño y ya está a punto de beber agua del grifo cuando un resto de sentido común lo detiene. Larga una vulgaridad sobre las bacterias y busca el filtro en el corredor. De vuelta en el cuarto, se arroja en la cama. Unas pequeñas lagartijas rosadas y translúcidas agarradas al techo lo miran con ojos inertes. Y él a ellas.

Comienza a llover.

Cerca de un ángulo del cuarto una gota de agua se cuela por el techo, toma la forma de un globito y luego se deshace en un charco en el piso de mosaicos. Y después otra, y otra, en una progresión de angustia cronométrica. El muchacho baja y le avisa al recepcionista que está lloviendo en el cuarto. El hombre le da un cubo de aluminio. No, el desayuno no está incluido en lo que él ya pagó esa tarde, aclara. Y le devuelve su pasaporte.

De regreso a la habitación, Ernesto pone el cubo debajo de la gotera.

Ahora, el *toc-toc-toc* de la gota en el metal le suena como un rítmico reproche: «Tonto, tonto, tonto». Se desnuda, se mete bajo las sábanas y se cubre la cabeza con la almohada a modo de escudo, por si a una lagartija le llegaran a fallar las ventosas.

II

La luz que se irradia a través de la cortina florida proyecta dibujos móviles y coloridos en la pared del cuarto. Un griterío de voces agudas trae a Ernesto al umbral de la consciencia: «¡Otra vez ese pájaro! —piensa—. ¡Ya le dije a mamá que no quiero el canario cerca de mi ventana!». Abre los ojos y ve que la cortina no es la de su cuarto. Echa una ojeada a su alrededor y ve el cubo de metal lleno de agua. El recuerdo del día de ayer lo golpea con la exactitud de lo ocurrido. Se levanta, va hasta el balcón y mira hacia la calle. Son los chiquillos los que están gritando.

Con el ánimo turbado y el estómago vacío, se viste y sale a caminar. Y otra vez deambula sin rumbo fijo, por unas calles donde las viviendas alternan con los negocios y los kioscos con los vendedores ambulantes. Se le hace que en este barrio todo ha emergido espontáneamente, formando un conjunto orgánico, en un caos funcional.

Un fuerte olor a café y pan con mantequilla asalta su ya exacerbado sentido del olfato. Huye a la calzada de enfrente y sigue calle abajo.

«¿Y si busco trabajo?».

Un pensamiento a la deriva lo imagina amasando pan en una panadería.

En una calzada, un grupo de hombres de diversas edades está sentado en sillas de plástico, fumando y jugando a las cartas, o largando piropos entre halagadores y groseros a cuanta muchacha pasa delante de ellos.

Tal vez no haya mucho trabajo por aquí, concluye Ernesto.

Al final de la calle encuentra una plazoleta. Es un rincón tranquilo, entre callejuelas de adoquines centenarios. El chico cruza la placita, esperanzado, porque ve del otro lado unos árboles pequeños que parecen cargados de frutas maduras. «¡Son naranjas! —se escucha decir, ya saboreando el néctar que le llena la boca de anticipado placer—. ¿O tal vez sean mandarinas?». Bueno, aunque sean limas, está dispuesto a hincarles el diente. Cualquier cosa para engañar el estómago hasta que se le ocurra alguna idea.

Cuando ya se está aproximando al árbol, decenas de pajaritos amarillos de panza redonda como limones se levantan volando en bandada y el chico se queda con el agua en la boca, viendo su comida desaparecer en el aire.

Posados en un nuevo árbol, los pájaros inician un ruidoso parloteo. *¡Pi-pi-pipíi, Pi-pi-pipíi!* Ernesto los imita, entre divertido e irritado por su error.

«Dicen que es el jolgorio de los pájaros —piensa—, pero más bien me parece que se están diciendo, uno al otro: "¡Yo estoy aquí! ¡Yo estoy aquí! ¿Tú estás allí? ¿Tú estás allí? ¡Yo estoy aquí!". Son como nosotros, como la gente, en contacto incesante. ¡Qué manía tenemos! Y si los gritos no nos llegan, nos llamamos por teléfono.

»Igual que los pájaros. Así son las familias.

»¿Y mi otra familia? ¿Mis otros padres, y mis otros hermanos?... ¿Estarán preguntándose dónde estoy yo, como yo me pregunto por ellos? ¿Habrá alguien en algún lugar del continente que se pregunte por mí, el bebé Ernesto Moreno que fue dejado en un convento? María Moreno, ¿te estás preguntando por mí? ¿Dónde estás? ¡Yo estoy aquí, yo estoy aquí! ¿Tú estás allá, madre? ¡Yo estoy aquí!».

El muchacho sabe que debe cortar de raíz ese infantil monólogo interno y mantener a raya esa cascada de emociones dañinas que de súbito le han cerrado la garganta. Un perro desmelenado y legañoso se le acerca para olfatearlo, y allí se queda esperando algo, con la insistencia del pordiosero. Ernesto se disculpa por no tener ni una migaja para darle. La cara mustia del perro sin dueño y su injustificada mansedumbre lo saca de su estado de autocompasión. «¡Basta ya! Tengo que tomar una decisión concreta —se dice—, voy a llamar a casa».

Pero todavía no decidió qué decirles a sus padres.

Vuelve al albergue. Se dispone a escribir los eventos del día anterior, con la esperanza de poder exorcizar ese satánico autorreproche. Busca su cuaderno de notas en la mochila, y en un bolsillo interno encuentra la otra carta del abuelo Ruiz, que nunca fue abierta. Se la dio su padre, en manos, antes de salir, porque llegó en otro sobre dirigido a Esteban Ruiz. Este sobre dice:

Para Ernesto
Guía del peregrino
(abrir solo en caso de necesidad espiritual)

«Mi necesidad es más material que espiritual, abuelo», piensa el chico. Pero reconoce que cualquier guía en este momento será bienvenida. Al final, es su espíritu el que está quebrantado.

Cuando abre la carta, un billete de cien dólares aparece dentro de un papel doblado, donde se halla escrita una nota:

Lo material es apenas un puente hacia lo inmaterial, así como lo conocido es un puente hacia lo desconocido.

¡No te quedes contento solo con lo material!

Si permaneces en la orilla segura y conocida del río, nunca sabrás qué hay más allá.

«Gracias, abuelo», dice el chico, besando la carta.

III

Una pareja se despide en el andén de la estación. Desde su asiento en el autobús, Ernesto observa las lágrimas y adivina los suspiros.

—Triste cosa es la separación —dice un cura que está sentado a su lado, también mirando la escena desde la ventanilla.

—Sí, así es —concuerda Ernesto—, bien triste.

Pero hay otros tipos de separación, reflexiona, que no son tan fáciles de ver. Como la de él. La separación de algo que uno no conoce, y sin embargo, anhela con toda su alma. ¿De la gente de uno? ¿Del lugar de donde uno viene? ¿Del origen? ¿O será algo diferente? Vuelve a releer la carta de despedida del viejo Ruiz, porque él sí parece comprender la magnitud y naturaleza de ese deseo suyo, piensa; y aún más, el abuelo le dio una dimensión a ese anhelo que al chico se le figura como que va más allá de su circunstancia individual:

> *Recuerda, muchacho: está el peregrino de fuera, el que visita las tumbas de los santos muertos, y el peregrino de dentro, el que busca sus propios lugares sagrados. Y ese peregrino, el de dentro, está siempre detrás de algo de lo cual se siente separado, o que cree haber perdido; y hasta que no lo encuentre, sigue siendo un peregrino.*

El abuelo ya le habló un día de esos lugares sagrados, donde habita la memoria persistente de una Edad de Oro perdida; como si la vida fuera la antesala de la Vida, le dijo, como si nuestra realidad fuera apenas el exilio de la Realidad, la posibilidad latente, lo incompleto. El viejo creía, y aún cree, que la religión es eso, lo que la palabra está diciendo: religar el espíritu con su misterioso origen cósmico.

Se pregunta Ernesto si la búsqueda de su familia, algo tan inmediato y palpable, no será más que una máscara, una manifestación exterior de esa otra búsqueda tanto más inefable.

Como sea, el deseo de saber, de encontrar a los Moreno, está allí presente y firme. Por algo será.

El autobús se pone en marcha y el cura se persigna.

—Esta ciudad es impresionante —le dice Ernesto.

—¿Es la primera vez que visitas el D. F.?

—Así es. Soy de California.

—¿Y qué te ha parecido? ¿Es como las ciudades que tienen ustedes?

Ernesto piensa en la energía vital que emana de las calles —calles vivientes, fecundas, diría su abuelo— que se parecen más al zoco del Medio Oriente que a una ciudad norteamericana.

—Un poco. Pero aquí la vida se vuelca más sobre las calles.

Por las próximas dos horas, el autobús circula por anchas avenidas, entre edificios ostentosos y casas ajardinadas; atraviesa barrios de clase media alta, media baja, barrios chatos, pobres, y todos los barriales que circundan la ciudad, en anillos concéntricos. Y una imagen comienza a repetirse más a menudo: un basural, familias buscando algo de valor entre los restos, una fogata consumiendo lo inservible, el humo subiendo y oscureciendo el arrebol en el cielo de la tarde.

—¡Vaya diferencia con el centro! En cuanto nos alejamos, los suburbios se hacen más pobres —comenta Ernesto.

—Así son nuestros cinturones de pobreza, hijo. Los «pueblos nuevos», como los llamamos. En el centro se cocina el pan, y aquí viven de la esperanza de recibir algunas migajas. Es un ejemplo de la injusticia de este valle de lágrimas.

«Y ejemplo palpable de entropía —piensa Ernesto—, porque cuanto más se aleja uno de la fuente de energía, esta más se disipa y más rápido se pierde».

Se lo comenta al cura. Este confiesa que nunca escuchó hablar de entropía, pero le parece una magnífica metáfora, dice, del alma que se aleja de Dios.

Después de un rato, el cura no contiene la curiosidad.

—Tú pareces chicano, pero ¿cómo es que tienes ese acento peninsular, tan castellano?

—Viví en España desde los dos a los diez años, porque mis padres son de allá. Pero yo soy adoptado, así que debo ser indígena, o mestizo, de por aquí. No lo sé todavía. Es lo que estoy tratando de averiguar en este viaje.

—¡Qué interesante! ¿Entonces quieres encontrar a tu familia biológica o conocer tu grupo étnico?

—Los dos, claro. Yo creo que para el año dos mil la ciencia ya sabrá analizar el ADN de la gente, ¿no le parece?, y determinar el origen racial. Pero yo no quiero esperar. Quiero saberlo ahora.

—Por supuesto. Para mí, tú no eres puro indígena, porque tienes el pelo un poco ondulado.

«Sí, ya lo sé —piensa Ernesto—. Soy un indio diluido, o un blanco oscurecido, según de qué lado del Atlántico se lo mire; en fin, un híbrido, como un guisante de Mendel, que no sabe cuáles son sus progenitores».

—¿Y usted es de San Cristóbal?

—Me asignaron una parroquia en San Juan de Chamula. Es que los misioneros protestantes están ganando mucho terreno en los pueblitos, ¿sabes?, aprovechándose de la pobreza. Los hacen cantar y tocar la guitarra, los hacen chillar como monos. En fin, los divierten y les prometen el oro y el moro para que se conviertan. Nosotros no acudimos a esos métodos manipuladores. Por eso, hijo, en Latinoamérica corren tiempos difíciles para la Santa Iglesia.

—¿Y usted cree que se puede encontrar trabajo en San Cristóbal? —pregunta Ernesto, después de un tiempo.

—No sé. Hay desempleo, y todavía hay muchos refugiados de Guatemala que vinieron en la década pasada durante la violencia allá, y aún no se han vuelto; y todo tipo de inmigrantes de Centroamérica, que vienen aquí a trabajar como jornaleros, porque allá en sus países están peor.

Después de unas dos horas de atravesar la inmensa ciudad de México y sus anillos de prosperidad y pobreza, el autobús entra en la carretera que lleva al sur. Afuera, los matorrales espinosos ya desaparecieron en la noche de un llano duro y seco. Adentro, las voces de los pasajeros se acallan poco a poco, las luces se apagan y los pensamientos de Ernesto se van rodando hacia el sueño.

4. *El guayaquileño*

I

El hombre la agarró de un brazo y la está arrastrando por el pasillo del autobús, hacia afuera.

Rosa, los ojos desorbitados y el cuerpo asaltado por el pánico, sale detrás de él, a los tropezones. Desde la ventanilla ve al pasar, allá abajo, las luces de la ciudad, los colores descompuestos a través del prisma de sus lágrimas. Esas calles y avenidas festonadas como un árbol navideño, el ruido del tránsito y el vibrante trajinar de la vida nocturna, feliz e indiferente mientras ella se despeña en un abismo sin fondo, le producen náuseas.

En la semioscuridad, los pasajeros tiemblan y rezan bajo la mira de un arma acompañada de insultos —para cortar de raíz cualquier intento de interferir en el secuestro de la chica.

—Mira, no es asunto mío —le dice el conductor—, pero tú conoces las leyes de este país con el secuestro de menores de catorce, ¿no? Esta niña tiene solo trece años.

—¿Trece? —el hombre la mira y Rosa asiente levemente con la cabeza gacha, sin mirarlo a los ojos.

—Eso es lo que está escrito al lado de su nombre, en la lista de pasajeros —agrega el chofer.

—¡Vete a tu asiento! —aúlla el asaltante, mentándole la madre al conductor y al Gobierno.

A Rosa le vuelve la sangre al rostro. Se va moqueando hasta el asiento y se aplasta contra el respaldo para hacerse invisible. Apretando los ojos, agradece al Dios que le sopló al conductor tan brillante mentira.

Mientras un ladrón controla a los pasajeros, otros dos buscan objetos de valor entre las mochilas que ya están en la calle al lado del autobús, dejando esparcido en el pavimento lo que no les interesa. Los forajidos se apuran a cargar su botín en una camioneta y desaparecen en la noche oscura del cerro.

Solo cuando están bien lejos, los viajeros dan rienda suelta a la emoción. Algunos se lamentan por lo que han perdido; otros, mal recuperados del susto, ríen, algo histéricos. Un hombre se refiere a los ladrones con desdén:

—Rateros comunes, verdaderos inexpertos —dice— que no revisaron los zapatos ni la ropa interior.

Después de calmados los ánimos, la mayoría confiesa que no perdieron más que unos menudos, relojes falsificados y joyas sin valor.

—Gracias al consejo del padre, ¿vieron? —dice otro.

—¡Ese cura es más experto que el diablo!

—No lo provoque a Satanás ahora, que pueden volver —le replican.

Luego de recoger y guardar las prendas que quedaron en la calle —algunos avergonzados de que no parecieran dignas de ser robadas— el autobús sale acelerando, calle abajo, y en pocos minutos están otra vez en la ciudad. Reanudado el diálogo por el celular, el chofer recibe instrucciones más claras de cómo llegar al nuevo hotel en las afueras de Guayaquil. Es evidente que no son pocos los establecimientos de esta clase que sirven a la red de operaciones clandestinas.

Ya en su nuevo albergue, el administrador los está esperando con la cena lista. Alguien propone rezar y todos se unen en el padre nuestro, los que lo saben, y los que pretenden saberlo, como Rosa, que solo mueve los labios, aunque con sentimiento genuino. Después de la breve oración, comen con gusto. Alguien pregunta al chofer si el celular le permite hablar con Dios, y el hombre responde que sí, pero que no tiene el número, pues nadie lo sabe. El chiste es recibido con carcajadas. Luego, el aparato circula entre los pasajeros y el hombre les muestra la batería y les explica el funcionamiento. Es la gran novedad en Ecuador.

Un sujeto aparece en el comedor hacia el final de la cena, y se dirige al grupo:

—Damas y caballeros, me llamo José Bustamante y quiero darles la bienvenida. Mañana vamos a zarpar. Mis colegas y yo pasaremos por aquí a las tres de la mañana para llevarlos a un lugar de nuestro uso particular. Las autoridades aún no conocen este sitio de embarque y no hay vigilancia. Pero para no correr ningún riesgo, porque como ustedes saben, siempre puede haber algún lengua larga, al llegar, deben bajar del vehículo a toda prisa, seguir al guía y correr bien rapidito hasta la playa. Allá van a estar los botes, esperándolos, para llevarlos al barco. Y en el barco estaré yo, su capitán, ¡para servirlos! Así que, ahora, amigos, es mejor ir a dormir. ¡Que descansen! Nos vemos mañana, si Dios lo permite.

Esa noche Rosa encuentra la cama demasiado blanda. Después de haber dormido por quince años en una estera en el suelo o en una hamaca, este lujo ciudadano le resulta incómodo e inútil. Tira el colchón al suelo, hace un recuento mental del día, escribe unas líneas concisas con muchos signos de exclamación en las tarjetas que le dio Romero y se duerme de inmediato, agarrada al jaguar del talismán.

II

Todavía no amaneció. El resplandor de las luces urbanas obstruye con un manto lechoso la natural luminosidad del cielo. Pero las estrellas se vuelven más nítidas sobre un fondo progresivamente más oscuro a medida que el autobús viaja hacia el sur y se aleja del centro.

Al llegar al lugar indicado, el coche se estaciona a un lado de la carretera. Los pasajeros, avisados, ya tienen sus mochilas en las espaldas. Como un gato que observa inmóvil y en absoluta concentración el agujero por donde va a salir un ratón, cada uno de ellos mira hacia la puerta, expectantes, listos para lanzarse fuera del vehículo cuando llegue el momento. Nadie habla. Solo se escuchan los jadeos nerviosos.

—¡Ahora! ¡A bajarse y a correr! —llega la orden.

Enfrente hay un bosquecillo con algunas palmeras enanas y otros arbustos achaparrados que no ofrecen mucha protección. El guía corre rápido y la gente se esfuerza en seguirlo. Una mujer tropieza y cae, y Rosa se detiene, voluntariosa, para socorrerla.

—Anda, muchacha, ¡corre! Yo la ayudo a la señora —dice el otro guía que está en la retaguardia.

Nadie ve muy bien por dónde va, pero les han dicho que deben seguir unas luces que titilan allá lejos. Las luces suben y bajan. A veces se desplazan lateralmente. Enseguida se les juntan otras luces movedizas que se encienden y se apagan como luciérnagas flotando en el aire nocturno.

Las ramas de los matorrales espinosos le lastiman los brazos a Rosa; pero no les presta atención. El mar, cuya inmediata cercanía se presiente en el viento salino cargado de olor a algas y en el creciente ruido de las olas que revientan en la costa, es lo único real en ese momento. Ese estruendo es algo inconcebible para la muchacha, que solo conoce el tintineo de los arroyos.

Minutos después, desde lo alto de una duna, Rosa cree ver, a la luz de una luna pálida colgada de una nube, un amorfo cuerpo incoloro que se agita y se confunde con la neblina espesa y el cielo.

Pronto llega a la playa. La arena fría en los pies desnudos la electrifica. La luna ilumina la serpiente de espuma que se dibuja en la orla del mar, y ella mira hipnótica las olas que suben y rascan la arena y se alejan, una tras otra, con dedos de rastrillo, siempre diferentes y siempre iguales.

Alguien pregunta por el barco, pero el viento barre sus palabras.

El guía de su grupo los congrega y les dice, vociferando:

—¡No podemos embarcar! ¡El viento está fuerte y la marea muy alta!

—¿Y cuándo baja la marea? —le grita alguien al oído.

—En una hora, tal vez.

—Pero, en una hora, ¿no va a salir el sol? ¡Nos pueden descubrir!

—Sí, amanece a las seis. Con suerte, la policía no va a andar por aquí tan temprano. Por si acaso, tenemos un centinela allá en la ruta.

—¿Y los pescadores?

—Los pescadores, sí. Ellos madrugan. ¡Pero a esos se los arregla fácil!

III

La luna menguante, con los cuernos mirando para abajo como es su costumbre en los trópicos, ya está andando hacia el horizonte, y los tonos rosados y orillas brillantes de las nubes anuncian que pronto va a amanecer.

El viento comienza a amainar y el cielo, a clarear.

Ahora sí, Rosa lo ve: el océano Pacífico, el enorme, descomunal, temido mar que traga gente y devuelve peces. Sin embargo, es el mismo legendario mar que llevó a su madre seis años atrás al otro lado del mundo. ¿Cómo no va a llevarla a ella ahora?

También comprueba que en playa hay una multitud: muchas más personas de las treinta del grupo Baeza. Y más gente sigue llegando. De dónde salieron, es un misterio para muchos.

A medida que clarea, del vapor neblinoso que se va abriendo emergen varios botes pequeños que suben y descienden de la cresta de las olas como jinetes domando potros en el agua. Y cada uno lleva un farol.

«¡Las luces bailarinas! —exclama Rosa para sí—. ¡Ya me parecía que no eran luciérnagas!».

—Listo, compañeros, me dicen que ya podemos embarcar. Quiero ocho personas para el primer bote. ¡Dense prisa! —avisa el guía.

Un bote parte con su primera carga y se aleja en un mar gris y revuelto hasta disolverse en la bruma.

De pronto, la neblina volátil que flotaba sobre el agua se disipa como humo empujado por el viento y deja ver, a unos cien metros de distancia, la silueta fragmentada de un barco. Todos irrumpen en voces de júbilo, luego de sorpresa y de desencanto, cuando el banco de niebla desaparece del todo.

—¡Miren, miren, el barco!

—¡Al fin!

—Pensé que sería más grande.

—¿Y ese barquito nos va a llevar a todos?

—Pero... ese no es un barco de pasajeros, señores. ¡Ese es un barco de pesca!

—¿Y entonces qué problema hay? Si fue un barco pesquero, ahora es un barco de turismo —ríe alguien para disimular la amargura.

—Usted es muy chistoso. ¡Pero esto es serio, amigo!

Las quejas continúan:

—En este barco no caben ni cincuenta personas. Y aquí, creo que somos más de doscientas.

—¿Doscientas? ¡Éramos treinta! ¿Usted dice que nos hemos multiplicado en tan poco tiempo?

—¿No se dio cuenta? Aquí hay gente de todos lados. Ya escuché acentos diferentes: del Perú, de Colombia y ¡hasta del Brasil!

—¿De dónde diablos salieron?

—¿No vio aquellos otros autobuses, detrás del nuestro?

—Vamos, nos toca a nosotros —dice alguien a Rosa, que trata de ignorar la seriedad del problema.

La muchacha se deleita en los viajes de canoa en la selva, no importa cuán correntosos sean los ríos. «Al menos son cristalinos. Al menos tienen dos márgenes, y mal que mal uno se puede agarrar de una rama si la canoa se vuelca. Pero el mar es una masa turbia que no parece ir a ningún lado, a no ser para su propio fondo —piensa—, se revuelve en el mismo sitio, como un monstruo sin forma y sin alma que puede tragarla en cualquier instante». Trata de no mirar el agua y concentrarse en el barco que tienen adelante.

Entre la bruma puede leer el nombre, pintado en letras verdes: *El guayaquileño*.

Es difícil acercarse, porque el oleaje mueve el barco y el bote con violencia, y a veces en direcciones contrarias. El peligro de estrellarse contra el casco aumenta en cada intento.

Un mar oscuro y encabritado, un barco inabordable. Rosa clava las uñas en la madera de la borda.

En lo que parece ser un paréntesis de calma, los remadores se arriman a la embarcación y uno jala una escalinata de sogas que le están alcanzando desde arriba.

—¡Súbanse, agárrense bien fuerte! —ordena el hombre, acercando la escalera hasta el bote.

Algunos con agilidad, otros con miedo, todos suben los tres metros hasta llegar a los brazos sólidos de dos tripulantes que los esperan arriba y les dan el último tirón. Para Rosa, fina y fuerte como un mimbre, es más fácil que subirse a una palmera para recoger un coco. En pocos segundos trepa a bordo.

—Ramón, manda a todo el mundo para abajo —dice José Bustamante, con voz nerviosa—. Nadie puede quedar en la cubierta. ¡Rápido, rápido!

Ni bien llegan a bordo, Ramón arrea a los pasajeros a la sala de máquinas. Aunque confusos y decepcionados, todos obedecen y bajan en tumulto. Al pie de la escalera un tripulante le alcanza a cada uno una bolsa de plástico y les señala sus sitios en las líneas y círculos ya demarcados en el suelo de la bodega, donde podrán poner sus mochilas y sus asentaderas.

El lugar, absurdamente pequeño para un grupo tan numeroso, huele a madera vieja, a pescado y a combustible.

—No se salgan de la línea —les grita Ramón mientras sigue distribuyendo bolsas de plástico—, porque van a llegar más personas.

En efecto, el río humano sigue bajando y ubicándose en el área que le corresponde a cada uno en el piso húmedo y resbaladizo. Espalda contra espalda, apenas hay espacio para estirar las piernas a medias.

—Ya está, jefe. Somos doscientos diez, sin la tripulación.

—Perfecto. ¡Listos para zarpar! —dice Rubén, el segundo en comando—. Y nadie puede salir de aquí por el momento. ¿Entendido? Si tienen náusea, usen las bolsitas, por favor. El baño está en el fondo.

Los doscientos infelices están tan azorados que se les traba la lengua, de pura indignación. Minutos después ventilan la furia:

—¡Nos dijeron que viajaríamos cómodos! ¡No pagamos miles de dólares para estar en una lata de sardinas!

—¡Nadie nos informó que viajaríamos en la bodega! ¡Desgraciados!

—¡Cretinos malparidos!

—¡Roñosos de mierda!

Al cabo de unos minutos, un hombre declama con voz estrangulada:

—¡Estamos como Jonás en la barriga de la ballena, hermanos!

—Calma, calma, amigo —interfiere otro, a quien la imagen le resulta algo truculenta—. No podemos hacer nada ahora, solo mantener la calma.

—Sí, estamos en las manos de Dios.

«Espero que así sea», se dice Rosa, más asustada por el tumulto que por el tamaño del supuesto pesquero.

Poco a poco se acallan las protestas. El barco sigue hamacándose en su violenta cuna y cada uno se sumerge en silencio en el vaivén de sus propios temores.

IV

Los motores comienzan a funcionar con un estruendo que arranca algunos alaridos de susto, y luego risitas nerviosas.

—¡Bueno, por lo menos no tenemos que remar, muchachos! —comenta alguien.

Un fuerte olor a diesel impregna el lugar. Los pasajeros alternan entre taparse la nariz con un pañuelo, cubrirse los oídos, o retirarse a su interior, ensimismados, con la cabeza hundida en las mochilas. Sin ventanas para mirar al exterior, solo el revoltijo dentro de sus estómagos les dice que el barco ya está navegando. Es la hora de encomendarse a Dios, o al santo favorito, o besar el crucifico que muchos llevan colgado, o aquel escapulario donde se guarda el retrato de la Virgen, o el primer dientecito del bebé, o tal vez un rulo de la mujer amada. Rosa se aferra al talismán.

Las horas pasan lentas y opacas. No hay lugar para acostarse ni almohada donde descansar la cabeza. Al rato, uno aquí y otro allá ofrece un hombro a un vecino o vecina donde apoyarse, o un espacio por donde estirar una pierna para calmar un hormigueo o un calambre; y ese mínimo gesto de gentileza es suficiente para crear una corriente de afecto y simpatía entre los mortificados viajeros, y conciliar el sueño.

Pero la paz es temporaria. Después de una hora de navegar en la marejada, la boca comienza a salivar y la vista se nubla. Alcanzar la letrina para vomitar, entre el miserable gentío, es una empresa difícil, y el uso de las bolsas se hace más frecuente. Rosa, que por acaso está cerca de la salida, sube a cubierta sin importarle la prohibición y arroja su desayuno al pie de la escalera.

Un tripulante aparece portando un cubo con aserrín, para cubrir cualquier desecho indigerido que no haya acertado a la bolsa.

—Eso mismo, tapar la cochinada, como hacen los perros —señala alguien con amargura.

Al poco tiempo, el aire rancio del recinto en penumbras se torna intolerable. Con trapos y papel de diarios acumulados en el baño con ese propósito se consigue algo de limpieza, y un aerosol con aroma a pino que trae Ramón convierte lo hediondo en apenas maloliente. Humillados por sus vómitos y hedores, cada quien se encierra en sí mismo y se traga la vergüenza. Algunos reniegan de haberse embarcado.

Rosa, no.

Entre un y otro ataque de náusea, la chica pasa el tiempo recordando y tomando notas de sus recuerdos.

Memorizar el camino andado, suele decir su abuelo, es la única manera de saber volver a casa. ¡Es la ley de la selva!

Una indescriptible comida enlatada, unas galletas, una banana y agua potable componen el almuerzo. La desgracia de algunos, más propensos al mareo y menos interesados en comer, es alegría para los glotones, que pueden así recibir ración doble. Rosa acepta la mitad de su ración, con la esperanza de que la náusea se reduzca también a la mitad, y le da el resto a su vecina.

Después del almuerzo comienza el lento peregrinaje hasta el baño, que no es más que un pequeño cuarto de madera con un agujero encima de una tarima, a un extremo de la bodega. Siendo el único disponible, una cola de diez a veinte personas se hace permanente.

A la hora del crepúsculo, que se puede deducir por la escasa luz rojiza que entra en la bodega, se sirve la cena: más comida enlatada, pan y naranjas. Rosa come solo una naranja y su vecina es otra vez la beneficiaria del resto. Alguien enciende una radio. La recepción es pésima.

Un tripulante, a quien Rosa ya había visto al subir al barco, se asoma a la bodega y con un discreto ademán llama a la muchacha al pie de la escalera. La chica va hasta él, avergonzada, temiendo una reprimenda por el vómito y dispuesta a limpiarlo. El hombre le susurra algo. Vuelve, con el semblante alegre, y le dice a su vecina, que se llama Mabel, que ahora podrá estirarse y ocupar también su lugar, porque ella se va para arriba.

—Me dijo el hombre que, como soy menor, el capitán me deja dormir sola en una cabina.

—Hum, yo en tu lugar no lo haría —le dice la mujer—. A menos que no te importe pagárselo con tus servicios. Bueno, tú sabrás lo que haces. Ya eres grandecita. Pero recuerda que en este viaje no hay nada gratuito.

La revelación la golpea como una cachetada. ¡Eso quiere! Vuelve a ocupar el lugar que le asignaron y apoya la cabeza sobre las rodillas, enojada consigo misma por su ingenuidad. ¿Cómo se ha olvidado ya tan pronto de la sarta de recomendaciones que recibió antes de partir? Esto ni siquiera necesita escribirlo, piensa, porque es de una estupidez imperdonable e inolvidable. ¡Se ha olvidado de recordar!

La poca luz que pudo entrar antes comienza a disminuir hasta que todo queda en sombras.

—Señores, por favor, el que tenga radio, apáguela. Hay que respetar el descanso de los compañeros —dice el capitán por un altoparlante a pilas que se instaló en la bodega—. Que tengan buenas noches.

Esta vez Rosa se acomoda más apretada a su vecina.

—¿No le importa si la agarro del brazo, doña Mabel?

—Para nada, mi niña. Y de aquí nadie te va a sacar, no te preocupes.

La inmovilidad, el entumecimiento de las piernas y el ruido desquiciante de los motores se vuelve martirio. Las dudas y arrepentimientos que acosan a más de uno los mantiene en vigilia por largo tiempo. En otros engendra sueños monstruosos. Por fin, el extremo cansancio y el movimiento del barco le cierran los ojos a Rosa y duerme. Pero sus sueños son un mar turbulento y agitado, y se despierta asustada. El aire pesado del encierro está lleno de ronquidos, de avemarías murmuradas en cada cuenta de un rosario, del alarido de una pesadilla confusa o violenta, de rezos y maldiciones. El tiempo se arrastra, se detiene, parece que vuelve atrás. Rosa tiene ganas de llorar. Pero el contacto con las carnes rollizas y tibias del brazo de su protectora le recuerda que podría ser mucho peor. La gratitud que siente hacia ella es ancha y extensa como el mismo océano. Y eso nunca lo va a olvidar.

V

Por la radio están pasando una canción de inmigrantes. No es ni pura coincidencia ni intervención divina que descendió a los estudios radiofónicos esa mañana, como opinan algunos. No es necesario ni lo uno ni lo otro porque el tema del grupo Mano Negra es un verdadero éxito. Alguien baja el volumen y se escucha la voz altisonante de un tripulante:

—Buenos días, damas y caballeros. Tengo el placer de comunicarles que ya estamos en alta mar y fuera del mar territorial del Ecuador —anuncia—. Nos encontramos navegando en aguas internacionales, ¡fuera de peligro! Así que, los que quieran, pueden salir a la cubierta y respirar aire puro.

La euforia corre como pólvora en la bodega. Los cantantes siguen aullando, pero ya nadie escucha la canción. En pocos minutos, los doscientos sufridos cuerpos ya están en la cubierta, achicando los ojos como animalitos noctámbulos que salen a la luz, deslumbrados por la tremenda extensión de la mañana soleada.

—¡Qué maravilla! —exclama Rosa, sobrecogida ante la majestad del mar.

—Ah, Dios mío, nunca pensé... ¡Es inmenso! —exclama un hombre.

—¿Cómo? ¿Usted nunca vio el mar antes? —pregunta otro, con aire pedante.

—No, nunca.

—Bueno, va a cansarse de verlo. Vamos a estar navegando por ocho o diez días. Claro, si todo va bien. Quiero decir, si no nos descubre la guardia marina y nos lleva presos. Si no nos agarra la patrulla de los gringos que busca barcos de narcotraficantes disfrazados de pesqueros. Si no se desata un temporal. Si no hay un naufragio y acabamos todos en el fondo del mar, a dormir con las conchas marinas.

El júbilo del momento se evapora con la retahíla de malos presagios. La mención del abismo oceánico desentierra del recuerdo de Rosa las imágenes de los cuentos milenarios que el maestro solía leerles, y se le anudan en el estómago: serpientes marinas enroscadas en las piernas, pulpos succionándole la cabeza, caracoles gigantes pasando babosos sobre su cuerpo tendido en un lecho de algas, crustáceos pegados en sus ojos y su rostro, como esos que ella vio carcomiendo las vigas de madera verde-negruzcas de la playa.

—¡No sea aguafiestas, hombre! —lo reta alguien—. ¿Por qué no dice algo alegre?

—Dios le haga la boca a un lado —agrega una mujer, con desdén.

Rosa recapacita.

—Nada de eso va a pasar. Mi madre también viajó en un barco como este. Los barcos no se hunden así porque sí. Y mi madre no me hubiera llamado si fuera tan terrible.

—Bien dicho, hija.

Horas más tarde, Rosa baja a buscar su sombrero de paja. El sol está en el cenit, en el mismísimo centro azul del cielo.

—Señoras y señores —anuncia el capitán—, sepan que acabamos de cruzar la línea del ecuador. ¡Bienvenidos al hemisferio norte!

«¿Ya ve usted, señor pesimista? —dice Rosa en silencio—. Ya estamos en el mero Norte. Y en el Norte, nada así de malo puede pasar».

5. Entre dioses y tumbas

I

San Cristóbal de las Casas, ciudad de cultura maya y arquitectura colonial, de un día para el otro se ha puesto de moda y se ha convertido en polo magnético para estudiosos, misioneros y curiosos de diverso pelaje. Y en cada esquina, soldados armados los observan con sospecha.

En uno de esos cafés de vanguardia donde convergen periodistas, académicos y turistas, Ernesto se entera del ataque de los zapatistas del año anterior.

—Vinieron los milicos de la capital y respondieron bombardeando los suburbios de la ciudad —explica alguien— y los indígenas se replegaron en la selva. Pero luego retomaron varios pueblos de por aquí, así que las relaciones andan muy tensas.

El chico siente una inmediata afinidad con los nativos habitantes de Chiapas, que ahora se le perfilan en su imaginación como bravos guerreros. Le entretiene la idea de ser de sangre maya. ¡Quién sabe! Pregunta a alguien dónde encontrar un albergue para estudiantes por una noche. Al día siguiente, dice, sale para Guatemala. Lo mandan al barrio de la universidad. Allí encuentra un lugar en una habitación a compartir con otro estudiante. Paga una modesta suma, y deja allí su mochila. Cuando se encamina al vestíbulo del albergue, se detiene frente a los anuncios en los transparentes de la pared. Uno que lleva el sello de un perfil maya le llama la atención: «Se busca un hablante de inglés y español para un proyecto arqueológico».

El chico apunta el número de teléfono en la mano y se lanza hacia una cabina pública.

Una hora más tarde está frente al escritorio del arqueólogo Luis Guerrero.

Luis es un hombre joven, apuesto, de abundante pelo negro y ojos marrones, y de tez blanca como una pared pintada a la cal, piensa Ernesto.

—Tú serías la persona ideal —le dice—, pero no eres mexicano y no tienes permiso para trabajar aquí. En estos contratos del Gobierno hay mucha burocracia.

—¿Y cuál es el proyecto? —pregunta Ernesto, solo para ganar tiempo mientras se estruja el cerebro para arrancarle alguna idea.

—Bien, se ha descubierto un nuevo cementerio enterrado en Palenque, y el Museo de Antropología e Historia me ha contratado para hacer excavaciones. Me encantaría tener a alguien como tú, no solo bilingüe sino instruido, para clasificar y etiquetar los artefactos que se encuentren, en inglés y en español. Pero no va a ser posible. Lo siento, de veras.

Ernesto le agradece y le implora que si se le ocurre algo, que lo llame al albergue, porque él daría cualquier cosa por tener ese trabajo.

El otro le extiende la mano y le dice que, de cualquier manera, no deje de visitar las ruinas. El chico se va cabizbajo, pensando que, si no fuera por miedo a las cárceles del tercer mundo, bien fácil le sería comprar un documento falso en la plaza. Pero, no, también eso sería inútil, porque ya le dio su verdadero nombre al arqueólogo. ¡Qué estúpido, no haber pensado en eso!

El chico ya está cruzando la calle cuando el arqueólogo lo llama.

—Mira, se me ocurrió algo. Como los fondos son de la Universidad de Berkeley, tal vez no sería un impedimento, si ellos te contratan. Solo habría que darte una visa de trabajo. Pero no te prometo nada, dame un tiempito.

Al chico se le hincha el corazón de ansiedad. De hecho, está que revienta. Quiere llamar a su padre, para que contacte a su amigo en Berkeley, para que este llame a su colega, para que este le suplique a...

—Mientras tanto, dame tu pasaporte, voy a mandar un fax —dice el otro.

Ernesto sale a la calle. En algún lugar, hacia el este, entre las hojas gigantescas de esa floresta prehistórica, ya se figura esa ciudad de pirámides y cementerios que todavía no largó todos sus secretos. ¡Qué no daría para ser parte de ese proyecto! Se sienta en la escalinata. Para aplacar su ansiedad, saca su libro de viajes y escribe:

> *A los mayas les interesaba saber del universo, como a mí, por eso levantaron esa ciudad de pirámides, para descifrar el cielo. Me pregunto si habrá algo así como «genes curiosos». Me gustaría tener algún rastro genético de los mayas.*

Lee lo que escribió y le resulta algo estúpido, pero lo deja.

II

Los expedientes relativos al empleo de Ernesto fueron sencillos. Algunos correos electrónicos entre las dos instituciones, unos pocos documentos mandados por fax, más el aval de Luis y del profesor de Berkeley, abreviaron la parte burocrática. Esta mañana el arqueólogo le trajo la noticia mientras el chico desayunaba, y un montón de papeles para firmar. Van a partir hoy mismo.

«No podría haber tenido más suerte —se dice Ernesto—. Aquel día en que casi maté a Carlo, creí que sus insultos me estaban crucificando. Y al final fue eso lo que me trajo adonde estoy hoy: a un paso de este lugar fabuloso, y además, con una misión importante».

A media tarde, Luis pasa a buscarlo con sus ayudantes y dos camionetas colmadas del material para la expedición. El chico se trepa a uno de los vehículos y se presenta al grupo de seis hombres.

Al cabo de algunas horas llegan a la pequeña ciudad de Palenque. Y no muy lejos de allí, luego de atravesar un espeso bosque de caobas, cedros y ceibas, la mítica ciudad de templos se levanta al borde de una meseta.

Entre enormes pirámides escalonadas que culminan en galerías columnadas, en altares y en torres superpuestas, el ceniza y blanco de la piedra alterna con el verde intenso de la selva, que pugna por cubrirla. Ernesto sube a pasos largos los extravagantes peldaños del Templo de las Inscripciones. Desde arriba tiende la mirada hacia las vastas planicies que se extienden al norte, al pie de la meseta.

Por primera vez en muchísimo tiempo, Ernesto siente un júbilo tan enorme como un océano que le inunda el pecho.

Casi de repente, en la abrupta transición del día a la noche, propia de esas latitudes, ya se ha vuelto oscuro. A la luz de los faroles, los expedicionarios arman las tiendas de campaña, cenan y se acuestan a la misma hora que los pájaros se meten en sus nidos.

Terminado el desayuno, el grupo carga el equipo y se pone en marcha. Según Luis, un estudio de radar determinó que hay una cámara enterrada a cinco metros de profundidad.

Después de una corta caminata, el guía se detiene frente a una piedra en el ángulo de una pirámide menor. Luis consulta el mapa y confirma el sitio. Es un monolito de un metro por un metro donde está esculpido un rostro de aspecto feroz.

Con la ayuda de palas para cavar una zanja en su base y palancas para desplazarlo, después de un tiempo de esfuerzo y sudor, el monolito cede y se abre un hueco por donde pueden pasar hombres y equipo. El guía enciende la linterna.

—Síganme, pero cuidado con la cabeza. El techo es bajo.

En fila india, los hombres se introducen en un túnel frío y húmedo, y la escasa luz de la linterna hace resaltar un brillo plateado que emana de la roca. Un pelotón de murciélagos se desprende de las paredes y salen en carrera rasgando la oscuridad. Donde quiera que Ernesto apunte con la linterna, aparecen las cabezas, con ojos que no ven, de los pequeños engendros nocturnos. El olor a orín de animal impregna el aire.

Descienden por otro túnel, más estrecho que el anterior. Prosiguen, gateando, sobre un lecho de lodo y roca.

Después de una lenta travesía de poco más de una hora, dificultada por el terreno resbaladizo y por la curiosa cantidad de sapos escuerzos, copulando casi inmóviles, el túnel sube y desemboca en un espacio amplio y seco. Los hombres cuelgan sus faroles. La luz amarillenta revela un recinto cuadrado, de paredes y piso de piedra. Una sensación de asombro y deferencia, y hasta un leve temor a la posible profanación, acalla las voces por algún tiempo. Alguien pronuncia algunas palabras en lengua maya.

Las paredes están cubiertas de intrincadas inscripciones en jeroglíficos. En el centro del recinto hay una elevación con el magnífico perfil aguileño de un maya, esculpido en la piedra calcárea.

—Esta es la mesa de los sacrificios —explica Luis—. Por el tamaño, debía ser para niños.

—Siempre me he preguntado por qué la gente alimenta a sus dioses con la sangre de los más tiernos. ¿Por qué no sacrificar a un león, a un hombre, un elefante? —se anima a comentar Ernesto.

—No. Siempre son niños, corderos, vírgenes... —concuerda Luis—. Se lo ve aún en sociedades que no han tenido contacto entre sí.

—¿Y por qué tanta coincidencia?

—Hum..., no creo que sea una coincidencia, me parece que es un arquetipo humano, eso de creer que el mundo es corrupto y que los dioses son perfectos, y entonces, para congraciarse con el dios de turno, le dan algo que creen que todavía es puro.

—¡Por eso ya se encuentran pocas vírgenes, chamaco! —exclama alguien.

Los hombres celebran el chiste y enseguida se arrepienten. Un eco lúgubre les devuelve las carcajadas, que ahora les suenan sacrílegas.

—Este eco es de mal agüero para mí —dice alguien en voz apagada.

—A mí tampoco me gustó nada —dice otro.

—No sean supersticiosos —exclama Luis— y alumbren por aquí.

Luis cree que en algún lado debe de existir una puerta hacia la cámara que buscan, e inicia una observación más rigurosa del lugar. Los hombres limpian el área donde el arqueólogo está señalando y aparece la figura estilizada de un miembro de la realeza maya, tallada en una placa de piedra rectangular en el piso.

La inspección de las paredes continúa, con la esperanza de encontrar una puerta, camuflada tal vez en el diseño de las piedras; o una fisura que muestre la entrada. Sin embargo, la nobleza se ha cuidado muy bien de guardar sus secretos.

Después de una búsqueda infructuosa, Luis deduce que algo está incorrecto en sus cálculos y manda a sus hombres volver sobre sus pasos e investigar las paredes del túnel, por si acaso hubiera ignorado alguna otra salida. Una buena hora se va en esta inspección, cuando Ernesto pide permiso para volver al recinto de los jeroglíficos.

—Esta placa, Luis —dice desde la semioscuridad—, ¿no valdría la pena extraerla y ver si hay algo debajo?

Luis lo observa con cierta sorpresa y corre al lugar indicado por Ernesto.

—¡La placa! ¡Por supuesto!

El sonido de los golpes de picos y martillos se multiplica en las paredes rocosas y el sudor brilla en cada rostro. Cuando finalmente remueven la placa, la luz de las linternas revela el inicio de una angosta escalinata, obstruida por piedras y tierra. El trabajo de excavación lleva poco tiempo y en menos de quince minutos pueden descender la escalinata.

—Es aquí. ¡Seguro que es aquí! —exclama Luis cuando ya está iluminando el recinto con la linterna.

En el instante en que manda encender los faroles, una avalancha de escombros se despeña sobre ellos. Los gritos le llegan confusos a Ernesto, porque una piedra le ha golpeado la cabeza. No sabe si la absoluta oscuridad se debe a que no entra la luz o si el golpe lo ha dejado ciego. Se toca la cabeza. Siente el fluir tibio de la sangre que comienza a manar de la herida y le baña el rostro. Escucha los quejidos de sus compañeros. Las luces de las linternas comienzan a bailotear en la cámara pedregosa, buscando inútilmente la salida.

—¿Están bien?

La voz de Luis y de los otros le avisa que el derrumbe ha obstruido la entrada, pero no ha soterrado a nadie. Sin embargo, si no entra la luz, razona el muchacho, tampoco el aire. Le pregunta a Luis cuánto cree que va a durar el oxígeno antes de que solo quede dióxido de carbono y los mate a todos poco a poco. Pero el otro, ocupado en encontrar la radio que se ha perdido entre los escombros, no lo escucha, o no le quiere responder.

Alguien menciona con voz queda que deben de estar pagando por el pecado de haber corrompido un sitio sagrado. Otros rezan. Otros se quejan de algún dolor.

Luis los manda callarse, para no desperdiciar energía. El aire ya es escaso. Pide también que no usen las linternas, para ahorrar pilas.

Ernesto ya tiene la boca árida y la garganta ardiente. No dice nada, pero siente como piedras redondas dentro de la cabeza que quieren reventarle el cráneo. Escucha el estruendo interno del corazón dentro del pecho y de la sangre pulsando desbocada. «¡Dios mío, me van a reventar las venas de las sienes!», piensa.

—Luis, estoy herido —avisa finalmente—. Estoy perdiendo sangre.

El otro lo alumbra. Se quita la camisa y le hace un torniquete en la cabeza.

—Quédate quieto —le dice, y lo manda a acostarse en el suelo pedregoso.

Ernesto piensa en lo extraño de su destino. Ayer nomás recordaba aquella otra tarde en la escuela hace cinco años, y a Carlo, la causa que lo había llevado a Palenque. Y se alegraba. Ahora se remonta otra vez a aquel mismo evento, causante también de este terrible en que su vida depende de encontrar una radio perdida en un féretro de piedra. Y su alegría de ayer le parece un mal chiste del destino.

¿Pero fue aquello la causa de esto? ¿A quién culpar? ¿A Carlo, por haberle metido esa idea en la cabeza? ¿A Luis, por incompetente? ¿A María Moreno, por haberlo abandonado? ¿O es que un momento en el designio de una vida, incluyendo el de la muerte, tiene una multitud de causas y efectos, que se tocan e intersectan y se entreveran, en una trama laberíntica cuya lógica solo Dios comprende? ¿O tal vez, que ni Dios mismo comprende?

Las preguntas se hacen y deshacen sin respuestas en la orilla mental de su conciencia.

Evoca a sus padres, y a sus otros padres que nunca conoció. Piensa en su vida, en ese tejido de su historia que él quiso destejer un día para entender su diseño, para encontrar el hilo primario, ese que ahora se le está escapando de las manos. Pide perdón por las ocasiones en que pudo hacer el bien y no lo hizo, y por los momentos de egoísmo o de mera indiferencia.

Acostado en un lecho de piedras, el tiempo se le ha vuelto una maraña de imágenes quebradas del pasado que se confunden y fusionan en los pasadizos de su conciencia, asediada por la realidad brutal del presente.

La camisa está ya empapada.

Imagina la pena de sus padres cuando se lo lleven muerto y siente las lágrimas mezclándose con la tierra y la sangre.

Las ideas comienzan a ser más confusas e imprecisas, a evaporarse apenas toman forma, cuando Luis anuncia que ha encontrado la radio.

III

Un pequeño barco pesquero con cuatro tripulantes y doscientos diez pasajeros clandestinos navega en aguas tranquilas en el océano Pacífico, a cien millas náuticas al norte de la línea del ecuador.

Es el cuarto día de viaje y el crepúsculo ya está tiñendo el agua de rojo y dorado. Los viajeros, poco o nada acostumbrados al mar, todavía se sienten en un elemento extraño, aunque ya es algo menos amenazante. El ruido de las máquinas ya se ha vuelto menos molesto entre el batir de las olas y el parloteo de las personas a bordo, así como el olor a diesel y a pescado ha perdido intensidad, mezclado con otros tantos hedores, mecánicos y humanos. Además, a partir del momento en que pudieron salir a la cubierta, en la sala de máquina ya están menos hacinados.

Esta es la nueva realidad, y lo que era aborrecible termina por convertirse en soportable rutina.

Pero no para todos.

Reparan en la ausencia de un pasajero, un hombre algo taciturno de unos cincuenta años, a quien no ven desde el día anterior. Sus amigos más cercanos lo buscan y lo llaman, sin resultado, e imaginan lo peor: un mareo, un desmayo cerca de la borda, un descuido.

—O un suicidio —agrega alguien, con la vista extraviada en el agua lustrosa.

Cuando por fin lo encuentran, acurrucado en un lugar muy apretado entre las máquinas, el hombre oculta la cara con las manos.

—¿Qué le pasa, amigo? ¿En qué podemos ayudarlo? —le dicen, cuando le descubren la expresión ensombrecida.

—Nada, nada. Es que siento la falta de mi familia, de mi esposa, de mis hijas, de mis nietitos... ¿Por qué vine? Ah, es mi culpa.

El hombre llora como un niño.

—Mire, todos tenemos a nuestras familias en algún otro lado —dice uno.

—Y ahora, nosotros somos su familia —agrega otro.

—Venga, siéntese aquí a conversar con amigos y a espantar esa tristeza, hombre.

Y así, a fuerza de empatía y palabras amables, lo sacan del rincón.

Rosa queda conmovida al extremo. Nunca vio a un hombre llorar. Los hombres no lloran. Al menos los hombres huaorani no lloran.

Después de un rato, una mujer agrega:

—Es por culpa de este océano enorme, sin fin, que nos encoge el corazón a todos.

IV

El día amaneció caluroso y el barómetro marca una presión atmosférica baja en el Pacífico. El mar está manso y el aire denso y estático, sin una brizna de brisa. Rosa aprovecha para escribir, aunque siente una flojera poco común. Anoche soñó con el canto de los delfines que escuchó antes de irse a dormir. Cantaron frente al barco por largo rato y después se alejaron, dejándole una tonalidad melancólica dentro.

Un lugar en el océano Pacífico. 25 de septiembre de 1995.

Querida mamá:

Le escribo esta carta con la esperanza de poder mandarla desde Guatemala. Hoy es el quinto día en el barco. ¡Si viera qué sereno está hoy! Ayer había un montón de peces voladores, y también delfines que nadaban al lado del barco, haciendo piruetas. Nos acompañaron por muchas horas. Un pequeño delfín nadaba al lado de su madre y parecía sonreír. Me gus-

taba imaginarme que yo era ese delfín y usted estaba conmigo. Después los escuché cantar. Cantaron y se fueron.

El cielo se ha vuelto de un ceniza inquietante, y la epidermis del mar, que antes era una lámina algo arrugada, comienza a encresparse. Rosa se da cuenta de que la serenidad de la mañana fue engañosa, porque ya le volvió ese detestable malestar en el estómago, y esta vez es tan odioso que tiene que dejar la carta a un lado.

Las recetas para curar el mareo pasan de boca en boca. Algunos dicen que se debe beber agua del mar, para matar el mal con el mal; otros, que hay que acostarse en medio del barco, para sentir menos el ajetreo. Rosa encuentra esta cura más aceptable y busca un espacio libre entre otros pasajeros que siguieron el mismo consejo. Se tira al piso como una muñeca de trapo, dormita. Más tarde, cuando abre los ojos, el mar está borrascoso y de un color funesto. Un vendaval frío que viene del oeste le sacude la miasma, y un cielo preñado de nubarrones ya está largando gotas gordas y pesadas que tamborilean en la cubierta.

Y en pocos minutos, sin preámbulos, como si hubieran surgido del fondo del océano, las olas comienzan a elevarse como torres. Rosa observa con horror cómo de un instante para otro un muro de agua azota la cubierta y está arrastrando a un hombre hacia afuera cuando un tripulante lo sujeta segundos antes de caer al agua.

—¡Agárrense fuerte! —exclama Rubén.

—¡Vayan para abajo! —vocifera Ramón.

La tormenta se ha desencadenado sin previo aviso y ahora se les viene encima, traicionera.

El barco comienza a oscilar violentamente de popa a proa. El capitán cambia el rumbo y ahora el balanceo es lateral y no menos aterrador. Los gritos de los pasajeros vuelan con el viento y se esparcen hasta que el aire se llena de voces de angustia.

—¿Dónde están los chalecos salvavidas? —pregunta alguien.

—En la bodega. ¡Pancho, distribuye los chalecos!

Los que aún están arriba se agarran de un poste, de un compañero, de una oración, todos clamando por protección divina. En medio del pandemonio general, Rosa corre hacia la sala de máquinas, a falta de mejor alternativa, y encuentra a alguien que le ofrece un salvavidas.

—¡Tómalo, rápido, porque mira que no hay para todos! ¡Ya se están acabando!

Va a ponerse el chaleco cuando, cerca de la escalera, tropieza con una mujer que está abrazada a un poste, llorando. El rostro y el pelo de la mujer le recuerdan a su madre.

—¡Tome mi chaleco! —le grita Rosa, y corre hacia la bodega.

En un rincón de la sala de máquinas, detrás del baño, ella había encontrado, días atrás, un largo cajón que en otras épocas habrá servido para guardar la pesca en hielo, porque parece estar bien sellado, pero que ahora solo contiene unas redes. Rosa descubrió también que ella cabe dentro. Lo limpió lo mejor que pudo; le esparció talco para que absorbiera cualquier humedad y olor a pescado, lo forró con los periódicos que se salvaron de los vómitos, acomodó las redes a modo de colchón y lo convirtió en su refugio. Desde entonces, cuando quería apartarse de la gente y estar sola en medio de la multitud, se metía allí, se cubría de pies a cabeza con periódicos y desaparecía a los ojos de todos.

Ahora la muchacha ve en el cajón su salvación. De ninguna manera va a ponerse ese chaleco que le deja la cabeza fuera del agua, razona, pero las piernas colgando adentro, vulnerables, para que los peces se las muerdan o le coman un pie o se lleven un dedo. No. El cajón es mejor, porque es leve y flota. Si hay un naufragio, ella estará a salvo de la saña del mar y de sus criaturas.

Corre escaleras abajo donde unos desafortunados buscan frenéticamente algún chaleco que podría haber quedado olvidada en un rincón. Ve el cajón, detrás del baño. En el momento en que se acomoda en su interior, las luces se apagan. Se cubre con las redes y se conforta imaginándose que es una perla cobijada por una ostra marina. Los lamentos humanos mezclados con el estrépito del océano embravecido le llegan más amortiguados, y el olor al vómito colectivo también le pasa filtrado. Amortajada en redes y sombras, se acurruca más y más en su cuna marítima y se hunde en su imaginaria identidad de perla intocable.

Un torrente de agua entra en la sala de máquinas, anegando la escalera; y luego otro, y otro, según la inclinación del barco; en pocos minutos el cajón comienza a flotar y a elevarse. Solo entonces se le ocurre a la muchacha que si el barco se va a pique tumbado panza arriba, ni ella ni nadie de los que están en la bodega podrán salir y se irán a pique con la nave, para siempre enterrados en el fondo del océano. O, si el nivel del agua continúa subiendo, ella quedará atrapada contra el techo de la bodega, y el cajón será su tumba; cuna y tumba en el seno del mar.

Por otro lado, salir a la cubierta es igual de suicida, porque cualquier ola la puede barrer en un instante, como a una pluma.

—¡Itota, Jesús, Hijo del Creador, ayúdame! —suplica la niña, que no sabe si debería o no abandonar su pequeña nave.

El barco cruje bajo los embates del viento.

—¡Huaengongui, Padre, dios de los ríos y de las cascadas de la selva, recuerda a tu hija huaorani que nunca hizo mal a ninguna de tus criaturas! ¡Llévame de vuelta a tu reino de aguas dulces! —declama la muchacha prorrumpiendo en sollozos, repitiendo una antigua oración huaorani.

El nivel del agua sigue subiendo, y Rosa se ha quedado sin dioses a quienes pedir clemencia. Luego recuerda cómo su abuela solía decir: «Para problemas de salud, niña, rézale a Huaengongui. Si es por dinero, el Jesús de los evangelistas siempre ayuda. Pero eso sí, para las dolencias de amor, Rosita, acuérdate de la Virgen María de los católicos, porque cuando el Padre no escucha, la Madre interviene».

—¡Virgen María! —suplica la muchacha—. ¡Es por amor, por amor a ti que te pido ahora que me salves! ¿No eres tú la Virgen del Mar? ¿La Stella Maris? ¿La Estrella del Mar? María, Maris, Marina. ¡Señora Reina de las aguas del mar! —solloza—, ¡haz que baje el agua! ¡Haz que baje el agua!

6. Travesía

I

El viento está amainando. Las nubes se desgajan y se alejan rodando hacia otros horizontes y el barco se endereza. Rosa agradece a quien sea que haya escuchado sus plegarias, salta de su balsa y sube a cubierta frotándose los ojos. Allí encuentra a los otros, con el pánico todavía pintado en sus caras amarillentas y descompuestas. Y en medio del descalabro también encuentra su carta, pegada a un poste, con la tinta borroneada.

En el horizonte, la luz ha desplegado sus colores en un arco deslumbrante. Algunos lo miran llorando, otros le agradecen su piedad en silencio.

Horas más tarde, hecho el escrutinio de la gente, el cómputo de los víveres y la evaluación de los daños, y una vez que la tripulación ya ha sacado el agua que se acumuló en la sala de máquinas, el capitán los reúne en la cubierta:

—La tormenta nos apartó de la ruta y perdimos un día, de modo que las raciones están escasas. Vamos a tener que... —el hombre carraspea— ajustarnos el cinturón.

II

Digno de su nombre, aunque no de su costumbre, el Pacífico está tranquilo hoy, al promediar el sexto día de viaje. Apretujados en la cubierta, los pasajeros celebran la noticia que acaba de anunciar un tripulante: desde ahora hasta la llegada a Guatemala, se puede esperar tiempo estable.

El mar está destellante y el sol se desgaja en la cresta de las olas. Rosa descubre que si se concentra en el azul verdoso del confín del mar su estómago queda menos inquieto. Oteando el horizonte, distingue un punto lejano que comienza a crecer. O es un barco, o es un pez gigante, razona. Debe de ser un barco, porque el bulto se hace cada vez más grande. ¿O es una ilusión? Se pone las dos manos alrededor de un ojo, a modo de catalejo, y después del otro, para distinguir mejor el contorno del objeto o animal que alberga la distancia, experiencia rara para quien se crió en la selva.

Pero ya es evidente que es una embarcación. Y viene en línea recta hacia ellos.

Ni bien la muchacha llega distraídamente a esta conclusión, el capitán vocifera por los altoparlantes:

—¡Adentro todo el mundo! ¡Ahora mismo! ¡Para abajo!

—¿Y por qué tanta alarma ahora? No es la primera vez que nos cruzamos con otro barco —pregunta alguien.

—¡El capitán habrá visto algo con los binóculos!

—¡Habrá descubierto que nos persiguen!

Asustados como liebres acosadas por sabuesos, corren escalera abajo.

—¡Qué desgracia esto de ser fugitivos! ¡Como si uno fuera un ladrón! ¡Un pirata! —rezonga un hombre mientras se mete en la bodega de mala gana.

—Roguemos para que no nos hayan visto —dice otro.

—¿Y si nos vieron?

—¡Si nos vieron estamos bien fregados!

Poco después, un enorme barco del color del acero y con la bandera de barras y estrellas de los Estados Unidos se les acerca. Es tres veces más alto que *El guayaquileño*. Se desliza sólido e imperturbable.

Ahora navega paralelo al pesquero. Las dos embarcaciones se saludan, como dos viejos amigos: la menor hace sonar un silbato alto y estridente, y el buque responde con un tono bajo y profundo como una tuba. Los hombres de abordo saludan a los «pescadores» que fingen estar atareados con una red vacía.

Después de cordiales intercambios sonoros, el buque se aleja, ondeando entre los cristales de luz y plata que refleja el agua. Las olas producidas por su casco enorme llegan hasta la pequeña embarcación, que se balancea trémula con la silenciosa carga ilegal que se agita en su interior.

Media hora pasa hasta que el buque está fuera de la vista.

—¡Pueden salir! —ordena el capitán.

—Vaya, ¡qué susto nos dimos!

—¿Y qué pasa si se dieron cuenta y deciden volver, o mandar un remolcador, o un helicóptero, o...?

—Era un barco mercante, nada más, no era de la Marina —replica el capitán.

—¿Y si son alcahuetes y están informando ahora mismo a la guardia costera?

—¡Qué cagones! Estamos pasando cerca del canal de Panamá —explica— y hay barcos de todas las nacionalidades por aquí. No somos los únicos extranjeros que «pescan» por estos lados.

Aún así, los pasajeros siguen escudriñando el horizonte, aprensivos.

El séptimo día ya no hay comida. O, al menos, no la hay para los pasajeros.

—Muchachos, el capitán me manda comunicarles que desde hoy habrá racionamiento estricto —les anuncia

Ramón—. Se les servirá una ración de arroz y alguna fruta por día —dice el hombre.

Usa el «se» y el «habrá» impersonal para no sentirse responsable de la nueva normativa.

Se levanta un murmullo de desaprobación.

—Y también habrá que compartir una botella por día entre tres personas.

—Bueno, ¡al menos no hay que levantarse de noche para ir al baño, compañeros! —comenta uno a quien llaman La Marmota, porque pasa la mayor parte del tiempo durmiendo—. Hay que ver el lado positivo de las cosas.

Pero no todos lo toman a la ligera. Se rumorea que en eso de la comida hay gato encerrado.

Llega la noche, sin cena. Para no escuchar las quejas que se ventilan a los gritos y los insultos que se musitan en voz baja, Rosa se esconde para dormir en su rincón favorito: el cajón de madera. Cubierta con una red de pies a cabeza, nadie sospecha su presencia. Y se duerme, con la mente llena de fantasmas y el estómago vacío. Pero al rato se despierta con esa comezón en la cabeza y la piel que la viene molestando desde el día anterior.

Escucha unas voces furtivas, muy cerca de ella, gente hablando en un susurro cargado de interjecciones contenidas. Y una voz más aguda la hace brincar.

—Yo vi a Ramón guardando varias cajas de comida en el camarote donde duerme la tripulación —escucha decir.

—¡Te lo dije! ¡Están escondiendo las raciones para ellos! —dice otro, indignado.

—No podemos dejar esto así, compañeros. ¡Tenemos que actuar!

—Estoy de acuerdo. ¡La única manera de sobrevivir es tomar el mando del barco!

«¡Un motín!», murmura Rosa. Trata de aguzar los oídos, pero los conspiradores ahora hablan en voces sibilantes y cada vez más bajas. Solo le llegan fragmentos de conversación: «Antes de las seis ... ¿Dónde guardan las armas? ... ¿Están armados de veras? ... Yo avisaré a los ... Se despiertan a las seis ... El timonero ... Tomemos rehenes...».

Los ojos abiertos y los oídos alertas a cualquier movimiento o sonido sospechoso, Rosa no puede ni quiere volver a dormir. El espectro de un desastre la dejó despabilada y, supone, con una seria responsabilidad pesando sobre ella. ¿Qué hacer ahora? ¿Denunciar al grupo para salvar a todos de un posible desastre? ¿O quedarse callada y evitarse el triste papel de soplona? ¿O hablar con ellos para disuadirlos, y arriesgarse a que la amordacen y la encierren en el cajón con maderas y clavos y hasta que se olviden de ella y quede atrapada ahí para siempre? Las tres alternativas son inaceptables. Se muerde las uñas. Por más que quiera recordar, no encuentra nada, en ninguna arruga de su cerebro, que pueda buenamente guiarla hacia una decisión inteligente. Ni cuento huaorani ni parábola cristiana ni historia verdadera que pueda socorrerla con un modelo de conducta que seguir.

El debate interno la deja extenuada. Ya se le cierran los ojos de búho y se le hunden en la oscuridad del sueño.

Después de una noche insomne y sudorosa, el grupo de amotinados comienza a organizar la acción y Rosa se despierta, asustada. Mira su reloj: son las cinco de la mañana. Se escuchan pasos apresurados, hombres hablando con hombres, palabras entrecortadas, iracundas. Reconoce una voz que se hace más clara. Es la del hombre que está haciendo este viaje por segunda vez.

—¿Y cómo les harán saber de nuestra llegada a los lancheros que están esperándonos para llevarnos del barco a la playa?

—Podemos nadar hasta la costa.

—¿Nadar? ¡No me hagan reír! ¡Apuesto a que más de uno se ahoga en una meada!

—Pues, vamos a obligar al capitán a que los llame por radio, pues. Él está tan ilegal como nosotros y no podrá hacer nada. No tendrá agallas para denunciarnos.

—Muy bien. Y tú dices que sabes navegar, que ya anduviste por estos mares, ¿cierto?

—Sí, señor. Yo fui pescador.

—Entonces, ¿sabes cómo usar las cartas de navegación? ¿Sabes cómo determinar la posición presente y el rumbo y la velocidad para llegar a destino? ¿Sabes leer las coordenadas?

El pescador lo mira con cara de quien no entiende el castellano.

—¿Tú crees que es solo agarrar un timón? —continúa el hombre—. ¡Ustedes están locos! ¡No saben ni siquiera leer un mapa marítimo! Si quieren jugar a amotinados, ¡adelante! Yo no los voy a delatar. ¡Pero sepan que los demás no van a mover un dedo!

El tufo de la bodega se hace insoportable y Rosa sale a cubierta. Como dice el abuelo, a veces es mejor dejar que las cosas, como el río, encuentren su propio cauce natural, recuerda la muchacha, mientras ve al grupo de amotinados hambrientos desbandarse, desinflados y con caras culpables.

El octavo día de viaje, que Rosa registrará como «El día de la rata», comienza mal.

El hombre que añoraba a su familia está pisando el borde de la locura. Es una locura inofensiva, pero perturbadora. Ve una rata, una de esas ratas famélicas de la bodega que compiten con los hombres por un grano de arroz, y convence a otros de que la fiebre no se debe al calor, sino que se ha difundido la peste bubónica.

—¡No los toquen! ¡Tienen la plaga! —dice el pobre tipo, refiriéndose a los enfermos.

—¿Qué plaga, hombre? —replica el otro—. No sea maniático. Es una rata nomás. Mire, yo la cocino y me la como.

Así diciendo, el hombre toma la rata por la cola y sale rumbo a la cocina. Los otros lo miran y escupen en el suelo. El maniático tiene un arrebato de furia. Corre detrás del otro, lo golpea en la espalda y los dos caen al suelo, trenzados en un abrazo furioso. El tipo de la rata está encima de su atacante apretándole el cuello cuando varios intervienen y los separan. La rata, sana y salva, huye corriendo entre unas tablas.

—Si usted no se controla lo vamos a tener que atar —le advierte el capitán al hombre loco—. Y deje de hablar idioteces. ¡La única plaga que hay aquí es usted!

Algunos no están muy convencidos. La mera mención de la peste afecta a los más sugestionables y creen ver síntomas de una enfermedad contagiosa en las erupciones que tienen en la piel.

En efecto, muchos de ellos están cubiertos de pies a cabeza y la comezón es una tortura constante. Algunos se han rascado los brazos hasta sangrar.

—Mire, a mí me salieron estos sarpullidos en el brazo. Tal vez el hombre tiene razón —dice uno.

—¡Y a mí me salieron en la cabeza! —agrega una mujer.

—Déjeme verla, señora —dice Rosa, quien recuerda bien sus días de escolar. Y no tarda en darle el veredicto—: Mire, doña, son piojos nomás, piojos indefensos —dice mientras escarba con aire competente el pelo de la mujer.

—¿Y estas ronchas? —pregunta otro, arremangándose la camisa, porque es uno de esos que se viste como si al bajar del barco tuviera que ir directamente a una entrevista de trabajo.

—Esas son pulgas —aclara Rosa—. ¿No ve que es un punto rojo con el centro más claro?

—Y las pulgas viven en las ratas, porque aquí no hay perros. Y las pulgas de las ratas producen la peste bubónica —sentencia alguien—. Eso todo el mundo lo sabe.

El capitán ofrece un paquete de Racumín, que se diluye para que alcance para toda el área de la bodega. Luego se arman los escuadrones de la muerte para rematar a los roedores que hayan quedado comatosos por la dosis diluida.

Rosa y otras personas se dedican en cambio a la primitiva y confortadora actividad de espulgarse.

El noveno día, al caer el sol, el capitán congrega a los viajeros en la cubierta. Les dice que, si no hay ningún contratiempo, llegarán al día siguiente, Dios mediante, pero deben prepararse para cualquier emergencia.

—Vamos a desembarcar en un pueblo fronterizo con México que se llama Tecún Umán. Allí van a estar alojados en casas seguras, familias que trabajan para nosotros, mientras esperamos el momento propicio para pasar la frontera. Si por desgracia alguien llega a caer en manos de la policía, nunca diga de dónde es, porque entonces los van a deportar, al Ecuador o a su país de origen, cualquiera que sea. En Guatemala serán guatemaltecos. Y en México, mexicanos. De ahora en adelante, cada uno tendrá un nombre diferente. Así que, ahorita, lo más importante es destruir sus documentos: documentos de identidad, partidas de nacimiento, licencias... Cualquier papel que revele sus nombres y nacionalidades.

La gente lo mira con desconfianza. El hombre continúa:

—No los estoy obligando, lo estoy sugiriendo, porque si la policía los prende, entonces será de balde tratar de meterse los documentos en el culo, ¿no?

A nadie le hace gracia y continúan las miradas silenciosas.

Poco a poco, aquellos que tienen más natural inclinación a obedecer a la autoridad se acercan con sus documentos y, con mano algo incierta, los echan sobre el carbón, dentro del brasero de hierro sujetado al piso de la cubierta. Otros dudan en un primer momento, pero pronto rinden su individualismo, soltando un suspiro. Rosa también termina claudicando.

El recipiente se llena. Un tripulante pone un poco de querosén, echa un fósforo y *¡bum!* Una llamarada sube como a un metro de alto. La gente se echa hacia atrás con el golpe de aire y el resplandor, y mira atónita cómo sus identidades se retuercen y se achicharran mientras son consumidas por la llama. Un humo fino y sedoso se eleva y se pierde en el cielo nocturno. La luz —que a veces se pone azul cuando el fuego toca un documento plastificado— se refleja en las pupilas de los hombres y las mujeres, hasta que todo queda reducido a cenizas.

—Tengo otra recomendación final —dice el capitán—: Es mejor aprenderse de memoria los teléfonos o direcciones de los contactos que llevan por escrito y después destruirlos también. No hay que comprometer a sus familiares o amigos en los Estados Unidos.

Después de un tiempo prudente, el tripulante pide otra ronda de documentos, que arden y se contorsionan en la llama, hasta desaparecer. Y otra, y otra, hasta que el chisporroteo se desvanece, el viento esparce las últimas cenizas y el último pasajero se despoja de su identidad.

—Es la noche de las brujas —masculla alguien—. ¡Hasta me parece verlas danzando alrededor de la fogata!

—De la Inquisición, dirás —suelta otro, con rabia, ya sintiéndose compungido por haber sucumbido a la presión del grupo—. ¡Nos han aniquilado! ¡Ahora no somos nadie!

—Y entonces, ¿por qué lo hizo usted? ¡Nadie lo obligó!

—No sé. Uno no quiere llevar la contra. Me hace sentir mal. Es más fácil hacer lo que hacen todos, ¿no le parece?

Luego de servir una ración de arroz seca con algún pescado que cayó en las redes, un tripulante pasa una lista de nombres comunes en Guatemala, para que cada quien elija el que más le apetezca. Rosa escoge el nombre de Rigoberta Mam, pues le suena exótico y a la vez familiar. Se consuela pensando que apenas una vocal la separa de su madre.

Esa noche la gente se va a dormir con un extraño malestar. La falta de un papel que certifique que uno es uno los ha dejado perplejos y pensativos.

III

En la tarde celeste del décimo día, antes de la caída del sol, alguien jura ver ballenas inmóviles. El capitán explica que son islotes, y que esa línea lejana que se divisa hacia el oriente entre el mar y el cielo es la costa de Guatemala. El chispazo de contento corre por el barco y las loas resuenan en el esplendor de la tarde. Hasta las criaturas marinas parecen regocijarse con la noticia. Los peces alados saltan y vuelven a caer de plano en el mar apenas rizado, sacando un chasquido burbujeante al chocar contra el agua. Cardúmenes coloridos se desplazan en una y otra dirección, siguiendo al barco en un coordinado despliegue marcial. Y a medida que la costa se hace más visible, centenas de gaviotas que planean rozando las crestas con las alas, vienen a posarse en ambas bordas, en los postes y en los techos de la cabina, emitiendo sus gritos salitres. Inútilmente quedarán esperando por alguna migaja de mano de los pasajeros, que este día están más famélicos que ellas.

En el otro borde del cielo, el sol pronto se derrama y explota en rojos y mercurios, y los albatros se acercan al barco. Una hora más tarde, ya entrada la noche, llegan a destino en el norte del país. La oscuridad muestra la presencia de luces palpitando en la costa. Se paran las máquinas; y de pronto, los que antes estaban hartos del ruido, se sienten raros, como flotando en el vacío.

Por precaución, el capitán no usa la radio. Con un sistema de luces advierte de su llegada a quienes los están esperando a cierta distancia de la playa. Son varias lanchas a motor y se acercan sin tardanza.

En grupos de diez, se acomodan en las lanchas. Una a una salen veloces hacia la costa y luego vuelven al barco para recoger más pasajeros. En una operación que dura una media hora, ya han transportado a casi todos los pasajeros y la última lancha ya parte con su carga final. En ella está Rosa, quien, gentil, se ofreció a esperar hasta que se embarcaran los mayores, como le enseñaron en su familia.

El cielo tachonado de estrellas es más bello que nunca. ¿Dónde estará su constelación? Ella, que nació en septiembre y pertenece a Libra, el signo del equilibrio según la cosmología de los blancos, sabe que después de todo sufrimiento siempre llega un tiempo mejor.

Al cabo de unos quince minutos, el motor se detiene con un *puff, puff, puff*.

—Este motor me está dando problemas otra vez —dice el hombre que pilotea la lancha.

Trata de arrancarlo otra vez, pero no responde.

—¿No le falta gasolina?

—Es un problema de contacto.

Alguien lo ve y pega un grito. Iluminado por la luna, un enorme bulto se ve surgir del agua, del lado derecho. No se distingue bien la forma, pero sí el resplandor glacial de un ojo inhumano que se fija en ellos mientras circunda la lancha.

—¿Qué fue eso?

—Un tiburón —explica el lanchero, apenas moviendo la boca.

Los pelos de las nucas se erizan, pero nadie dice ni pío.

Al poco tiempo, un lomo brillante y plateado a la luz nocturna, terminado en una aleta afilada, se asoma y se sumerge otra vez en la superficie oscura, del otro lado de la embarcación.

—¡Este lugar está infestado de tiburones! —exclama al fin un hombre, con voz nerviosa.

—No exagere. Hay dos. Y quédense tranquilos. Generalmente los tiburones no atacan las embarcaciones.

El lanchero parece despreocupado, o si no lo está, no lo deja traslucir.

—¿Generalmente? ¿Qué quiere decir con eso?

—Pues, se sabe de rarísimos casos.

—¿Cuántos?

—Uno en cien casos. En todo el mundo.

La estadística no significa nada para los pasajeros. Quizá tampoco para quien la está enunciando.

—¿Y qué? ¿Vamos a quedarnos aquí? ¿No puede usted llamar para pedir auxilio? —insiste el hombre, que ya no puede disimular el tono de terror en su voz.

—No, no podemos usar la radio.

—¿Y el celular?

—Aquí no hay nada de eso. Estamos en Guatemala, no en el Ecuador.

Recurre entonces a la linterna y manda señales a las lanchas que van más adelante. Pero allá nadie las recibe. Todos tienen la mirada clavada en el contorno de la costa de Tecún Umán. Y las luces se alejan hasta ser apenas unos puntitos que parpadean en la noche.

—¿Y usted no tiene un arma para defendernos? —vuelve a presionar el hombre de la voz angustiada.

—Sí, pero cálmese. No va a pasar nada —dice el lanchero, mientras abre su chaqueta, para apaciguarlo, y muestra el revólver que lleva en la cintura.

—¡Úselo, pues! —dice el otro.

—Le digo que no es necesario. Puede ser peor —replica, exasperado.

Pasan unos minutos de calma tensa. A todos los agarra desprevenidos cuando el hombre, en una oleada de pánico incontenible, se abalanza sobre el lanchero y le quita el arma. Cuando está apuntando a la cabeza de un tiburón, el otro le grita:

—¡No le tire, no le tire!

Pero es tarde. El tipo ya ha descargado varias balas en la cabeza del animal. Este se sacude en un revoltijo de espuma y sangre. El lanchero trata de sacarle el arma al descontrolado; otros lo ayudan y lo agarran de atrás. Con el movimiento, la embarcación está inclinándose hacia un lado en ángulo peligroso.

—¡Siéntense! ¡Cuidado! ¡Vuélvanse!

Las mujeres gritan. Los hombres blasfeman. El lanchero recobra su arma y le da un golpe en la cabeza al neurótico, pero aún así no consiguen controlarlo. Solo cuando a alguien se le da por amenazarlo con arrojarlo a los tiburones es que el hombre se aquieta. Le atan las manos y los pies.

El animal no se ve ahora, pero la enorme mancha de sangre que flota en la superficie y el movimiento en el agua que producen sus aleteadas agonizantes es más enervante que el animal vivo. Entre insultos y obscenidades, el lanchero explica que el olor a sangre y las vibraciones inusuales en el agua van a atraer a más tiburones.

En efecto, en pocos minutos, un cardumen de bestias marinas se acerca a la embarcación, guiadas por el olfato y la percepción del movimiento, en un frenesí de caza. El golpeteo de las aletas y del lomo de los animales se siente en el piso de la lancha, que se sacude a cada embestida. Están abajo, a los lados, cercándolos. Sienten su presencia.

—Están dispuestos a esperar con paciencia —afirma alguien mirando hacia el mar con los ojos dilatados—. A esperar para ver si alguno de nosotros cae al agua.

—Aquí nadie se va a caer. A menos que ande borracho —responde el lanchero.

—Ya escuché que los tiburones pueden dar una pirueta extraordinaria y aterrizar en la lancha... —se anima a contar otro, con voz ahogada.

—¡No diga tonterías, hombre!

—¿Ya les vieron la boca? ¿Y si le arrancan un pedazo a la lancha?

—¡Cállense! ¡Los tiburones no comen carne humana!

—Tal vez no la coman. Pero esta noche creo que quieren vengarse —dice otro, casi llorando—. Si no, ¿por qué están nadando en círculos alrededor nuestro? ¿Qué quieren? ¿Por qué no se van? ¿Por qué no los liquidamos a todos?

—Porque van a venir más —explica el lanchero entre dientes, mientras abre el tambor de su revólver para contar las balas.

Rosa confía en el sortilegio de sus estrellas, pero a Libra no se la encuentra por ningún lado por este cielo, tan lejano al suyo.

7. Casas seguras

I

Camufladas entre la vegetación cercana a la playa, varias camionetas ya están esperando al contingente de indocumentados que acaba de desembarcar, para llevarlos a sus nuevas residencias. Como conviene en estos casos, están cerradas con lonas.

Tras haber estado apretujados en la batea, el estar rodando en suelo firme pone a los viajeros locuaces y optimistas.

—Cuando vuelva de los Estados Unidos a Ecuador, voy a tomar un avión, compañeros. ¡En primera clase! —dice alguien, casi a los gritos.

—¿De veras? ¿Se puede? —preguntan algunos incrédulos.

—Claro que se puede. La maldita visa no es necesaria para salir, ¿usted no lo sabía?

—Así es —agrega otro—: Para bajar la montaña, todo santo ayuda.

Una a una, las *picops* van dejando su carga humana en diferentes viviendas, parte de la red coyotera bien establecida desde hace años en la periferia de la ciudad. Zabala se maneja con diez familias, y cada una puede albergar a unos veinte ilegales, en lo posible divididos por género.

Al llegar a sus respectivas casas, la animación es general, pero nadie se demora mucho en celebraciones porque hay una prioridad: llamar a las familias. Las llamadas se hacen a cobrar. En minutos el aire está saturado de emoción por los besos y abrazos mandados a distancia.

Cuando el encargado deja su última carga humana, el dueño de la casa se queja:

—Me dijiste que me ibas a traer veinte «pollos». ¡Aquí hay solo diez!

Solo entonces el otro recuerda que no ha contado las lanchas que desembarcaron en la playa, como le habían mandado hacer. Vuelve al lugar de desembarque y lo encuentra desierto. Escudriña el horizonte. Hace señales con su linterna en varias direcciones y, a la distancia, una luz le responde, encendiéndose y apagándose de forma intermitente.

Después de una hora de reproches y negociaciones, el hombre consigue a un lanchero que por un precio extorsivo se aviene a rescatar la lancha averiada.

La tez lívida de los pasajeros delata el horror de la espera. Algunos tienen la ropa empapada del chapoteo de los animales, otros se la mojaron de su propio nerviosismo y todos tienen algo de hipotermia. Solo el maniático que disparó al tiburón está relajado, en el piso de la lancha, bajo los efectos de una buena dosis de porradas. Y los tiburones, cansados de la caza frustrada, ya se han ido.

Los hombres atan una soga a la embarcación, la remolcan hasta la playa y allí queda varada, junto a una ballena podrida. Con las piernas aún temblando, los diez rescatados se amontonan en la camioneta y dan rienda suelta a tanto acumulado estrés con oraciones de gracias o chistes macabros.

«Los tiburones en su casa, y nosotros en la nuestra!», declama Rosa, aferrada al talismán de madera con las manos entumecidas del frío.

La vivienda que le toca a la muchacha tiene dos pequeños dormitorios, uno para los viajeros y otro para los dueños. Como todas, esta también es humilde y está en las afueras del pueblo, en uno de esos andurriales algo descampados y oscuros de las ciudades pobres. Pero a diferencia de las otras, allí hay una pequeña huerta y un patio trasero con algunos animales que colinda con un arroyo. La casa está rodeada de un muro de adobe y la entrada es un portón de tejido de alambre.

Cuando llega Rosa, una mujer de brazos musculosos que dice llamarse Blanca y ser la cocinera, ya está en el cuarto de las mujeres, limpiándose las manos en el delantal que luce una amplia gama de colores. Les avisa que si quieren bañarse, el límite para cada una es de cinco minutos, porque el agua del tanque se agota rápido. A nadie le molesta. Cinco minutos serán suficientes para librarse del depósito de capas blanquecinas que se alojó en la piel y dentro de las orejas y enjuagarse el pelo apelmazado después de tantos baños de agua salobre. Les anuncia también el horario de las comidas y las responsabilidades que, como grupo, deberán asumir, ya que van a estar alojadas allí por varios días. Esto incluye la limpieza de la casa y la atención a la huerta y a los animales. Parece ser que hay gallinas, una vaca que provee leche para los visitantes y un caballo.

Durante la cena, que consiste en arroz con huevos y tortillas de maíz y que recibe exagerados elogios, las mujeres hacen un sorteo de las tareas; y después del reparto se permiten algunos cambios y negociaciones, de acuerdo al gusto de cada una. A Rosa le toca el baño.

—Rosa, tú que tienes chacra, ¿no quieres hacerte cargo de los animales, y yo hago el baño? —dice una mujer—. Yo jamás ordeñé una vaca en mi vida y tampoco me interesa aprender. Además hay un perrazo ahí afuera y no pienso acercarme a él. Pero tú eres shuar, ¿no? Ustedes crían perros.

—No soy shuar, soy huaorani —explica Rosa, disfrazando la impaciencia. «Esta gente de la sierra cree que todos los indígenas amazónicos son shuar», piensa con cierta indignación—. Da igual. Nosotros también criamos perros, para la caza. No les tengo miedo. ¡Trato hecho!

La habitación tiene solo una mesa y un pequeño ropero de madera, y tienen que estirar sus sacos de dormir o mantas o frazadas sobre el piso de mosaicos.

—Yo me agarro este lugarcito lejos de la ventana —dice una—. No sea que alguien entre y me robe durante la noche.

—Hum... ¿estás segura que no quieres que te roben?

—¡Depende! ¡Depende de quién!

Las risas convierten el harén en una ruidosa pajarera, hasta que la figura de Blanca aparece en la puerta batiendo las palmas renegridas de hollín.

—A dormir, *madames,* son las dos de la mañana. ¡Qué tanta alharaca!

—Sí, sí, disculpe, doña Blanca.

—*Chist, chist,* cállense, cotorras.

—*Chist,* callémonos ahora.

En este y en los otros albergues donde descansan los doscientos pasajeros en su clandestina romería al Norte, reina una bien merecida paz. Aunque también apretados en cuartos pequeños, aquí no se escuchan los gritos de angustia de las noches claustrofóbicas del barco. Tampoco hay marejada que los enferme ni viento que los asuste. Esta noche, el sueño baja dulce y apacible, como canto de abuela.

II

A las ocho de la mañana, Rosa ya ha regado la huerta y ha ordeñado la vaca —que comenzó a mugir muy temprano— y los huéspedes ya han mojado los panecillos en las tazas de leche aún tibia. Quien quiso café y pan debió depositar un quetzal dentro de una jarra para tener derecho a una cucharadita del instantáneo, y un bollo cubierto de azúcar. El agua caliente y la leche van por cuenta de la casa.

Ahora los pisos están siendo barridos, los platos lavados y el baño bien fregado. Rosa está dando alpiste a las gallinas y luego se dirige al perro, canturreando, con un cuenco que le dio Blanca, con carne barata y menudos.

El perro se llama *Conde*. Fue un regalo de un amigo que vino del Brasil. Dicen que es un animal muy feroz, una combinación de razas de lo más dañina desarrollada durante la época de la colonia para perseguir a los esclavos escapados, y por tal razón se le dio el nombre de *cão de fila* (perro que va por la fila de esclavos). La gente de la casa trató de aprender cómo pronunciar esa sílaba nasal del portugués, *cão*, sin mucho éxito. En vez de *cão* de fila acabaron llamándolo «con de fila» y, para abreviarlo, *Conde*. Así es como el animal adquirió, cuenta su dueño, un nombre y un título nobiliario.

Durante el día, el terrible *Conde* está atrás de la casa, preso en un recinto cerrado con una valla de cañas algo separadas, por donde puede pasar solo el hocico; pero a la noche lo dejan suelto en el patio de enfrente, que también está cercado. Por eso, las mujeres no se animan a salir después de la puesta del sol. Tampoco tienen por qué salir a ninguna hora. Ya les avisaron de que la presencia de mucha gente extraña cerca de la casa puede despertar sospechas.

—No te acerques al *Conde*, porque puede morderte una mano —le advierte Blanca—. Es mejor que le pases el cuenco de comida por debajo de la puertita. Yo me ocupo de soltarlo a la tarde.

«Más me morderán sus pulgas», piensa Rosa, quien no cree que un perro pueda ser tan ingobernable. Ella sabe de perros. Se sienta en el suelo enfrente de la valla con el cuenco de comida en su regazo y lo observa. Entre las hendijas de las cañas, el *Conde* asoma el hocico, le gruñe, le muestra los dientes, retrocede, se lanza contra la cerca, que se bambolea a cada embestida de sus patonas y le ladra con furia. Con cada ladrido, las carnes que le caen a los lados de la boca le flamean como banderas. Y a cada gruñido o ladrido, la chica le responde con palabras suaves y hasta le canta. Sin embargo, no lo mira a los ojos. Luego finge estar comiendo. Le silba. Es un silbido largo y agudo que los huaorani usan en la selva para llamar a sus perros de caza. Entonces sí, le da el primer hueso, que la bestia arrebata de su mano de una dentellada. Le da otro, y después otros. Y antes de cada hueso le silba, hasta que su mente perruna entiende que el alimento viene después del silbido, y de esa nueva mano que no es grande y percudida, sino suave y de dedos finos. Y se relame.

Ni bien la chica percibe que se ha ganado la confianza de la bestia, abre la puertita del corral y le pone el cuenco debajo de su cabezota, y allí se queda esperando. Cuando el *Conde* termina, le trae agua. El perro bebe con ruido, mientras Rosa le acaricia el cuello y lo rasca debajo de la boca. Percibe su aliento cálido y su hocico fresco y húmedo que le husmea las manos y se le llena el interior de tibieza.

El contacto cercano le recuerda que tiene que llamar a su madre. Sale del corral y se asegura de cerrar la puerta. Sabe, por experiencia, que al día siguiente deberá repetir el mismo ritual, y que al tercer día ya podrá abrir la puerta del corral sin más preámbulos y, apenas con un silbido, ponerle el cuenco debajo. Y no le será difícil enseñarle algunas órdenes, piensa. Parece un perro inteligente.

Como siempre que llama a su madre, debe darle un número a quien responda el teléfono para que ella la llame. Pide que se lo pasen a su madre, que debe de estar en algún surco juntando hortalizas. Una hora más tarde, suena el teléfono y una voz ansiosa pregunta por ella. La conversación es corta, pero suficiente para tranquilizar a Alba. La chica le cuenta los pormenores del viaje y solo de pasada le describe una tarde tormentosa y una noche entre «peces muy enormes». Alba también se está guardando mucho, cree Rosa, porque solo responde a la pregunta sobre su salud con palabras breves y enseguida cambia de tema.

—Te voy a preparar un pastel de bananas cuando vengas, Rosita, ese que te gusta tanto. ¿Recuerdas, mi niña?

La chica trata de hacer memoria, pero ni entornando los ojos y concentrándose puede traer el recuerdo de vuelta. Recuperar la memoria perdida de su madre es un trabajo azaroso para Rosa que siempre la deja deprimida.

En el patio, al lado de un maltratado rosal, hay una bomba manual que saca agua del pozo. Rosa bombea y llena un cubo de agua. ¿Y si su madre está de verdad muy enferma? ¿Y si ella llega a los Estados Unidos cuando ya es muy tarde? ¿De qué estará enferma su mamá? ¿Y por qué don Zabala se demora tanto en venir y llevarlos a México de una vez por todas? Se tira el agua en la cabeza y se lava el pelo con champú, para ver si eso le ayuda a espantar esa tristeza. Se arregla el pelo en una trenza larga y manda sus penas a quedarse presas allí, en el pelo retorcido, para que no se escapen, para que no se le metan otra vez en la cabeza.

Sí, será mejor dejar la melancolía para otro día, se dice la chica, porque hoy hay muchas cosas que hacer. Todavía no atendió al caballo.

Se llama *Telegrama*. Blanca le avisa de que también debe tener cuidado con este porque es un animal arisco. Le encanta patear de lado, y morder también. Solo tiene que asegurarse de que haya agua y comida en los tambores. Rosa echa de menos a su caballo de la chacra. Se pregunta si Gabriel se acordará de bañarlo, de limpiarle los cascos, de cepillarlo y de sacarle los abrojos de la cola o la crin. Y sobre todo, de no dejar que los tábanos le chupen la sangre.

Se encamina al potrero. Se para frente al animal, que es un palomino de capa castaño-dorada y crin y cola blancas —una variedad de pelaje que Rosa nunca ha visto— y se enamora de él al instante. Es un potro no muy grande, pero altivo, y ella le acaricia la cara, larga y lustrosa. El animal resopla, algo hosco, y echa la cabeza para atrás. Una pupila café con destellos de antiquísimas eras le brilla en el centro de un fondo blanco. El ojo, aunque algo desorbitado, la mira estacionario. Le da algo de comida en su mano, lo rasca y vuelve a darle comida y a acariciarlo, hasta que siente que ya se ha formado una corriente de afinidad.

Terminadas las faenas del día, la chica vuelve a la casa para rehacer la carta que perdió en la tormenta.

Don Zabala llega por la noche, después de la cena. Como había prometido al abuelo de Rosa, desde ahora él y un socio van a hacerse cargo del cruce de las fronteras.

Después de presentar a sus compañeros y de saludar a Rosa y a otros pocos conocidos y paisanos, les explica el plan:

—La frontera con México están bien cerquita de aquí. Hay que cruzar un río pequeño nomás, el Suchiate, y del otro lado está Ciudad Hidalgo. De ahí los vamos a llevar en diferentes *picops* hasta otro pueblo, Tapachula, para tomar el tren. Este tren los va a acercar a la frontera con los Estados Unidos.

—¿Y cuándo salimos para cruzar ese río Suchi...? —pregunta una muchacha.

—Suchiate.

—Ese.

—Hay que esperar unos tres o cuatro días más. Mis socios en Huehuetán, del otro lado, están muy ocupados estos días con otro grupo y no van a poder recibirnos.

Las mujeres no quieren seguir encerradas entre cuatro paredes. Dicen que no son prisioneras, necesitan salir a comprar algunos objetos personales.

—Este es un lugar peligroso —replica el coyote—. Es un nido de traficantes de drogas, de armas, de mujeres, hasta de prostitución infantil. Hay todo tipo de rufianes y depravados por aquí. Créanme que ustedes están mucho más seguras en esta casa.

—¡Pero aquí no hay ni jabón!

—¡Ni tarjetas de teléfono para llamar al exterior!

—¡Ni papel higiénico!

—Bueno —accede el hombre, abrumado por las quejas—. Si quieren salir, tengan muchísimo cuidado. No salgan todas juntas, háganlo en grupitos de tres, a lo más, cuatro. Y tampoco solas. ¡Y nunca después de caer el sol! De aquí a un par de días, vuelvo para comunicarles cómo van las cosas.

Mientras don Zabala les da las últimas recomendaciones, uno de sus asistentes observa a Rosa sin pestañar. La chica lo nota y trata de ignorarlo. Poco después los tres hombres se despiden de los dueños de casa y sus huéspedes, y se marchan.

III

Al día siguiente, las mujeres se turnan para salir, caminando de tres en tres, de brazos dados. Rosa prefiere quedarse para descansar, según dice, y le encarga a Mabel un jabón y un chocolate. En realidad, la muchacha tiene otros planes.

La vivienda de Rosa es la última de la cuadra. Frente a la casa, en las cunetas a lo largo de las calles de tierra, hay un agua estancada y fétida donde perros y puercos se disputan algún resto de materia orgánica. Pero detrás de la casa, donde termina el patio y del otro lado del arroyo, hay un monte selvático que se puede ver desde la ventana. Hace ya tiempo que Rosa no respira el aire de los bosques hondos, que no se sienta bajo un árbol a escuchar el balanceo de las ramas. Allá no hay peligro, razona; el peligro, como dijo don Zabala, está en el pueblo.

No es que Rosa crea que existe esa plétora de espíritus nocturnos que rondan por la selva, a veces llorosos, a veces jocosos, como su abuelo cuenta. Pero, aún así, no sabe cómo explicar un llamado que pulsa dentro de ella, en ese mágico momento de la zona liminar del sueño, que le susurra: «Rosa, Rosita. Ven. Aquí estamos». Una vez, cuando era niña, lo sintió con tal fuerza que salió de su casa poco antes del alba, y su madre la encontró en el patio, a medio vestir, con la vista perdida en los árboles oscuros del otro lado del río.

Y allí está otra vez, esa voz antigua, sorprendente, que ella no sabe de dónde viene. La escuchó esa madrugada y aún está resonando en su mente con su silvestre gramática huaorani.

Los dueños de casa están tomando una siesta y la cocinera ya se fue. El sol quema. Es el momento quieto de pasado el mediodía, cuando la modorra hace cerrar los párpados y los animales se esconden en las cuevas; el preciso momento que la muchacha esperaba para poder salir. Se va derecha al potrero y encuentra al caballo ahuyentándose las moscas con su cola esplendorosa. Rosa se sienta en una piedra a observarlo. Le gusta el olor a caballo mezclado con el olor seco de la piedra caliente.

—Hoy vamos a pasear, *Telegrama*.

El indígena amazónico no es hombre a caballo y no hay una tradición ecuestre en la familia de Rosa, pero en la chacra hay dos caballos, usados para carga. Solo los niños y el tío saben montarlo, pero a pelo, porque la silla es un pedazo de madera para acomodar bultos, más angulosa e incómoda para las asentaderas que el propio lomo desnudo del animal.

Rosa encuentra varios lazos colgados del alambrado y hace lo que hizo tantas veces con su potrillo: un lazo corto va alrededor de la nariz; otro más largo, detrás de las orejas, y el último, más largo, une los dos primeros lazos y sale hacia arriba, para hacer de rienda. La muchacha realiza estos movimientos con cariño y sin prisa. A cada enlazada, el caballo se resiste un poco, pero ella no se deja intimidar.

—Este mañoso solo necesita un poco de mimos —dice la chica, mientras lo rasca y lo acaricia una vez más, murmurándole frases amorosas.

Telegrama flexiona el cuello hacia abajo y la mira con su ojo brillante y acuoso humanamente abierto, y acepta su ofrenda de amor. Ya está, piensa Rosa, ya somos amigos. Agarrando la crin con las dos manos y al mismo tiempo sujetando el lazo en la mano derecha, la chica se da impulso y de un solo movimiento, en un salto limpio y perfecto, lo monta. *Telegrama,* que no está acostumbrado a ese súbito asalto, sin montura y sin cincha que lo prepare, se encabrita, relincha, revuelve los ojos y aplasta las orejas contra el cráneo enjuto. Y levantando las patas delanteras sacude a Rosa, a quien también agarró desprevenida, tratando de despegársela del lomo. La chica se aferra a las crines y trata de sofocar los gritos. El potro sigue corcoveando y curvándose en el aire como un arco afirmado en las patas traseras, y la rebeldía continúa mientras ella crispa las manos en el pelo del animal y le suplica que se calme. Pero el bruto ya estalló, como si le hubiera picado un enjambre de avispas. El portón estaba abierto y los dos salen disparados en dirección al arroyo medio seco, los cascos sacando chispas y escupiendo guijarros, y entran al galope en el sendero que se interna en la arboleda, entre milpas y cañaverales.

El suelo trepida bajo las patas del animal desbocado y Rosa vuela en ancas del demonio con la cabeza agachada para evitar las ramas, gritando y festejando su locura. Sus brazos fuertes y piernas musculosas, producto de años de trabajar en la chacra, la salvan de salir despedida por el aire. Solo cuando la senda se vuelve angosta el animal se cansa de su juego, se detiene, relincha, resopla y comienza a andar al paso. Un paso suave, hasta delicado, en una espesura de ceibas y caobas, de plantas rastreras, de bromelias y de helechos, en viva reminiscencia de aquella otra selva que Rosa conoce bien.

Domado el potro y cimentada la amistad, a fuerza de susto mutuo, Rosa y el caballo se internan más en la floresta salvaje sin mucha conciencia del tiempo, hasta que la tarde comienza a declinar, enmarañada de luz y sombra. Cuando la chica encamina al animal por la vereda de vuelta, un hombre está parado en el medio del camino, descortezando un tronco con un cuchillo y guardando los pedazos en un morral.

—¿Qué haces aquí, solita? —pregunta el tipo.

Rosa no está segura, pero cree que es el asistente de don Zabala; y aquella alarma que se le instaló en la piel el día del asalto en Guayaquil, de inmediato se le activa y la chica huele el peligro. Ni le responde. Con fuerza, tira el lazo hacia un lado para volverse y buscar otro sendero, si lo hay. Siente el ojo del hombre en sus espaldas. Es cierto que el tipo está a pie y ella está montada, razona; pero le vio un rifle atravesándole el pecho.

Un escalofrío le recorre el cuerpo y le deja la piel alborotada, como el agua de una laguna mansa que se crespa con un leve soplo de viento. Azuza a *Telegrama* y este baja y sube sin esfuerzo una hondonada boscosa; y se alejan al trote largo.

Cuando el atardecer vuelve el aire más frío y el sol más esquivo, y cuando unos pájaros extraños lanzan gritos desconocidos, Rosa se da cuenta de que la nueva senda que tomó no la está llevando de vuelta. Lo sabe por la dirección del haz de luz que entra en flecos inclinados, formando un abanico movedizo por entre las hojas de los coqueros. Vuelve sobre sus pasos, pero no reconoce la vereda ni la corteza bicolor de los árboles que lo ladean, ni encuentra tampoco las marcas de las pezuñas de *Telegrama*. Retrocede, se mete por un atajo bien apretado que al poco tiempo desemboca en la misma vereda de los árboles de tronco manchado. Se da cuenta de que está andando en círculos y que está perdida. El disgusto de aquel encuentro y el nerviosismo que aquello le produjo le hizo olvidar la regla de oro del huaorani: memorizar el camino.

La claridad ya está huyendo del bosque. Afloja el lazo y deja al caballo elegir el rumbo. Pasa media hora y las astillas de luz ya se han vuelto tan tenues que en cualquier momento desaparecen y quedan en penumbras. *Telegrama* apura el paso, y lo acelera cuando al fin encuentra el sendero familiar.

En un recodo, el sujeto todavía está allí.

La alarma sacude a Rosa. Por un instante, las tenazas de un terror repentino le aprietan la garganta. Entonces un grito ronco y penetrante de guerrera corta el espacio y provoca un revuelo en la copa de los árboles. La chica espolea al caballo clavando los talones en las ancas y lo chicotea. *Telegrama* sale disparado como una flecha de cerbatana, con el cuello de Rosa pegado a su cuello, haciendo retumbar el suelo y restallar el aire. Y arremete hacia donde está el tipo, que se arroja de espaldas a un lado de la senda para no ser atropellado.

Las patas del caballo le destrozan el sombrero.

8. Día 5 de octubre

I

En la casa que alberga a Rosa hay visitantes ilustres.

La mesa de la sala es larga y estrecha. En realidad, son tres tablones que más o menos encajan sobre dos caballetes. Un banco de madera a cada lado puede acomodar a más de diez personas. Cuando ya están todos sentados a la mesa —viajeros, don Zabala y un cura español—, el coyote presenta al nuevo invitado:

—El padre Javier, que llegó de España para trabajar con la Alianza Católica de Tecún Umán, tuvo la bondad de venir a verlas, porque quiere darles la bendición. Mañana a la tarde partimos.

El grupo recibe la noticia con un griterío de júbilo.

—Bueno, calma, mujeres, ¡esto parece un gallinero! —dice una—. Dejemos hablar a don Zabala y al padre. Y gracias por venir, padre Javier. Usted no sabe cuánto lo apreciamos.

—Sí, sí, gracias, padre —responden todas en coro.

—Queridas hermanas, la Iglesia no está en contra de las leyes de inmigración de cada país. Pero tampoco acusa a aquellos que, por razones de fuerza mayor, se ven obligados a abandonar sus países para poder ayudar a las familias que dejan atrás. El derecho, no digo el deber, sino el derecho —subraya el cura— a tener un trabajo digno, forma parte de los derechos humanos. La Alianza Católica de Tecún Umán comprende el inalienable deseo de encontrar una labor para vuestras manos. Por eso quiero bendecir vuestro viaje y bendeciros a cada una de vosotras.

Y así diciendo, el cura salpica agua bendita en cada una de las cabezas y las invita a rezar.

Esa noche, las mujeres se van a dormir con una beatífica sonrisa.

—A mí me parece que las bendiciones en latín, como las del padre Javier, son más santas que las que se dan en castellano, ¿no les parece? —comenta alguien.

—¡Ojalá que así sea!

—Dios te oiga.

El día 5 de octubre, el tan esperado día de la partida, ya por la mañana las emociones están a flor de piel. Hay gran revuelo en el corro femenino y ansiedad por empacar las magras pertenencias. Pero las campanas de la iglesia ya llaman para la misa, y las mujeres parten, como es su hábito, de tres en tres, camino al templo. La blanca silueta en lo alto de una colina se desdibuja en la niebla temprana.

—Yo no puedo ir ahorita —se excusa Rosa—. Tengo que llamar a mi madre, porque hoy es domingo. Pero ustedes pueden rezar por mí.

—¡Miren qué cómoda, la niña! ¿Y cómo quieres el rezo, en latín o en español? —dicen las mujeres, fingiendo seriedad.

—En huaorani —replica Rosa, en el mismo tono.

Los dueños de casa le aconsejan, al salir, que cierre el portón por dentro, con el candado.

Rosa va a la sala donde está el teléfono y llama a los Estados Unidos. Tiene cinco preciosos minutos en la tarjeta y madre e hija conversan hasta que se está por acabar el tiempo.

—¡Cuídate, hija! —solloza Alba.

—No se preocupe, mamá. Todo va a salir bien. ¡Pronto estaré allí con usted!

Rosa cuelga, algo inquieta. Percibió debilidad en la voz cansina de su madre, nada típico en ella, mujer enérgica y decidida. ¡Cómo quisiera estar allá para cuidarla!

Vuelve al cuarto dispuesta a empacar.

No son las ocho todavía y hace un poco de frío. Recuerda que tiene una ropa en el alambre y sale para recogerla. Se sujeta la pesada mata de pelo anudándola sobre la nuca, dobla las pocas prendas que le pertenecen y las pone en una canasta. Una sombra leve pasa momentáneamente sobre la ropa. Rosa mira hacia el cielo y ahí está otra vez el sol, ¡bendito sea! Una nube pasajera, se dice.

De nuevo, la claridad disminuye y el contorno opaco de un cuerpo se proyecta sobre la ropa blanca. Rosa mira hacia atrás y el estómago le da un vuelco. Del otro lado del portón de alambre, a contraluz, la figura odiosa del asistente del coyote la está mirando con una sonrisa idiota.

—¿Por qué no me abres?, así entro y podemos platicar un poquito —dice el hombre.

—No puedo abrir a nadie. Son órdenes de los patrones.

—¡Qué problema! Entonces voy a tener que saltar por encima —asegura el tipo, mientras se trepa por el portón y, de un salto, ya está en el patio.

—¡Ni piense! ¡Usted no puede entrar aquí! ¡Salga! ¡Salga! —le grita Rosa.

—No seas tonta. Quiero platicar nomás contigo. Me debes una explicación, ¿recuerdas? ¡Tu caballo me estropeó mi mejor sombrero! —dice el otro, mientras deja el rifle apoyado en el muro.

Rosa quiere correr para encerrarse con llave en la casa, pero el tipo ya está a su lado, apretándole la muñeca.

—Mira, quiero un besito nomás, no seas mala, no seas malita. Dame un beso nada más. A cambio del sombrero roto.

—¡No quiero, no me toque, váyase!

—Si te niegas es peor, te lo digo, es peor. Es mejor ser buena conmigo, ¿entiendes? ¡No me hagas encabronar!

El tipo mira rápidamente a su alrededor. Los muros son altos. Seguro de que no hay testigos, la agarra del pelo. Rosa siente el dolor que le tensiona y estira el cuero cabelludo, y no puede evitar dejarse arrastrar bajo un árbol. Cuando siente el brazo del hombre agarrándole el pecho por detrás, lo pellizca con fuerza en la parte anterior, entre el codo y el sobaco.

—¡Ay, maldita perra! —exclama el hombre quien, entre el dolor y la rabia, ahora está furioso.

De un solo movimiento, la tira al suelo y la inmoviliza. Apesta a alcohol y el vaho deja a Rosa por un momento sin aliento. Se defiende, le muerde las manos con furia, pero el hombre es corpulento. Quiere arrancarle la blusa con una mano y con la otra le tapa la boca. La muchacha le agarra dos dedos y se los dobla hacia atrás. El hombre afloja la mano y la insulta otra vez. Rosa grita y le hunde la rodilla huesuda entre las piernas, alcanzando un testículo. Este larga un gruñido y la abofetea. Ella grita más fuerte.

—¡Ja, ja, grita, si quieres! No hay nadie aquí, no hay un alma en esta casa, ni en todo el vecindario. Están todos en la misa. ¿Viste, por no ir a misa? ¡Estaba escrito que eras para mí! ¡Nadie te va a escuchar, tonta!

Rosa grita con toda la fuerza de sus pulmones. El hombre está encima de ella y le abre la blusa reventando los botones. No percibe cuando un masivo y peludo cuerpo marrón aparece como un bólido por detrás de la casa y aterriza sobre su espalda. El tipo suelta un alarido y se vuelve hacia un lado. Rosa se levanta de un salto y ve la sangre que corre por el cuello del hombre.

—¡Basta! ¡No lo mates! —exclama Rosa.

La bestia atacante vuelve hacia ella su enorme bocaza chorreando baba y sangre entre los colmillos afilados. La chica se aparta, silba su silbido corto y profundo y le dice en voz enérgica:

—¡Déjalo, *Conde!*

El *Conde* zangolotea un poco más a su presa antes de dejarla y, obediente, se echa a los pies de Rosa. «¡Dios Bendito! —se reconforta la muchacha—, ¡no se ha olvidado la lección!».

El hombre se incorpora, mareado. Curvado del dolor, camina a los tropezones hasta el muro y manotea el rifle. Temblando y sangrando, apunta el arma al perro. La chica corre hacia el tipo para desviar el arma y este la empuja y la tira al suelo. Para el *Conde,* esto es señal más que suficiente para saltarle encima. Cuando el hombre endereza el arma otra vez para dispararle al perro, este ya le tiene los dientes clavados en la yugular, y una bala se incrusta en el muro de adobe.

—¡Suéltalo, *Conde!*

El hombre cae, inerte, en un charco de sangre que la tierra absorbe enseguida. Unos segundos más tarde, Rosa sale a la carrera, cruza el patio y desaparece detrás de la casa, con el perro siguiéndola al galope.

II

El autobús resopla al subir la sierra de los Cuchumatanes del norte de Guatemala, a cien kilómetros del pueblo fronterizo que alberga a Rosa. Ernesto rememora los eventos de los últimos días y se asombra aún más de la imprevisibilidad de su vida.

Los técnicos del Canal 11 filmaron el rescate cuando los estaban sacando de la excavación. A pesar de su estado de choque psicológico, el muchacho tuvo un momento de lucidez y pidió a Luis que no diera su nombre a los reporteros, no fuera a ser que llegara la noticia a Univisión. Siempre puede haber algún entrometido de la comunidad hispana al que se le ocurra llamar a su familia y arrojar la bomba. Y lo que menos quiere es angustiar a sus padres. Algunos días después, y con los bien ganados trescientos dólares en el bolsillo y varios puntos en la cabeza ocultos por un gorro, el chico se encaminó a la terminal. Allí cambió cien dólares en quetzales, compró un pasaje y una cantimplora, separó un poco de cambio y se guardó el resto en el fondo de la mochila. Los dos billetes de cien dólares los guardó en cada una de sus tenis. Antes de volver al hotel, llamó a sus padres para decirles que al día siguiente partía para Guatemala. Trataron de disuadirlo, aunque sin mucha convicción esta vez, pues sabían que ya habían perdido la batalla.

La autopista Panamericana se abre paso entre picos escarpados que alternan con parajes fértiles y refrescantes. Desde la parte más alta de la sierra se puede ver, a lo lejos, la silueta de un volcán.

El joven maestro de escuela rural que se sienta a su lado explica a Ernesto que Cuchumatán, en lenguaje mam, significa «unión de fuerzas superiores».

—¿Es su lengua nativa? —pregunta el muchacho.

—No, yo hablo quiché.

Entre pico y pico, valles profundos y verdes dan vida a cientos de aldeas que florecen al margen de los ríos, aisladas unas de las otras por la propia geografía.

—Se ve bonito allá en los valles —dice Ernesto.

El chico observa la simetría natural en la manera en que las comunidades están esparcidas entre las montañas.

—Sí, bonito de veras. Y ahora podemos volver a nuestras aldeas —responde el maestro—. Yo volví hace seis meses.

—¿Volver de dónde?

—Del destierro.

Ernesto frunce el ceño.

—De La Violencia.

El muchacho se da cuenta que Ernesto desconoce también lo que esa palabra significa en Guatemala. Baja la voz antes de comenzar su relato. Le cuenta cómo su familia escapó de los soldados que entraron en su aldea quemando y matando, cuando él era pequeño; cómo anduvieron por esos interminables caminos, días y noches, en largas caravanas, hasta llegar a un campo de refugiados en México; y cómo vivieron en el exilio por casi diez años. A cada frase, el maestro hace una pausa y levanta la vista y, con ojos vigilantes, escanea el lugar para ver si detecta algún rostro sospechoso.

—¿Y por qué los soldados atacaban las aldeas? —pregunta Ernesto, en el mismo tono discreto.

—Pues, decían que éramos comunistas, enemigos de la patria, que ayudábamos a los guerrilleros. Pero no es verdad. Habrá habido alguno, no lo sé. Es que, para agarrar a uno que sí era guerrillero o simpatizante, mataban a miles de inocentes.

—¿Miles?

—Más de doscientos mil, desde que empezó La Violencia en el 59, entre muertos y desaparecidos.

—¿Y por qué nunca lo vimos en la televisión en mi país?

—Quién sabe... A veces los gobiernos se protegen unos a otros. Quién sabe...

—¿Y ahora?

—Ahora dicen que es seguro volver a nuestras aldeas. Nos prometieron paz. Vamos a ver... Ojalá que así sea. Pero tú, ¿a qué vienes aquí, si eres del Norte?

—Yo busco a mi familia —explica Ernesto—, porque soy adoptado. Puede que sean de Esperanza, cerca de Quetzaltenango.

Le es difícil pronunciar el nombre de esos pueblos mayas: Huehuetenango, Quetzaltenango, Chichicastenango... Pero le gusta el sonido. Quetzaltenango es la «tierra del quetzal», le explica su compañero de viaje, y el quetzal es un ave de una magnífica cola, larga y multicolor.

—No es fácil encontrarlo —dice, mostrándole la silueta del pájaro acuñada en una moneda que extrae de su bolsillo—; pero si uno va muy despacito, al amanecer, en los bosques altos, se le puede ver. Yo siempre llevo a los turistas y ornitólogos a un lugar cerca de mi pueblo, donde todavía quedan algunos.

Al cabo de un rato largo, Ernesto de repente exclama:

—Me gustaría ver un quetzal.

Ver el pájaro sagrado de los mayas pasó a engrosar la lista de los deseos de Ernesto. Porque él también debe de ser multicolor, como el quetzal, se dice: blanco, indio, ¿qué más? ¿Qué más habrá dentro de él?

—Si quieres, con gusto te llevo —ofrece el maestro—. Pero debemos bajarnos en Huehue y seguir para Cobán, para el este. Te vas a desviar un poco de tu ruta...

—No importa —responde Ernesto, con convicción.

Después de abandonar la autopista, Ernesto y el maestro toman otra línea de autobús y, varias horas más tarde, llegan a un cruce de caminos llamado El Limón. El conductor anuncia que los que iban al norte para Chisec, no podrán hacerlo porque la ruta está cerrada. No es un problema para Ernesto y su compañero. Los otros pasajeros, aunque contrariados, no abren la boca. Solo un rebelde se anima a preguntar:

—¿Y por qué está cerrado el camino?

—Órdenes del teniente Cachán. Parece que hay problemas cerca de Chisec.

A pocos metros, el autobús se detiene. La ruta está bloqueada por un vehículo militar y varios soldados armados.

—¡Bajen todos! —grita uno.

Uno a uno descienden del vehículo, en silencio.

—¡Vírense, mirando hacia la camioneta —berrea otro—, y levanten los brazos!

—¡Saquen sus documentos de identificación y manténganlos en alto, en la mano derecha! —ordena un tercero, con la misma voz altanera de los otros.

—¿Qué quieren? —pregunta Ernesto en voz baja, mientras saca su pasaporte.

—Están buscando a algún sospechoso. No sé. Pero no tengas pena. Tú eres gringo y te van a tratar bien. Ni te van a registrar cuando vean tu pasaporte.

Los soldados palpan a los pasajeros en busca de armas y examinan sus documentos.

—Todo en orden. ¡Pueden subirse ahora! Pero vos, no. ¡Vení aquí!

Ernesto siente la punta de un fusil en su espalda y se da vuelta, esperando que se den cuenta del error.

—¡A vos te estoy hablando!

—¿A mí?

—Sí, a vos. No te hagas el tonto —le dice uno, en tono insolente.

Ernesto siente el golpe de un mazazo en el pecho, pero es su propio corazón. El miedo súbito le aprieta la boca del estómago como una garra. No tiene idea de cuál podría ser su crimen. Le atan las manos detrás de la espalda y lo empujan dentro de un coche. Lo último que ve antes de salir es la cara de su amigo pegada a la ventanilla del autobús, la expresión turbada por el temor y la impotencia.

El vehículo militar vuelve en dirección a Cobán.

En minutos, el chico está bañado en sudor. El tropel salvaje que siente correr por las venas lo pone tembloroso. La voz se le enrosca en la garganta cuando les dice que se han equivocado, que él es un turista. El soldado del asiento de pasajeros se da vuelta y, apuntándole con el arma automática en el entrecejo, amenaza destrozarle el cráneo si no se calla. El que conduce pone la música de la radio al máximo de volumen y prende un cigarrillo.

A Ernesto le cuesta aceptar que no está viviendo una pesadilla. Su mente se puebla de escenarios de torturas: de golpes, de colillas de cigarrillo aplastadas contra su cuerpo, de cadenas, de dolor, de todas esas variantes atroces que tienen la cualidad de imponerse a la conciencia cuando menos se las necesita. Se enrolla como un ovillo de lana para protegerse de ellas. Imagina las razones o las sinrazones por las que lo han detenido. Nada tiene sentido. ¿Cómo defenderse del sinsentido?

Después de quince minutos agonizantes, el coche se detiene enfrente de un edificio con el nombre de Zona Militar 21. Dos soldados abren el portón y el vehículo entra en un patio grande. En su centro, un pedestal sostiene un mástil donde flamea la bandera de Guatemala.

—¿Parece que hay novedades? —pregunta el teniente, cuando bajan a Ernesto y lo llevan a los tropezones a la oficina principal.

—Creemos que este tiene un pasaporte falso, teniente. Seguro que lo robó de algún gringo y le cambió la fotografía. Debe ser uno de los subversivos de Chisec. Se lo trajimos a usted para que vea.

Aliviado de repente al conocer el motivo de toda esa insensatez, y alimentando la esperanza de que ahora sí lo escuchen, exclama:

—¡No lo robé! ¡Es mío! ¡Yo soy norteamericano!

Uno de los soldados le da una bofetada con el dorso de la mano.

—Revísenlo y métanlo en la celda —ordena el teniente—. Mañana voy a interrogarlo. ¡Y vos, callate ahora, si no, vas a recibir otra!

III

A menos de doscientos kilómetros de allí, para el oeste, dos mujeres suben una cuesta. Otras dos se le unen en el camino.

—¿Saben la última noticia?

—No. ¡Cuéntanos!

—Parece que no podemos ir esta noche, compañeras. Nos acaba de decir don Zabala que el paso por el río ese... Suchi... está cerrado.

—¿Cerrado? ¿Cómo pueden cerrar un río?

—¡No es el río que está cerrado, mujer! Es la ruta que va hasta el pueblo, en la otra orilla, en México. Dice que alguien informó a los patrulleros del otro lado que iba a pasar un grupo clandestino grande. Es decir, ¡nosotros! Y ahora está así de plagado de soldados del ejército. Zabala asegura que el estado de Chiapas es el primer filtro del tráfico de inmigrantes y que él no va a caer en la trampa de los mexicanos.

—¿Y qué les importa a los mexicanos? ¡Si nosotros no vamos a quedarnos en México!

—Nosotros no, pero otros, sí, porque parece que en México hay más trabajo que aquí. Además, el Gobierno tiene órdenes, parece que de los Estados Unidos, de no dejar pasar por México a gente sin visa de Centroamérica, o de otros países, porque saben que lo que quieren es llegar a los Estados, ¿entiendes? Por eso vigilan más ahora.

—¡Faltaba eso! ¿Y por qué México, país soberano como le dicen, tiene que obedecer a los Estados Unidos?

—¡Qué pregunta! ¿Nunca escuchaste el dicho de que el pez grande se come al chico?

—Tienes razón. ¿Y por dónde dice don Zabala que vamos a cruzar, entonces?

—Pues fíjate que no sé, no entendí. ¿Tú entendiste? —le pregunta a la otra.

—Habló de una ruta diferente, y dijo que iban a mandar otros autobuses para llevarnos a todos a ese otro lugar de cruce. Creo que queda a un día de viaje de aquí ese tal paso. Es bien lejos, pero es seguro, dice. Pero... ¡mira quién viene allá corriendo como una loca!

—Es doña Blanca. ¿Qué bicho le picó, que viene tan descontrolada?

—¡Una verdadera tragedia, muchachas! —les informa Blanca, con gran aspaviento, la cara sudada y resoplando—. Se llevaron al fulano aquel, el asistente de don Zabala. Lo encontraron en el patio de la casa, casi muerto. Según las marcas que llevaba en los brazos y el cuello, había sido mordido, de perro y de gente, dicen.

—¿Y qué hacía él allí? ¿Y adónde lo llevaron? ¿Quiénes lo llevaron?

—¡No sé qué hacía! Lo llevaron al hospital, los patrones.

Horas más tarde, cuando el patio está limpio de todo rastro de sangre y pólvora y ya se asentó el polvo que provocó el revuelo, las mujeres notan la ausencia de Rosa y el cerco del corral del *Conde* por el suelo.

—Hay que salir a buscarla —dice el dueño de casa—. La indita esa debe estar en el monte. El viejito vecino, el que anda en silla de ruedas, la vio cruzar el arroyo a las disparadas después de que se escuchó el tiro, con el *Conde* pegadito a ella.

Rosa y el perro no andan muy lejos. Agazapados los dos detrás de un peñasco como conejos, siguiendo los acontecimientos en la casa con cuatro orejas, están allí desde hace horas. No tardan mucho en encontrarlos. Al *Conde*, ya sin corral seguro, lo amarran a un árbol y a la chica se la llevan a la casa. La interrogan y, entre sollozos, ella cuenta lo sucedido.

—¡El gran sinvergüenza! ¡Ya le veía yo cara de depravado! —dice una de las mujeres, dándole un *clínex* a Rosa para que se sople la nariz.

—¡Bien hecho, *Conde!* —dice otra, mirando por la ventana hacia el animal.

—Siempre tuve miedo de que ese monstruo rompiera ese cerco de bambú —agrega una tercera.

—¿Y qué va a pasar ahora con Rosa? Si ese cretino sobrevive y habla, es seguro que la va a acusar de haber querido matarlo.

—Y si no sobrevive, la policía la va a acusar igual, porque el muerto es de aquí y Rosa no lo es.

—¡Y aunque lo sea! Aquí en este país siempre culpan a la mujer.

—Y si te meten en la cárcel en este país, te pudres ahí adentro.

Si alguien pudiera espiar bajo la piel morena de Rosa, notaría una mortal palidez. Mientras continúan las conjeturas, la chica desaparece dentro de la casa. Para ella, ahora solo resta una opción.

La terrible simplicidad de esta solución le atrae y le aterra, pero le parece justa.

Se va en dirección del baño. Encuentra la navaja que el dueño de casa usa para afeitarse y le pasa el dedo por el filo reluciente. Un fino hilo de sangre le mancha la camiseta. Se mira en el espejo, y ve que un lagrimón le está colgando de una pestaña.

Con una mano levanta el pelo que está pegado a su cuello por la transpiración, y con la otra sostiene la navaja con fuerza, como le decía su abuela que hiciera cuando le enseñaba a matar gallinas con el cuchillo de cocina, sin remilgos y sin asco. Mal ve lo que hace, con los ojos chorreando lágrimas. Pero no importa. Con mano firme corta uno a uno todos los mechones de su pesado cabello negro. Los corta con furia y determinación, pero prolijamente, hasta no dejar más que un mero centímetro de pelo hirsuto en la cabeza.

¡Nadie la va a agarrar por atrás ahora! Junta el colchón de cabello que quedó a su alrededor y lo mete en el cesto de la basura.

Detrás de la puerta Rosa encuentra una camisa de hombre, de trabajo, a la que ya no le caben los zurcidos, y un sombrero de aldeano bastante raído. Por las telas de araña que las cubren, ambas prendas parecen estar en desuso. Se quita la camiseta de algodón y con la navaja le corta la parte inferior para fabricarse una tira a modo de faja. Se amarra la tira a la espalda con una vuelta doble, aplastándose los pechos, y se viste con la camisa zurcida, que le llega hasta la mitad de los muslos. Luego se cala el sombrero hasta las orejas y se mira otra vez al espejo.

Se ha convertido en lo que quería: un palo vestido.

Las mujeres miran con indiferencia al adolescente que entra en la sala, hasta que, casi al mismo tiempo, reconocen debajo del sombrero la cara pequeña y los ojos enrojecidos de su compañerita de viaje.

—¡Hija!, ¿qué has hecho? —gritan alarmadas, llevándose una mano a la boca.

—Desde hoy no soy más Rosa, ni Rigoberta —anuncia la muchacha, con una expresión desafiante pero la voz entrecortada—. ¡Esa se fue! ¡No está más!

Su seriedad corta de cuajo cualquier comentario.

—A mi padre le dieron el nombre de Eugenio. Los cristianos. Y él está muerto. Ahora yo soy Eugenio. Eugenio Caento.

La figura menuda y frágil de Rosa y su manera solemne de hablar suscita ternura en las compañeras. Quisieran abrazarla en un gesto maternal. Pero un sentido de respeto hacia su nueva persona les impide hacerlo. Mabel apenas le dice:

—Lo hiciste bien, hija. Hijo —se corrige.

IV

Todavía con las manos atadas, arrojan a Ernesto dentro de una celda oscura. La puerta se cierra y el clic del candado le asegura que de allí no podrá escapar.

Algo de luz todavía se cuela entre los barrotes de una ventanita estrecha cerca del techo. Ernesto nota entonces la presencia de otro preso. El otro se acerca y se ofrece a desamarrarle las manos.

—Gracias, amigo —dice Ernesto.

Le duelen las coyunturas de los hombros y de las muñecas, y le tiemblan las manos. En realidad, le tiembla todo el cuerpo, incapaz de comprender el giro horrendo que han tomado las cosas. Cuando se acostumbra al claroscuro, y algo repuesto del vértigo en que entró su organismo, ve que su compañero de prisión es un chico muy joven, tal vez de doce o trece años. Ernesto le ofrece agua de la cantimplora que lleva colgada de su cintura y un chocolate que encuentra en el bolsillo. El chico se come el chocolate en un instante y bebe un poco de agua.

—Gracias, hermano. ¿Y por qué te agarraron a vos?

—Me acusan de haber robado un pasaporte. Pero el pasaporte es mío.

—Inventan cualquier cosa *pa'* joderte, si no les gusta tu cara.

—¿Y a ti?

El otro no responde. Solo cuando el trajín de afuera se calma y no se escucha más el resonar de las botas en el pavimento, el chico comienza a hablar. Se llama Miguel Coy. Pronto le cuenta a Ernesto, en un susurro, que esa mañana los soldados invadieron su aldea y mataron a mucha gente. Su familia pudo escapar, pero él no.

—Pensé que ya había acabado la violencia en las aldeas.

—Todos pensábamos eso. Mi familia y yo, y otros que estuvieron con nosotros por unos años en el campo de refugiados en Chiapas, estábamos celebrando el primer año del retorno en nuestra comunidad, Xaman, en Chisec. Organizamos una fiesta muy bonita, con partido de fútbol y todo. De repente entraron los soldados. Nosotros no teníamos armas, estábamos solo celebrando. Pero uno de los nuestros comenzó a discutir con ellos, y agarró el caño del fusil de un soldado, mientras le decía: «¡Váyanse de aquí!». No le gustó al soldado. Y ahí empezó la matanza. ¡Comenzaron a tirar balas! ¡A dispararnos! Yo vi a un patojo de ocho años, Santiago, un soldado lo persiguió y le dio un tiro en el pecho y otro en la cabeza. ¡Yo lo vi! A la hermanita de él, Maurilia, también la mataron.

Miguel se cubre los ojos y comienza a llorar.

La celda ya está en sombras. El chico sigue contando cómo balearon a otros que ya estaban caídos, sangrando. Ernesto escucha, estremecido.

—Mi papá nos juntó a todos nosotros y salimos corriendo. Pero yo volví porque no quería dejar a mi perro y fue allí cuando los soldados me agarraron y me trajeron para aquí.

La noche del 5 de octubre de 1995, Ernesto se siente morir por segunda vez. Pero esta vez es la muerte de la fe. La fina porcelana de su inocente fe, aquella confianza natural e impoluta que un niño pone en los hombres, se hace trizas con la brutal escena mental de la masacre.

El piso de tierra de la celda es duro y frío como el cemento. Encuentra una manta en la penumbra de un rincón, pero el chico le advierte que está llena de unos insectos satánicos que se incrustan en la piel de los humanos. Se llaman garrapatas, le dice. Ernesto se estira en el suelo, lejos de la manta, y cierra los ojos. El silencio es absoluto, y un olor compacto a orina que despiden el piso y las paredes de la celda de alguna manera parece agudizarle la mente. En la lucidez del insomnio, urde un plan.

V

El sol de la mañana entra por la ventanita y proyecta un pequeño rectángulo de franjas de luz y sombra en el piso de la celda. Un soldado abre la puerta de improviso y se lleva a Ernesto a una oficina. El teniente fuma mientras dicta algo a otro funcionario, que machaca las teclas de una máquina dactilográfica con ambos índices. Ernesto recorre el lugar con su mirada y descubre que su mochila está en un rincón.

Otro soldado monta guardia en la puerta cuando el teniente se dirige al muchacho:

—¿Y a quién le robaste este documento, desgraciado? —suelta el hombre, agitando el pasaporte frente a la cara de Ernesto.

—No lo robé —responde, pronunciando la *r* con aquel acento inglés que él sabe imitar muy bien.

—Sos un indio mentiroso. A mí no me lo vas a hacer creer. Decime la verdad antes de que te cuelgue del pellejo.

—No, míster, eh..., señor —dice Ernesto, exagerando aún más el acento—. No lo robé de nadie. Es mío. Disculpe, señor policía. Yo soy de California, como dice el pasaporte.

—California, ¿ah? ¿Y para qué viniste a Guatemala? ¿Para juntarte a los comunistas? ¿A los hijos de puta de la URNG?

—¡No! Vine para estudiar el pájaro quetzal —miente Ernesto—. Quiero aprender sobre los pájaros tropicales.

Todo es dicho ahuecando en la boca las eles y enroscando la lengua en las erres. Se abstiene de decir que busca a su familia. No quiere traer su historia personal para que sea pisoteada y mancillada. Extrae del bolsillo de su camisa una tarjeta de la escuela secundaria que tiene un águila como logotipo. Abajo del dibujo se lee:

West High school; Home of the Eagles[2]
Ernesto Moreno Ruiz

—Como le digo, soy ornitólogo, señor.

—Teniente —corrige el soldado.

—Teniente, soy especialista en pájaros.

El teniente estudia un poco la tarjeta.

—¿Sos de California, de verdad? —dice, suavizando el tono de voz—. Yo tengo un primo allá. Se llama Reynaldo Lacan. Tal vez lo conocés, porque trabaja de portero en un edificio importante, en... bueno, no recuerdo el nombre, pero es importante. Pero ahora no sé dónde está. No tuve noticias de él últimamente.

Ernesto dice que cree que lo conoce, porque suele visitar los edificios del Gobierno llevando y trayendo documentos para su padre, que su padre es abogado, y que trabaja para una agencia ligada a la ONU que por coincidencia se ocupa de desaparecidos en todo el mundo, y que tiene muchos contactos, y otras mentiras bastante convincentes. Y se ofrece al final a usar los servicios de su padre para encontrar al primo desaparecido, si él quiere.

—Bueno, creo que decís la verdad. ¡Regresate ahora! Volvete a California —dice el hombre, arrojándole la mochila y el pasaporte—. Este no es lugar para un patojo como vos. Y cuando vuelvas a tu casa, si encontrás a mi primo, dale saludos míos. Reynaldo Lacan. ¡Andate ahora!

---

[2] Escuela Secundaria. Casa de las Águilas (nombre del equipo de fútbol de la escuela).

—Pero, señor —dice Ernesto—, ese chico que está en la celda, ni sabe por qué está aquí. Vea, yo necesito un ayudante para poder encontrar a los quetzales y él podría ser mi guía.

—¡Olvidate de los quetzales! No hay más. ¡No queda ninguno! Los mataron a todos.

—Déjelo ir. Mire, hay una cámara en mi mochila —dice Ernesto, mientras busca la cámara y se la da al teniente—. Quédese con ella y deje salir al chico. Yo le prometo que voy a buscar a su primo.

El teniente mira hacia la puerta de la celda, después mira la tarjeta con el águila (¡él ya vio ese pájaro en otra parte!), después mira la cámara con curiosidad.

—¿Y con qué voy a sacar fotos si no tengo los rollos?

—¡Pero qué tonto soy! ¡Se me olvidaba! Mire, aquí tengo uno —dice Ernesto, sacando uno de la mochila.

El teniente lo observa durante unos segundos y luego ordena a los soldados:

—Saquen al otro de la celda.

—Pero, mi teniente —interviene un subalterno—, ¿por qué lo va a soltar? Íbamos a interrogarlo hoy, ¿se acuerda?

El hombre muda la expresión y parece enfurecido. Les habla a los soldados en un tono duro y en una lengua críptica. Ernesto no comprende, pero le parece escuchar, entre los vocablos quiché salpicados de español, algo así como «Gobierno americano», «desaparecidos», «la ONU»... Ernesto ve que su artimaña dio resultado, que la mención de un imaginario puesto y profesión de su padre lo está protegiendo.

Y como quien se saca una máscara y se pone otra, el teniente ablanda la expresión cuando se dirige a Ernesto:

—Llevátelo, si querés. Mis soldados prendieron a este patojo por su propio bien, para protegerlo de los guerrilleros, nada más. Pero ahora que sé que está en buenas manos, se puede ir. Además, yo soy un hombre compasivo, aunque no lo parezca. ¡Hay que proteger a la niñez!

Y extendiendo un dedo de militar hacia Ernesto, agrega:

—¡Pero acordate bien que aquí mis soldados cumplen con una función, que es defender a la patria guatemalteca de los comunistas! ¡De los enemigos del Estado!

—Entiendo, teniente.

Abren la puerta de la celda y le dicen al chico que salga, y que le agradezca a este buen gringo por su libertad. Miguel emerge de la oscuridad achicando los ojos ante el resplandor y con una leve sonrisa.

—Una última cosita, teniente —dice Ernesto con descaro—. ¿Usted me podría dar un salvoconducto? ¿Un papel de su puño y letra, diciendo que soy ornitólogo, para que nadie en el futuro nos moleste?

—Pero ¿qué te creés que soy yo? —le dice el hombre, exasperado—. ¿Un trabajador social o algo así? Andate antes de que rebases los límites de mi paciencia y me arrepienta.

—Disculpe, teniente. Gracias igual. Ah, creo que la cámara tiene pilas nuevas. Es solo meter el rollo.

Ernesto y Miguel ya están saliendo, a paso premeditadamente lento, cuando el hombre lo llama:

—¡Esperate un momento! ¿Cómo se pone este maldito rollo en la cámara?

—Oh, ¡déjeme explicarle! —dice Ernesto, volviendo—. Así, ¿ve este agujerito? Pues se pone aquí. Se da vuelta así, se cierra la cámara ¡y listo!

—Bueno, ¿por qué no te fijás si tenés más rollos sin usar?

El teniente abre la puerta de una oficina contigua.

—Vacié mi mochila y encontré estos rollos —dice Ernesto cuando el teniente vuelve con sello y almohadilla—. Son todos para usted. ¿Para qué los quiero yo si no tengo cámara en la que ponerlos?

—¡Que se los ponga en el culo! —lanza uno de los soldados, soltando una carcajada.

«En el tuyo», quisiera retrucar Ernesto. Pero no dice nada. Apenas sonríe con secreto desprecio.

—Tomá —dice el teniente, dándole un papel firmado y sellado—, tu salvoconducto. Lo vas a precisar, porque esta guerra todavía no se acabó.

Los muchachos saludan otra vez a sus captores y salen, esta vez a paso rápido.

9. Cruce de caminos

I

—Gracias, hermano, pensé que nunca iba a salir de allí —dice Miguel, cuando están ya fuera de la base militar.

Tiene ganas de abrazar al otro, pero no lo hace. Ernesto pasa el brazo por los hombros flaquitos del chico, dándole un suave apretón.

—Es un milagro que nos hayan largado, ¿no crees? —comenta Ernesto.

—Me parece que ese tenientecito anda con miedo. Vos no entendiste lo que él les dijo a los soldados —añade Miguel.

—Claro que no entendí —confiesa Ernesto, un poco incómodo por su incompetencia con el dialecto maya.

—Les dijo que después del... *¿arminicio?*, no entendí bien, entre la URNG y el Gobierno, las cosas habían cambiado. Pero dice que los grupos de los... humanos, creo que dijo, o algo así, los iban a apretar a algunos de ellos, por las cosas que hicieron ayer con nosotros en Xaman. Aunque él solo obedeció órdenes del coronel, dice. Y como vos sos del Norte, y tu papá anda en cosas del Gobierno, este seguro que no quiere meterse en líos por vos. ¿Entendés cómo es la cosa? Él quiere lavarse las manos, como el Ponciopileta. ¡Haya jabón[3] que van a necesitar todos estos *pa'* lavarse las manos!

---

[3] Expresión guatemalteca arcaica. Significa: «Haya paciencia».

—Quieres decir como Poncio Pilatos. ¿Y cómo sabes tú que el teniente dijo todo eso?

—¿No viste que hay una ventanita abierta en la celda? ¡Se escucha todo! Yo entendí todito lo que dijeron en quiché, menos lo del *arminicio*.

—Armisticio, Miguel, quiere decir acuerdo de paz. ¡Y ojalá que sea cierto!

—Ojalá... Mirá, Ernesto, lo que encontré en la celda.

El chico extrae de adentro de su pantalón una gorra militar.

—Me la escondí aquí antes de salir, porque pensé que tal vez nos podía servir para algo.

El chico se pone la gorra y le cubre los ojos. Ernesto lo mira divertido y le dice que tal vez les sirva de bolsa para comprar papas en la feria.

—Bueno, usalo vos, entonces —dice el chico, dando un saltito para ponérsela al otro—. ¡Uy, parecés un soldado!

Ernesto revuelve el pelo ya desgreñado del niño y se van los dos camino a la libertad, por la carretera que lleva a Cobán.

En una esquina del pueblo, una señora y una niña están cocinando tortillas sobre un brasero y las venden por pocos centavos. Ernesto compra una buena cantidad y la divide con Miguel. Huelga decir que los dos están famélicos.

—¿Y *pa'* dónde te vas ahora? —pregunta Miguel, un poco desanimado, cuando ya están en el centro.

—A Quetzaltenango. ¿Y tú?

—Yo voy a buscar a mi familia. Conozco bien el camino que agarraron. Es un sendero que pasa cerca de mi casa y por ahí anda mucha gente, *pa'rriba* y *pa'bajo*. Los que se fueron escapando a México y los que volvieron. Se llama «La Victoria 20 de febrero». También sé dónde pueden esconderse, si alguien los persigue. Ernesto, ¿podrías regalarme un quetzalito, así tomo la camioneta *pa'* la aldea? —dice el chico haciendo un mohín.

—Sí, por supuesto.

Ernesto espera hasta llegar a la plaza y, en un baño público, saca un poco del dinero del tenis.

—Aquí tienes, para la camioneta y para que te compres algo de comida para el viaje. ¡Suerte, amigo! ¡Cuídate mucho!

Miguel le agradece. Y lo mira con pena.

—¿Por qué no te venís conmigo, Ernesto? Vos tenés ese papelito que te dio el teniente.

—No puedo, Miguel. Tengo que seguir viaje.

—¿Y qué vas a hacer allá?

—Estoy buscando a unos parientes. En una aldea que está cerca de allí, que se llama Esperanza. ¿La conoces?

—No. Nunca escuché hablar de Esperanza. Ernesto, si vos venís conmigo, después de encontrar a mi familia, yo te voy a llevar a un lugar donde vas a ver muchos quetzales. ¡Te lo prometo, amigo! Vos dijiste que querías verlos, ¿no? ¡Es el mejor lugar del mundo para ver quetzales! ¡Te lo juro, Ernesto!

—No puedo, chavo. Tú sabes cómo ir. Puedes ir solo. Tú eres listo.

El chico se despide, sube al autobús y sigue al otro con la vista. Ernesto se va, cargando su mochila en la espalda y un enorme peso en el corazón. Su compañerito de cárcel tendrá que arreglarse solo. Dios le ayude, desea Ernesto mientras atraviesa la calle.

Tal vez sea el recuerdo del terror del día que quedó sepultado, o tal vez sea la memoria de un recuerdo —cuando en aquel momento en que pensó que podía morir evocó las perdidas ocasiones de ser noble—, sea lo que fuera, algo le ha rozado la punta de un nervio suelto en su conciencia y el chispazo lo hace saltar. Corre hacia la plaza. La camioneta, atiborrada de gente, valijas, gallinas, bolsas de frutas y vegetales, hatos de leña y hasta una bicicleta, ya está rodando por la calle, resoplando y largando humo por el caño de escape.

—¡Pare, pare! —grita Ernesto.

El asistente del chofer todavía está acomodando los bultos en el techo del vehículo, cuando ve al muchacho corriendo. El hombre golpea varias veces en el techo hasta que el conductor también lo ve y desacelera un poco. Ernesto se cuelga de la puerta con el vehículo todavía en marcha, y agradece al chofer. Cuando Miguel lo descubre, desde el fondo del vehículo, una sonrisa que parece no caberle en su carita, de por sí redonda, se le ensancha hacia las orejas, mientras mueve los brazos imitando el vuelo de un quetzal.

—¿Adónde vas? —le pregunta el chofer.

—A Chisec.

—No podemos entrar allá. Está acordonado.

—¿Acordonado? ¿Por quién? ¿Por qué?

Nadie le responde.

—Bueno, voy al lugar más cerca de Chisec.

Ernesto quiere llegar a donde está Miguel, pero es casi imposible atravesar la masa humana que llena el pasillo. El asistente que estaba en el techo introduce las piernas y luego el resto del cuerpo a través de la ventana trasera, como en uno de esos partos en los que el bebé sale al revés, y se escurre hacia adentro del vehículo para comenzar a cobrar los boletos.

II

En poco menos de una hora de rodar por la carretera de ripio, llegan al punto donde el camino está acordonado.

Los aldeanos se apean, abarajan los bultos que les arroja el hombre del techo y, cargando sus bolsas, animales, bebés y bicicletas, se dispersan por diversas sendas. La camioneta regresa a Cobán.

El sitio es apenas un caserío, pero los muchachos encuentran una de esas tiendas de abarrote donde venden un poco de todo. Allí compran una linterna, agua y algunos comestibles.

Miguel explica a Ernesto que el grupo que salió con su padre no puede estar muy lejos. Él vio a su papá jalar una gallina y una bolsa con provisiones antes de salir a las carreras con su familia. Pero detrás de él había más familias con niños y gente grande. Y hasta llevaban a un herido, recuerda el chico, en una camilla improvisada.

—No creo que hayan podido andar mucho, Ernesto. Si corremos, seguro que los alcanzamos en medio día.

Ernesto consulta su mapa, pero no es detallado, y no puede saber a ciencia cierta qué distancia podrá haber recorrido la caravana de campesinos desde que salió, el día anterior. Comprende que es un plan algo insensato. Días y noches corriendo por montes y malezas hasta la frontera con México le suena descabellado. Pero se ha prometido no acobardarse ante cada encrucijada. Muchas veces escuchó eso de «seguir el destino» sin comprender lo que significaba. Cree que ahora lo sabe, que tiene que ver con escuchar esa voz interna que, cuando habla fuerte, llamamos corazonada; esa lámpara que nos hace reconocer y saber leer las señales en un abrir y cerrar de ojos. «¿Para qué ser tan medido? —solía decir el abuelo—. Seguro que hay momentos para la reflexión, pero también los hay para las decisiones rápidas, muchacho. ¡No vaya a ser que uno pierda el tren por contar las estaciones en que tiene que parar!».

La huella que siempre dejan las palabras del abuelo en Ernesto no es solo porque las dice tan bonitamente, sino porque suenan ciertas, porque llevan la marca de lo auténtico. A veces el muchacho se pregunta si su padre, amante de los planes claros y el pensamiento racional, no será también adoptado, pues tan poco en común tiene con el abuelo Rodrigo, cuyo compás en la vida es el que marca la intuición del momento.

Claro, a veces esas «señales del corazón», como él las llama, han llevado al abuelo a descalabrar las cosas, recuerda el chico. Un día, cuenta su padre, cuando uno de los hijos estaba mirando un programa de televisión bastante vulgar, por enésima vez, el hombre se levantó con parsimonia de su sillón, arrancó el cable del enchufe en la pared, cargó el pesadísimo aparato hasta el patio, buscó un hacha y, de un golpe, lo partió en dos. Luego volvió a su sillón, como si nada, y se puso a leer. «Hay que agarrar al toro por los cuernos», es todo lo que dijo el viejo Ruiz, que en esa época no era tan viejo.

—Vamos, entonces —dice Ernesto—, pues tenemos mucho para andar. Es mejor agarrar al toro por los cuernos.

—¿Qué? Aquí no hay toros, Ernesto —responde Miguel algo extrañado.

—¡Mejor así!

La senda pasa a corta distancia de la aldea de Xaman, por la montaña. Cuando llegan a un lugar alto, Miguel señala el valle hacia abajo.

—Mirá, Ernesto, mirá. Esa de ahí es mi comunidad. ¡O era mi comunidad! El asentamiento «Aurora 8 de octubre». ¿Lo ves?

La humareda de los techos de paja consumidos por el fuego les llega hasta arriba, donde están apostados, y hasta partículas de ceniza se pueden ver flotando en el aire. Dos helicópteros vuelan sobre las casas y los despojos.

—Miralos. Parecen zopilotes volando sobre la carroña —señala el chico.

Un hombre en un vehículo de la radio de Guatemala habla con un soldado. Otros soldados, a un costado de la comuna, cavan pozos con picos y palas.

—¿Para qué abren trincheras ahora? —pregunta Ernesto.

—No son trincheras, hermano, son pozos para enterrar a los muertos. ¡Menos mal que mi mamá no está allá!

Miguel se esfuerza para aguantar el llanto, pero ya le está temblando el mentón. El otro lo saca de allí de un tirón y retoman el sendero, cuesta arriba. El chico corre y, a su paso, huyen conejos y tejones. Ernesto corre y jadea detrás de él. Cuando ya está sin aliento, propone repartirse el peso. Alivianan la mochila, hacen un bulto con una camisa y Miguel lo amarra a sus espaldas.

Continúan corriendo. La vereda ahora serpentea entre bananos y plantas de maíz.

Contornean un campo cultivado y, en medio de una milpa, encuentran a un campesino cosechando a mano los elotes maduros. Ernesto se saca la gorra, porque así vio a otros hacer en ese país cuando hablan con una persona mayor. Miguel le pregunta al labrador si ha visto a un grupo de gente pasar por la senda el día de ayer.

—Sí, vimos a dos grupos.

—¡Qué sorpresa se van a llevar mi mamá y mi papá cuando me vean llegar! —dice Miguel, saboreando con anticipación la alegría del reencuentro.

Ernesto se endereza la gorra militar y sigue al chico por el caminito que ahora penetra en un monte donde los árboles se yerguen apretados.

Al comienzo, parches de sombra y resplandor se abren y se cierran sobre sus ojos como en un batir de alas de mariposa. Una hora más tarde, donde la hondura del bosque ya se hizo más densa y la luz más tímida, Miguel para en seco y el pecho de Ernesto se topa con un revólver calibre 44.

—¡Quietos, o disparo! —amenaza el hombre detrás del arma.

Ernesto levanta las manos. Miguel hace lo mismo. Otro sujeto, también armado, sale de las sombras.

—¡Marchando! ¡Vamos!

Se llevan a los dos por un sendero lateral, que parece recién cortado a machete, hasta llegar a un desmonte donde hay un grupo de personas sentadas en el suelo. Uno de los atacantes le explica a quien parece ser el líder del grupo, que esos dos estaban corriendo en esa dirección.

—¿Puedo hablar? —interviene Ernesto, tratando de dar un tono calmado y gentil a su pregunta.

—¡Habla! —ordena el otro.

Está por decirles que lleven su dinero, pero que lo dejen ir, porque de nada les va a servir dejarlos ahí muertos. Pero viendo el nerviosismo de su atacante, le sale otra cosa:

—Cuidado con el dedo en el gatillo, hermano.

—No te preocupes. Sé controlarme.

—No estamos armados —continúa Ernesto.

—¿Y qué están haciendo por aquí, entonces? ¿Qué quieren? —replica uno de los asaltantes.

—¿Qué queremos? ¡Qué quieren ustedes! —responde Ernesto.

Después de un momento de mutua sorpresa, el muchacho les explica que están buscando a los padres del niño, que deben de andar por allí, que salieron ayer, escapando de la matanza en su aldea, y da una rápida ojeada al grupo que está sentado bajo un árbol. Calcula que son unas cuarenta personas.

—Pues aquí no hay ningún grupo de escapados. ¡Te equivocaste! —dice el del revólver.

Los ojos de Miguel, engrandecidos por el miedo, escanean la escena sin comprender.

Después de palpar a los dos chicos y volcar en el suelo todo el contenido de la mochila y el bulto —tortillas secas, un libro, mapas, un cuaderno y ropa sucia—, los hombres bajan las armas.

—Entonces, ¿es cierto que ustedes no estaban corriendo detrás de nosotros?

—¡Claro que no! Ya le expliqué.

—¿Y por qué andas con ese sombrero de milico, tú? ¡Qué susto nos dieron! —dice el otro, sentándose aliviado en un tronco.

—El susto lo llevamos nosotros, compañero —dice Ernesto—. ¿Puedo bajar los brazos?

—Pues, sí.

—Ernesto —dice Miguel con voz tímida—, esta gente no es de mi aldea.

—Claro que no somos de tu aldea, *m'hijo* —interviene el líder—. Bien, no pasó nada. Ahora ustedes se van rapidito por el camino donde vinieron. Y aquí, ustedes no vieron a nadie. ¿Comprenden bien? ¡A NADIE!

Ernesto asiente, y les asegura que va a ser discreto. No le interesa en absoluto lo que esa gente está haciendo allí. Pero le resulta obvio que van hacia la frontera y les pide que se lleven a Miguel con ellos.

La negativa del otro es absoluta:

—Mira, por lo que veo, por tu acento, tú no eres de aquí. Y no sabes nada de nada. Yo no puedo llevar a otra persona. Yo también tengo un jefe, y él no lo va a aprobar.

—Yo puedo pagarle algo por el servicio, y él lleva su comida y su linterna.

—Yo no tengo autoridad para decidir. Y aquí no se usa linterna.

—Pero usted haga de cuenta que el chico no está —insiste Ernesto—. Su jefe no tiene por qué enterarse.

Los dos continúan discutiendo, uno tratando de persuadir y el otro poniendo objeciones.

Ernesto nota que la gente del grupo acompaña el diálogo con intenso interés, y apela a ellos, narrándoles el drama del niño.

Un muchachito, vestido con unos pantalones demasiado holgados y una camisa raída, se levanta y dice:

—Gente, ¡el chico busca a su madre! Tienen que dejarlo venir con nosotros.

Y después de unos segundos, agrega:

—Yo puedo hacerme responsable de él.

El anuncio sorprende a Ernesto, porque el chico, se nota por la voz, no debe de ser mucho mayor que el mismo Miguel. A los otros se les termina de ablandar el corazón.

—Es una causa justa, jefe. Llevemos al chico y dejemos de discutir —dice alguien.

—Está bien —concuerda el guía, resignado ante el consenso general—. Pero ahora, no perdamos más tiempo. Terminen su cena y junten todo. Vamos a salir pronto.

—¿Cómo? ¿Van a salir ahora? —pregunta Ernesto, sorprendido—. Los va a agarrar la noche en el camino.

—Es que aquí somos como los murciélagos —le explican—, andamos de noche y dormimos de día, colgados de los árboles.

Todos festejan la ocurrencia, menos Ernesto. El recuerdo de los murciélagos le pone la piel de gallina.

El grupo ya está en marcha. Miguel le insiste a Ernesto que siga con ellos hasta la mañana, porque él solo se puede llegar a perder en el sendero. Cuando salga el sol, dice, él le va a indicar cómo llegar a la carretera para encontrar un transporte. Y además, cuando amanezca lo va a llevar a ver los quetzales.

Ernesto no cree que sea muy difícil desandar el trayecto solo, pues aún faltan varias horas para la noche. Pero algo le dice que debería aceptar el ofrecimiento de ver los quetzales. El salvoconducto de ornitólogo le va a valer más si puede avalarlo con una experiencia directa. Y ahora es él quien pide permiso para acompañar al grupo hasta el día siguiente. El guía se encoge de hombros, ya harto de tanto palabrerío.

Los dos empacan las cosas que quedaron desparramadas por el suelo y se unen a la caravana.

III

—Quería agradecerte tus palabras —dice Ernesto al chico que intervino a favor de Miguel.

—Aquí todos sufrimos, pero no cuesta nada dar una mano cuando se puede —responde el otro.

—De verdad, estuviste muy firme. Te felicito.

—Gracias.

—¿Y cuánto hace que saliste de tu casa?

—Casi tres semanas.

—¿Cómo, tres semanas? ¿De dónde vienes?

—Del Ecuador —responde Rosa, sacándose el sombrero de aldeano mientras mira a Ernesto con una sonrisa tímida.

10. En la tierra del quetzal

I

En Quetzaltenango, centro cultural y universitario del país, Ernesto encuentra sin dificultad un hostal de estudiantes donde dormir. Pasó la tarde de ayer y la noche y aún la madrugada de hoy caminando, y ahora —él mismo vuelto murciélago— necesita rehuir la luz del sol. Son las nueve de la mañana.

El lugar es silencioso y acogedor. La ventana del cuarto, en el segundo piso, da a un patiecito interior y, estirando la mano, se pueden tocar las ramas peludas de palmera rebosantes de coquitos dorados. De la ventana de enfrente, alguien echa afuera el agua de un florero. Las hojas anchas y abanicadas se menean en el aire con una carga de gotas luminosas.

El chico se desploma en la cama y cierra los párpados, pero un estado de extremo cansancio que parece electrizarle los músculos lo mantiene despierto, dando patadas al aire. Además, un alboroto de imágenes de los dos últimos días le llega a los saltos, y la figura de la chica ecuatoriana con el pelo cortado a lo varón se le aparece una y otra vez en las riberas del sueño. Entre un suspiro y otro, se duerme, con esa imagen prendida en las retinas.

Muchas horas más tarde, cuando se despierta de una larga siesta llena de sueños de aguas y palmeras húmedas, toma su cuaderno y escribe:

Quetzaltenango, Guatemala, 7 de octubre de 1995.

Al principio me llamó la atención su voz, suave, gentil pero firme, y su sonrisa fácil. Cuando le pregunté su nombre, me dijo que lo había perdido en el barco. Suena muy poético, le dije, pero te habrán dado un nombre al nacer. Me respondió que se llamaba Eugenio Caento. No le creí. Entonces me confesó que era Rosa Epayuma. Por supuesto. Debería haberlo adivinado antes de que se sacara el sombrero. Me junté a su grupo y caminamos juntos toda la noche, al final de la fila. Cuando se hizo de día, el guía dio una señal y lo seguimos por un atajo, hacia un lugar seguro donde el grupo iba a descansar. Pero nosotros nos fuimos con Miguel, que se acordó de su promesa.

Ernesto deja el lapicero y rememora otra vez la excursión de la madrugada en busca de los quetzales. Recuerda cómo los tres caminaron por una hora hasta llegar a un paraje alto y fresco. Un vapor blanquecino se levantaba y flotaba entre los árboles, formando ese velo vaporoso que le da a las colinas de Guatemala un tenue aire de novia. Allí se tumbaron en el suelo mirando hacia arriba, a esperar, inmóviles y en absoluto silencio, hasta que Miguel chifló como un quetzal. Entonces los vieron llegar, con sus colas brillantes, saltando entre el ramaje y llamándose con sus cantos. Y Ernesto se sintió volar en la magia del momento.

Cuando ya era bien de día, nos volvimos a la senda. Pero yo no podía demorarme. Les dije que nuestra amistad había quedado sellada esa mañana, y que el quetzal sería su símbolo secreto. Esto le gustó a Rosa. Y a mí me gustó que le gustara.

A esa hora pude ver que tenía una piel como lustrada, del color de la miel oscura, como la mía. ¡Qué difícil fue arrancarme de ahí! ¿Debería haberme quedado? Yo sé que debo mantener una disciplina. Nos intercambiamos teléfonos. Pero ¿de qué sirve, si yo voy a estar deambulando por los caminos del Sur y ella escondiéndose por los del Norte? Me dijo que iba a estar pensando en mí.

Y yo en ella.

Cuando llegó el momento de partir, nos apartamos un poco del grupo y ella me estampó un beso en cada mejilla. Yo no la dejé ir y la apreté bien fuerte contra mi pecho, y la besé en la boca.

El chico cierra los ojos y rememora el cuerpo palpitante de ella y el de él, y el rostro que le llegó a tocar y que se le antojó como la suave piel del durazno y ese beso corto, pero delicioso. Y sobre todo, esa materia luminosa que él percibió en su interior.

Más tarde vuelve al cuaderno:

Viaja sola. Tiene mucho coraje. Ella dice que es la marca de su raza. Y hasta me mostró una navaja que lleva en la cintura. Me explicó que es del grupo de los huaorani, un pueblo muy independiente de la Amazonía ecuatoriana que nunca fue conquistado por nadie. Pero las cosas cambiaron en los setenta. Me contó que los huaorani fueron empujados fuera de su territorio y que los metieron en un «protectorado» evangelista, cuando entraron las petroleras. Y allí nació ella. Su padre fue a trabajar en los pozos, al Norte, Sara creo que dijo, y en un par de años murió de leucemia. Dicen que de la contaminación en unas piletas. Después su clan consiguió el título de una pequeña parcela cerca de un lugar llamado Baeza.

De pronto Ernesto siente como si la sangre se le hubiera detenido en media carrera y helado en las venas. Un jirón de recuerdo repentino lo ha inmovilizado. Deja caer el lapicero al suelo y sale del cuarto a los trancos. Quiere llamar a su padre. Quiere que le confirme, o más bien que le niegue, que él estuvo hace veinte años involucrado en la construcción de la Vía Auca, esa que Rosa le dijo que la Petrounido construyó desde Lago Agrio, partiendo en dos la tierra de los huaorani, y abriendo un corredor de muerte por la selva.

—¡No puede ser! ¡La Petrounido! ¡Dios, dime que estoy equivocado!

II

Querida mamá:

Espero que esta la encuentre bien de salud. Aprovecho las últimas horas de luz para darle noticias mías:

No pudimos cruzar el río Suchiate. Hubo un problema con la policía y tuvimos que salir de allí de noche, a las escondidas. Pero mejor así, porque Tecún Umán es un lugar feísimo, y aquí en el interior es todo más bonito. Solo me dio pena dejar a un caballo medio loco y a un perro que se hizo muy amigo mío.

Nos metieron en tres autobuses chiquitos, y después de medio día de viaje para el noreste llegamos a un pueblo llamado Xuctzul. La gente aquí es hermosa. Las señoras y las niñas se visten con faldas largas y estrechas y blusas coloridas, y muchas llevan flores en el pelo. Hubo varios desvíos porque en un momento la ruta estaba cerrada por los militares. Y nos trajeron aquí, a este sendero llamado «La Victoria 20 de febrero». ¿Sabía que los senderos aquí tienen nombre?

Don Sabino, el nuevo coyote, dividió el grupo en dos, de cien personas cada uno, y comenzamos a caminar y a caminar por esta ruta que le estoy diciendo. Y después de unas horas nos encontramos con un muchacho americano y un chico de aquí. Los dos están viajando para reunirse con su madre. ¡Como yo!

Rosa deja el lapicero. Se pregunta si debería decirle a su mamá el hechizo que le ha dejado ese apretón que le dio Ernesto, y el vuelco que le da la sangre cada vez que rememora el beso. ¿Cómo hablar de esas cosas con una madre a la cual no se le ha visto el rostro por seis años? ¿Cómo la juzgará?

Sigue escribiendo:

Aquí se camina en fila de hormigas, como lo hacemos en el Ecuador, pero de noche, y sin luz, para que nadie nos vea. Tampoco nos dejan prender fuego para cocinar. Pero la frontera con México no está lejos, dicen que es cosa de unos días nomás. ¡Ojalá que haya un correo al final de este camino! ¡Cuídese, mamá!

Rosa

III

Ofuscado por el conflicto entre el temor y el deseo de saber, Ernesto se lanza a la calle y entra en una cabina de teléfonos. Presiente que va a ser muy difícil enfrentar al padre. Si fuera por escrito, sería menos penoso, pero aquí en Quetzaltenango Internet es un lujo que no ha llegado, y el correo común no es una opción para quien no tiene lugar fijo.

Esteban Ruiz se alegra de escuchar la voz de su hijo. Al principio hablan de la belleza de los quetzales y de la gente del lugar. El joven se cuida muy bien de no mencionar su encuentro con los militares. Al final decide tantear el asunto.

—Conocí a una persona del Ecuador. Tú estuviste allá, ¿verdad?

—Sí, hace muchos años, cuando tú eras chico, Ernesto.

—¿Estuviste en la provincia de Napo o Sucumbíos, por acaso?

El hombre duda un momento antes de responder:

—No recuerdo el nombre de los lugares. ¡Hace tanto tiempo!

—A mí me parece que tú mencionaste un lugar que tenía nombre de mujer. ¿Sara, o algo así?

—Sacha.

—Eso mismo. Por allí pasa la Vía Auca, me dijeron. ¿Estuviste trabajando allí?

—Yo soy ingeniero de petróleo, ¡no constructor de carreteras! —dice el hombre con algo de irritación en la voz—. Trabajaba en los pozos.

—Ah, vale. Y también en esas piletas donde ponen lo que no se usa del petróleo. ¿Cómo se llaman?

—Piletas de purga. Pero ¿qué es esto, Ernesto? ¿Un interrogatorio?

—Me contaron algo de la contaminación a lo largo de esa ruta, en la selva de lluvias. Solo quería saber tu opinión, papá. Por eso te pregunto. Por si tú sabías algo de esto.

Ernesto escucha al padre carraspear antes de responder.

—Yo no sé nada de todo ese lío que hubo por allá, porque salí antes. Cuando se terminó la Vía Auca yo ya no estaba.

—Ah, vale.

Ernesto pondera lo que acaba de decir su padre. Es obvio que sus preguntas le generaron malestar. Ya está sintiendo el gusanillo de la culpa, y no le parece justo acosarlo por teléfono y a dos mil millas de distancia. Cambia de tema para distender la atmósfera y se despide.

Se propone creer en la inocencia de su padre; pero la idea sigue rondando en su cabeza y molestándolo como un grano de arena que se resiste a salir del ojo.

Cruza el empedrado desparejo de la calle y recuerda que cuando su padre cortó y él escuchó el clic del teléfono, en ese instante se le formó la imagen de una mano tembleque. Se pregunta si su padre tendrá alguna llaga abierta que trata de ocultar, algún recuerdo poco grato que está esquivando. Mal sabe Ernesto que la memoria de Esteban Ruiz es todo un campo minado por el que prefiere no transitar.

De vuelta al hostal, Ernesto pregunta cómo llegar a Esperanza. Le advierten que es La Esperanza, no Esperanza a secas, pero lo considera un detalle sin importancia. Le informan que la manera más rápida es buscarse una *picop* en la plaza central.

Allí se va y, en cuanto espera, encuentra una casa de artículos para campamento. Ernesto compra un saco de dormir. No sabe cuánto tiempo le va a durar el dinero y cuántas noches tendrá que pasar a la intemperie.

La *picop,* que es el medio alternativo de transporte público de los guatemaltecos, no tarda en aparecer. Ernesto se sube atrás y alcanza los veinte centavos de quetzal al conductor. Los pasajeros —aldeanos en su mayoría— van de pie, agarrados como trapecistas a los caños que pasan por arriba en la parte de atrás formando una especie de jaula de humanos.

Ya en las afueras de la ciudad, el conductor se lanza en loca carrera por la ruta en zigzag que cruza la montaña y

Ernesto siente cada curva como un renovado milagro. De vez en cuando se anima a mirar hacia abajo, en el valle profundo, donde corre un río entre plantíos. En sus márgenes, las mujeres bañan a sus niños, lavan la ropa o se lavan el pelo que después peinan en trenzas y adornan con flores.

Llegan a La Esperanza, final del trayecto, y Ernesto va directamente al almacén de la plaza. No es un pueblo muy pequeño, pero tampoco es muy grande. Aquí todos deben de conocerse, razona el chico.

—Señora, perdón, ¿usted conoce a alguien de apellido Moreno? —pregunta Ernesto a la primera mujer que encuentra.

La mujer lo mira y se sonríe, sin decir palabra.

—La señorita no te comprende —le dice un hombre viejo que está sentado en un cuero de oveja—. Por aquí las mujeres hablan poco español. Pero tal vez yo pueda ayudarlo. Conozco a todas las familias de esta aldea. He vivido aquí toda mi vida.

—Ah, gracias. Estoy buscando a una familia Moreno.

—Los únicos Moreno aquí son los Moreno Xequijel. Viven para afuera de la ciudad, cerca del lago.

Ernesto siente un brinco en el pecho.

—¿Y cómo se llega allá?

—Si quiere, lo llevo a la casa de ellos. Hace tiempo que no saludo a mi paisano.

Los dos se ponen en marcha. Recorren varios barrios con casitas de caña y adobe y en todos ellos se repiten las mismas escenas: madres y hermanas llevando a bebés en un rebozo colorido amarrado a la espalda; hombres doblegados bajo el peso de leños o piedras que llevan a cuestas; mujeres moliendo maíz en un cuenco de piedra.

Ernesto y su guía siguen por un camino abierto en la tierra bermeja y luego toman por una vereda estrecha, entre las verdes paredes que a ambos lados forman las plantas de maíz, ya altas. De las mazorcas anaranjadas o rojizas cae una barba marrón quemada, señal de que el maíz ya está pronto para ser cosechado.

Continúan andando hasta llegar a una choza, también de adobe y paja. A un lado de la casita, una construcción más pequeña, de ladrillos, sirve de baño de vapor para la familia, según le explican más tarde.

Un hombre de unos cuarenta años está limpiando unas herramientas.

—¡Buenas, don Matías! —saluda el viejo.

—Buenas tardes, don Lucas. ¡Qué bueno verlo! ¿Qué lo trae por aquí? —responde el dueño de casa, mientras ahuyenta a los cerdos que están comiendo las mazorcas de maíz desgranadas.

Ernesto observa con curiosidad el redondo horno de barro, cerca de la casa.

—Pues aquí hemos venido con este joven, que quiere visitar a los Moreno.

El hombre los invita a sentarse en unos cajones de hortalizas y él se sienta en el tocón de lo que habría sido un árbol gigante. Para calmar su ansiedad, Ernesto tira unas semillitas a los guajalotes que están escarbando el barro en busca de gusanos.

Luego comienza su historia. Habla de su mamá, de su nombre, de su pueblo.

El dueño de casa lo observa con cierta ternura, y le dice:

—Mire, muchacho, mi familia se apellida Moreno de parte de mi papá y Xequijel de parte de mi mamá. Mi papá era nieto de españoles por el lado paterno, por eso el apellido Moreno, y mi mamá era maya pura. Yo tuve cuatro hermanos, pero nunca tuve hermanas. No, no hubo ninguna mujer aquí de la edad de su madre con el nombre Moreno, y menos una que haya ido a los Estados Unidos. Aquí somos muy pobres. ¿Quién iba a poder viajar para el Norte? ¡Imagínese, don Lucas, parientes en el Norte! Eso sí que sería bueno, ¿no le parece?

Ernesto comprende que tampoco esa puede ser su familia. Ya está a punto de despedirse, pero hay algo en ese lugar que le seduce. Tal vez sea el aire revitalizante del altiplano. Tiene ganas de quedarse.

La esposa sale al patio y ofrece a Ernesto una fruta. Llegan los chicos, una niña y dos niños. Pasan el resto de la tarde conversando. Don Matías Moreno traduce al español lo que dice su esposa en kakchiquel, y así Ernesto sabe de sus gozos y pesares. Los niños están sanos y les gusta estudiar, cuenta el hombre, pero la venta del maíz no es suficiente para vivir. El precio está muy bajo hoy día, y parece que hasta en la ciudad lo compran de afuera, de los Estados Unidos, porque es más barato.

—Escuché decir en Quetzaltenango que eso es porque el Gobierno de los Estados les paga a sus agricultores para cultivar el maíz. Claro, ¡así cualquiera vende barato! Pero me parece un invento... ¿Qué opina usted, joven, que viene de allá? ¿Será verdad que en su país les dan dinero a los campesinos para que vendan barato el maíz?

Ernesto no tiene idea de si existe tal política de subsidio al agricultor estadounidense y añade:

—No sé, pero si es verdad, sería una vergüenza que lo exporten aquí, ¡a la tierra del maíz!

—¡Usted lo dijo, joven! Y a nosotros no nos dan ni una semillita de esas buenas para sembrar. ¡Y con las que tenemos, solo cosechamos pobreza!

El hombre cuenta que se mantienen con el trabajo del telar de cintura que usa su esposa, pero el trabajo es lento.

—¿Y ese telar de pie que usted tenía, don Matías? Ese va rápido —observa don Lucas.

El telar de la familia, explica el señor Moreno, está roto, ya no sirve para nada.

Los chicos toman a Ernesto cada uno de una mano y lo llevan detrás de la casita, para mostrarle los despojos. Unos palos, un pedal y dos tablas tiradas por el suelo es todo lo que queda de lo que en otra época fuera una buena fuente de recursos.

—¿Y sabe una cosa, don Lucas? —se queja el hombre—. El banco de La Esperanza no presta dinero a los pobres ¡ni para comprar un telar! Dice que nuestra casa es de adobe y no sirve de garantía, de colateral, como le llaman, y que el terreno este donde está la casa tampoco sirve, que no tiene una escritura válida, que no tenemos el título de propiedad.

—¡Qué barbaridad!

—¡Eso mismo! ¡Qué barbaridad! ¡Este terrenito es nuestro desde el tiempo de antes de mi bisabuelo! ¡Antes de los españoles! ¡Antes del mismo Jesús!

Ya está oscureciendo. Ernesto pregunta si podría pasar la noche allí, bajo el árbol, en su saco de dormir.

—Claro que sí —responde el dueño de casa—, ¡la tierra es de todos!

El sol ya se ocultó y el frío baja temprano en el altiplano. La señora los invita a entrar en la casita donde el suelo de tierra apisonada está recién barrido. Los chicos ya han encendido una lámpara de gas y en el fondo cruje el fuego. Pronto aparece la cena, que es una sopa con tortillas. Después de comer, don Lucas se despide y todos se van a dormir.

Ernesto busca una superficie lisa en el patio, se mete en el saco y se acuesta. Pero no puede dejar de pensar en el problema de «la tierra». Con más preguntas que respuestas dando vueltas en los circuitos de su pensamiento, se queda largo rato de boca al cielo.

El aire translúcido del cerro y los enormes faroles blancos que las estrellas comienzan a encender en un azul dilatado, también lo dejan desvelado. Están tan cercanas que pareciera que se puede tocar el infinito con solo estirar la mano. ¡Vaya esplendor que hay en su nuevo hospedaje, piensa, a pesar de su austera simplicidad!

Aplastado por las estrellas, visibles e invisibles, y arrullado por el rumor del río que golpetea en las piedras como una sonaja de bebé, al fin se duerme.

IV

La oscuridad también cubrió la ruta «La Victoria 20 de febrero» que se abre por el monte al norte, y es hora de partir. Algunos se están lavando en un arroyo y otros escuchan la radio. Entre el ramaje se puede ver que la luna luce un cerco rojizo y Rosa siente un ligero estremecimiento.

El guía da la orden de comenzar la marcha.

—Señor Sabino, creo que se viene un aguacero, ¿no le parece a usted? —pregunta Rosa al guía.

—¿Y cómo lo sabes tú?

—¿Ya vio la luna? ¿Y vio cómo los animales andan inquietos? —la muchacha señala otra rama, que ya está siendo meneada por el viento—. ¡Le apuesto a que se viene una tormenta!

El graznido áspero de un ave sobresalta al guía.

—¿Qué dice tu radio del tiempo, Manolo? —pregunta Sabino a un asistente.

—Dice que ayer hubo un huracán tremendo en el sur del golfo de México y que hoy aquí va a haber lluvia y viento también. Dicen que el huracán se llama Opal.

El otro no escucha las últimas palabras. El viento, que antes movía las ramas con gracia, ahora sopla una sustancia gélida y llena de hojarasca y se traga las palabras.

Primero caen unas gotas gruesas y espaciadas. Después se desata una lluvia pesada, que se pone más densa a cada minuto, y en poco tiempo ya es un torrente que se precipita de lado, empujada por un viento irascible que se lleva para siempre el sombrero de Rosa.

En menos de media hora, cuando todos ya están en marcha, los relámpagos parten el cielo iluminando las nubes renegridas y estas se desaguan sobre la tierra, mientras las voces de los truenos y del viento asustan a bichos y humanos por igual.

Y así, de repente, las ramas más secas comienzan a desgajarse de los árboles, enloquecidas por un ventarrón contradictorio, y a volar y a caer en torno a los caminantes que, ya empapados, tratan de protegerse con sus mochilas. Miguel toma la mano de Rosa y no la suelta. La larga fila se amontona formando un grupo desmadejado de individuos temerosos al llegar a un riacho, difícil de pasar.

—Hay que buscar un claro —le grita Sabino a Manolo—, porque las ramas pueden matar a alguien. ¡Vete por aquel sendero lateral que pasamos, a ver si encuentras cualquier lugar más descampado!

Pasados diez minutos, Manolo vuelve para conducir al grupo a un pequeño claro en el monte, donde hay un cafetal abandonado, que permite armar unos toldos de plástico para guarecerse, traídos para estos casos.

En medio del diluvio, amarran los extremos de los plásticos a los arbustos de café y pequeños grupos temblorosos se cobijan debajo de ellos. En pocos minutos estos se hunden bajo el peso del agua, dejando a todos empapados y a la intemperie.

Después de varios intentos de darles inclinación y desagüe, consiguen refugios más firmes.

Y allí se acomodan, apretados como pollitos en caja de ferias, algunos sentados sobre sus mochilas y otros en cuclillas, cuerpo contra cuerpo para darse calor y consuelo.

Agua y tortillas frías es toda la cena para esa noche destemplada.

Rosa vacía su mochila, se viste con capas superpuestas de ropa y envuelve a Miguel con un suéter, pero lamenta la pérdida de su sombrero. También echa de menos a su amiga Mabel, que ha quedado en el otro contingente. Y lamenta aún más la ausencia de Ernesto, y del calor aquel que sintió cuando él la abrazó.

El aporreado grupo de desamparados pasa la noche con los ojos abiertos, castañeteando los dientes del frío, escuchando el golpeteo tenaz de la lluvia sobre los plásticos y rogando que una ráfaga de viento no se los arrebate.

V

Ya despunta el día cuando Ernesto abre los ojos y se topa con un burro que está mordisqueando el pasto alrededor del saco de dormir. Le acaricia el hocico mojado. El asno le responde con un rebuzno y se va trotando, mansito, hasta el río. Detrás de una colina ya se ven las llamaradas rojas del alba, y el chico recuerda su sueño.

Soñó con su abuelo Ruiz, que le estaba mostrando algo. Era un libro que se llamaba *Consejos del peregrino*. Se pregunta si habrá sido por la mención del bisabuelo de don Matías, o por uno de esos misterios de la metempsicosis, en que alguien le dice algo importante a uno o le imparte una instrucción a través de un sueño. El hecho es que al despertarse con ese sueño todavía prendido en su conciencia, Ernesto recuerda un diálogo que tuvieron hace años:

—Los que anduvimos por el Camino de Santiago de Compostela no llevábamos nada de dinero. ¡Confiábamos en la Providencia! Recuerda tú, Ernesto, si algún día quieres hacer el peregrinaje: el alma y el bolsillo deben estar vacíos.

—¿Y por qué el alma vacía, abuelo?
—¡Para poder llenarla de bondad!

La señora Moreno Xequijel ha encendido el fuego para el desayuno y don Matías está quemando una madera de aroma agradable en una hoguera. El olor del humo y la sabia impregnan el aire y la ropa. Ahora la mamá está haciendo las tortillas con una masa de maíz. Hace una bola y después le da una forma chata, golpeándola, *pat-pat-pat,* y pasándola de una mano a otra. Cuando está bien aplastada y redonda, la tira diestramente al comal que está sobre las brasas en un rincón de la habitación. Luego hierve agua y prepara un atol blanco, e invita a Ernesto a desayunar.

Más tarde, cuando los niños ya se han ido a la escuela, el muchacho habla con los dueños de la casa:

—Ustedes han sido muy amables conmigo. Yo quisiera dejarles algo —y extendiendo la mano les muestra los billetes—. Son ochocientos quetzales. Debe ser suficiente para comprar un telar nuevo. Por favor, acepten mi regalo como si fuera de un pariente. Tal vez lo somos... Creo que todos los Moreno somos parientes, ¿no les parece?

Luego de la sorpresa inicial, el hombre balbucea un: «Graaacias, graaaacias, muchacho. Que Dios lo bendiga, a usted y a toda su familia».

La mamá toma las manos de Ernesto.

—*Matiosh*... —y dice otras palabras en kakchiquel que son traducidas como «Dios se lo va a devolver en felicidad».

El chico se despide y sale con paso apresurado. Cree que no merece las gracias. No es un verdadero peregrino, se dice, porque el peregrino no lleva dinero consigo: solo fe en la Providencia divina. Él, por el contrario, les ha dado lo que tenía en la mochila, pero se ha quedado con un billete de cien dólares en cada tenis.

11. Donde no hay doctor

I

El día amaneció claro en la selva del norte y el coyote está impaciente.

—Las camionetas van a estar esperando mañana del otro lado —dice—. Hemos perdido una noche de caminata. Señores, sugiero seguir ahora, aunque sea de día. Voy a mandar a Manolo al frente para que nos avise si hay algún impedimento. Pero no lo creo. Ya no hay destacamentos policiales por estos lados. Solo tenemos que cuidarnos al acercarnos al río.

—Sabino, aquí hay gente enferma —dice una mujer—. Pasaron la noche empapados hasta los huesos y ahora tienen calentura.

—Se ha agarrado una pulmonía, el pobre —aclara otra—. Hasta hace un minuto, temblaba de frío. Pero ahora está que vuela de fiebre.

El coyote llama al ayudante:

—Ocúpate de él, Manolo —le dice en voz baja—. Tiene síntomas de paludismo. ¡Solo eso nos faltaba!

—Y hay otros con diarrea —dice un muchacho—. Tienen que ir cada cinco minutos.

—Disentería —corrige uno de los afectados, como si el ofrecer una palabra médica pudiera pintar la cosa con más gravedad.

—Es que bebieron agua de los riachos —informa otro.

—¡Ya les dije que no lo hicieran! —replica el coyote, contrariado.

—No, no fue el agua. Fue el hambre —dice un tercero—. Esos que tienen diarrea encontraron unos mangos que estaban verdes y, claro, les hizo mal a las tripas.

—¡Pero qué quiere que hagamos, si no hemos comido más que una triste tortilla fría en catorce horas! —se queja el hombre de la disentería.

—¡Y usted aseguró que había comida suficiente! —agrega alguien más.

—¡Y uno no es de fierro!

El hombre observa las caras macilentas. No vale la pena seguir con gente enferma, piensa. Esto se puede poner muy mal.

—Bien. Pasemos el día aquí. Y el que trajo loción para los mosquitos, que lo use y lo comparta. No se olviden que aquí hay paludismo.

—Eso mismo. ¡Guerra contra los zancudos! —declama Manolo.

Rosa pregunta si el paludismo es una enfermedad que pone a uno más pálido.

—¡Es la malaria, hija! —le avisa una mujer, riéndose.

Si hay algo que avergüenza a la chica es mostrar ignorancia. Mortificada, se siente pequeña como una lenteja, como el odioso mosquito que acaba de aplastar de un manotazo.

Al llegar la noche, descansados, con algo de alimento en las barrigas y mejor ánimo, se disponen a partir. El coyote les recuerda las reglas del juego, como él las llama, porque la senda de allí en adelante, avisa, se va a poner más traicionera:

—Manténganse alertas. Recuerden que caminar en la oscuridad y en silencio puede ser hipnótico. Este camino es como una serpiente. Si se distraen, ¡la serpiente los come!

El grupo emprende la marcha en la oscuridad y, cargando al hombre enfermo en una camilla improvisada, siguen al guía. Este, que tampoco lleva linterna, sigue los pasos de su perro, amarrado a la correa, y el perro sigue su propia nariz canina.

Con excepción de dos paradas para descansar y comer algo, el resto de la noche lo pasan andando en un sendero pantanoso, repleto de raíces abultadas y ramas dejadas por la tormenta.

Las resbaladas y caídas son frecuentes. Se pasan la voz de advertencia a lo largo de la fila cuando hay un tronco caído o una rama que obstruye el camino. Sin embargo, el verdadero tormento es cuando el sendero está limpio, porque, abatidos por el cansancio, algunos andan como en trance. Y el miedo de desviarse, de tomar por un atajo y perderse en la noche inmensa de la selva los hace pisar en los talones del que está enfrente.

A través del follaje brota el amanecer. Se escuchan voces más adelante y Sabino ordena permanecer en absoluto silencio.

—Allá después de ese río, a unos pocos kilómetros, ya es México —cuchichea en una voz solo audible para los que están cerca—. Manolo y yo vamos a cruzar primero para avisarles a nuestros chamacos del otro lado.

El mensaje es transmitido de boca a oreja.

—Tercilio, tú estás a cargo del grupo. Escóndelos en la hondonada aquella que tú conoces, y esperen hasta mi regreso.

Tercilio hace señas para que el grupo lo siga. Después de unos pocos minutos de andar por un bosque chamuscado que todavía huele a carbón, llegan al borde de una hondonada. La gente baja con cuidado, y algunos con torpeza, la cuesta escarpada y resbaladiza. Rosa y Miguel hacen varios viajes para ofrecerse de apoyo a quien lo necesite. Criados en las montañas selváticas, para ellos es apenas un juego de niños.

Cuando ya está casi todo el grupo en el fondo del cañón, un chillido los sobresalta.

—¡Ayuden aquí, esta doña se cayó! —pide un muchacho.

—¡Ay, ay, ay! ¡Me torcí un pie! ¡No puedo andar!

En pocos segundos, el tobillo de la mujer está hinchado como una bola de billar y un hematoma le cubre todo el pie. Los diagnósticos son variados:

—Se ha roto el tobillo.

—Se lo ha torcido, nomás.

—Se ha hecho un desgarrado.

—Lo que sea, ¡esto se ve horrible! Tiene el pie como un salchichón.

—Acuéstenla y envuélvanle el pie en un trapo mojado.

—Esta mujer necesita un yeso.

—¿Y cómo vamos a hacer un yeso aquí?

Rosa sabe. Corre otra vez hacia arriba, fuera del cañón, y luego encuentra en el suelo lo que estaba buscando: un tallo seco de un bananero que se desgajó con la tormenta. Recoge el tallo y, con aquella navaja que acabó comprando al dueño de casa en Tecún Umán, y que desde entonces lleva presa a la cintura debajo de la camisa, corta varios pedazos de diferentes tamaños, así como hizo su abuelo un día en que ella metió el pie en un agujero. El recuerdo, bendito sea el recuerdo que una tiene enroscado en la memoria, se dice Rosa. Vuela cuesta abajo con su manojo de tallos y le explica a Tercilio que ella es nieta, es decir, nieto, de curanderos, y que ya tiene la tablilla que necesitan. La forma cóncava del tallo se adapta al tobillo humano, señala. Tercilio la mira con sorna primero y luego con curiosidad. Recuerda que esta chicuela vestida de hombre ya presagió la tormenta.

Rosa prueba sus moldes hasta que da con uno que calza bien en la parte posterior del tobillo de la mujer. Primero lo envuelve con el trapo, luego ajusta la bota vegetal y la amarra con la tela adhesiva que le alcanza Tercilio.

—Buena idea —concede el hombre—. Esto le inmoviliza el pie y va a ayudar a soldar el hueso, si es que lo tiene quebrado.

—Sí, y me alivia el dolor también. ¡Gracias, mi ángel!

Rosa se siente reivindicada ante la mirada de los adultos y recupera su autoestima, tan lastimada con el malentendido lingüístico del paludismo.

Sabino llama con un silbido y el grupo emprende la marcha. Dos hombres cargan a la mujer del tobillo lastimado fuera del cañón y, a partir de allí, los más fuertes se turnan para llevarla a cuestas, que es la única manera de pasar por una vereda tan mezquina.

Llegan al río, ancho pero tranquilo. Desde la ribera opuesta, un hombre se acerca en una balsa construida con dos enormes neumáticos de tractor sobre los que se han colocado unas tablas.

—Vayan subiendo. Aquí nadie se va a mojar —dice orgulloso Sabino, que en ese momento se junta al grupo—. ¡Nadie los va a llamar «mojados»!

Todavía es muy temprano, pero no es conveniente exponerse. Mientras Manolo y Tercilio montan guardia en puntos diferentes, el grupo, de cinco en cinco, cruza el río en la rudimentaria embarcación. Una bandada de pericos de plumaje verde, rojo y amarillo surca el aire y cruza el río sin prestarles atención.

Después de unos kilómetros, alguien anuncia que ya están pisando México. En este lugar la frontera entre los dos países es difusa y nadie sabe con exactitud cuándo se pasa al otro lado. Más que por una línea política, los dos países están separados por diferentes grados de miseria en una misma selva palúdica.

Es el 10 de octubre de 1995. Rosa, salva, sana y seca, pone sus pies por primera vez en tierra mexicana.

II

En un cruce de caminos en un bosquecito ralo, Miguel reconoce la senda que lleva al campo de refugiados de Chajul, donde espera encontrar a sus padres.

—Yo sigo por acá. Señor Sabino, gracias por haberme dejado acompañarlos —se despide el chico.

Rosa le da su jaguar tallado, un potente talismán huaorani, le explica, porque él tiene que seguir solo, y lo va a necesitar más que ella. Él, a su vez, le ofrece una estampa de Mashimón, y le asegura que es un santo guatemalteco infalible, que la va a proteger en todo.

Los dos se despiden y Rosa vuelve al grupo.

El trayecto desde allí al pueblito es corto. Sabino conduce a su agotado rebaño a las nuevas residencias temporarias.

Las casas son aún más humildes que en Tecún Umán, pero el lugar es más remoto y, por tanto, menos peligroso. Lo que más les apena es la falta de un teléfono para llamar a sus familiares.

—¿Y por qué este chamaquito no se va con los hombres? —pregunta la dueña de una casa donde solo se alojan mujeres.

—Doña Celia, esta es una chica. Se llama Rosa. Su abuelo es paisano de mi jefe, don Zabala —dice Manolo—. Ella se ha cortado el pelo para venderlo en la feria —bromea el hombre.

—No, señora. Me lo corté porque me ha dado algunos problemas —dice Rosa, quien tampoco tiene ganas de entrar en detalles.

Distribuidos en sus nuevos albergues, el próximo asunto de la agenda del día es el de los nombres. En cada casa, cada grupo debe pasar por el ritual de crisálida a mariposa: desprenderse de sus viejas identidades y aprender otras nuevas.

—Nombres más mexicanos, menos exóticos que los mayas —aconseja el coyote, mientras pasa una lista de sugerencias para que cada quien escoja el suyo.

Rosa conserva el nombre de Eugenio, pero cambia el apellido Caento por Moreno. Cree que le va a dar suerte.

Doña Celia llama a Rosa para adentro y le ofrece un pedazo de cinta elástica que ella usa para sus varices. Rosa le agradece. El elástico, sujetado con un alfiler de gancho, es más cómodo que el pañuelo que lleva para aplastarse el pecho.

—Eres muy jovencita para viajar sola. Debes tener mucho, mucho cuidado —dice la mujer, subrayando el adjetivo.

—Usted siempre recibe a gente adulta, ¿no es cierto? —dice Rosa por decir algo.

—Muchas familias han pasado por aquí con sus niños, *m'hija*. Venían escapando de Guatemala, los pobres. Parece que los soldados del Gobierno les quemaban las aldeas y las cosechas para que se fueran. Fue un éxodo que duró muchos años.

—Yo he escuchado de esa guerra, pero no entiendo por qué el Gobierno le hacía esto a los campesinos.

—Los acusaban de trabajar en cooperativas, de ser comunistas. Los llamaban subversivos. ¿Tú sabes qué es eso? —pregunta la mujer.

—Sí, sé, porque en mi país, a los huaorani que se organizan en contra de las petroleras, también los llaman subversivos, como al papá de mi amiga Ana. Una vez lo metieron preso.

—Va, pues. En todos lados se cuecen habas.. Estas no eran nada más que simples familias, labradores de la tierra. El Gobierno mexicano los aceptó como refugiados políticos y nosotros les abrimos las puertas, porque somos hermanos, de la misma raza, somos todos mayas, divididos por una frontera inventada por quién sabe quién. Muchos venían a morir aquí.

—¿Niños también morían?

—Muchos. Ya venían débiles, pobrecitos, piel y hueso. Y algunos con la malaria. Los chiquitos se morían como moscas. Y aquí no había, ni hay, doctores. Recuerdo a una hermana, del convento de las maristas... Se venía a diario en una avioneta o en lancha y se llevaba a todos los niños enfermos que podía para un hospital en Altamirano, o en San Cristóbal de las Casas.

La memoria del pasado, no muy lejano, le humedece los ojos a Celia. Rosa piensa en Miguel y en su aldea.

—Esa vereda que tú recorriste, niña, está empapada de lágrimas.

La historia es abrumadora para ambas y Rosa quiere apartarla de su mente. No olvidarla, solo apartarla, por ahora.

—Para mí, es el camino que lleva al Norte, cada vez más cerca de mi mamá.

—Ya, pues. Pronto vas a ver a tu mamá, ¿verdad?

—Sí, parece que es un viaje de un día nomás hasta la frontera con los Estados Unidos. Nos van a llevar en tren.

—¿Estás segura? —pregunta la mujer, sorprendida.

—Sí, así nos dijeron.

—¿En el techo?

—No, señora. ¡Nadie viaja en el techo de un tren! —dice Rosa, soltando una risita—. Vamos a ir adentro, como todo el mundo.

—Mira, pues.

Celia la observa, seria, y no dice nada más.

III

Las horas corren apacibles en la casa. Las mujeres aprovechan la estadía para lavar ropa en el río, bañarse, descansar y escribir cartas. Algunas se sientan al sol para pintarse las uñas de las manos y de los pies, estropeadas después de tanto andar apartando ramas en la selva. No porque sean indocumentadas van a ser desaseadas, es el lema del día. Después de la cena, Sabino vuelve de su ronda nocturna y convoca a cada grupo para dar algunas instrucciones y repartir comida y agua para la próxima jornada.

—Al mediodía de mañana van a llegar dos camiones de redilas para llevarlos a la ciudad de Arriaga, de donde sale el tren —les comunica—. Y espero que lleguen a tiempo, porque mañana debe estar llegando el segundo grupo que viene detrás de nosotros. Y si se juntan los dos, bueno, prepárense para estar un poco ajustados por unos días.

—Don Sabino —se anima alguien a preguntar—, ¿por qué no vamos en estos camiones hasta la frontera con los Estados Unidos?

—Imposible. Hay más de veinte controles policiales y puntos de verificación en el sur de México, en el corredor norte-sur. Los gendarmes andan por todos lados buscando inmigrantes de Centroamérica. El tren es más seguro.

—Y de aquí hasta el tren, ¿hay peligro?

—No. Nosotros vamos de este a oeste, casi en línea recta. No hay puestos hasta Arriaga, porque nadie toma la ruta que tomamos nosotros. Somos los pioneros.

Los camiones, atrasadísimos, aparecen después de unos días, durante los cuales el grupo tuvo que compartir el ya exiguo lugar con el segundo contingente. Son recibidos con alborozo.

Hasta hace poco han sido usados para llevar vacas al matadero, pero una rápida lavada los dejó en condiciones para transportar inmigrantes, aunque aquí y allá se puede ver que partículas de excrementos se resistieron al cepillo.

—¡Qué olor asqueroso a potrero que hay aquí! —dicen los que se criaron en las ciudades o pueblos—. ¡Es repugnante!

Para otros, huelen a flores.

—Ah... para mí, es el olor de la tierra, hermano. ¡De la Pacha Mama!

Campesinos o pueblerinos, ahora están todos juntos en el mismo rebaño, ansioso por seguir viaje.

La travesía demora más de lo previsto, porque al no transitar por las rutas estatales, deben enfrentar los caminos de tierra donde las lluvias feroces que siguieron a Opal han hecho estragos. No son pocas las veces que los pasajeros tienen que bajarse y empujar el camión hasta sacarlo de la huella donde ha quedado atascado.

En cierto momento han de atravesar una ruta importante y, siguiendo las instrucciones de Sabino, se bajan las lonas que cubren el acoplado para ocultar la carga humana.

—No se pierden nada —dice Manolo, que viaja con ellos—. Es una ruta cualquiera. La estatal 199, que va para el norte y lleva a las ruinas de Palenque.

Ninguno oyó hablar de ese lugar, y tampoco les importa. Pero Rosa siente un vértigo momentáneo. El adjetivo «cualquiera» la subleva. ¡Ahí mismo fue donde Ernesto casi se muere!, recuerda la chica y responde a los otros que Palenque no es un lugar cualquiera, sino un sitio importantísimo. Nadie se lo refuta y ella, ajena a la indiferencia al fin, se entrega a los deliciosos recuerdos de aquel encuentro de dos días atrás, en los bosques de niebla.

El nombre de Ernesto resuena dentro de su pecho como un nido de pájaros.

12. *La Bestia*

I

La noche del 16 de octubre, dos camiones de vacunos con sendas cargas humanas llegan a Arriaga, no lejos de la costa oeste de México. Poco antes de entrar a la ciudad, el coyote los manda a buscarse un baño, es decir, un lugar apartado entre los matorrales a la vera del camino.

—¿Y si uno no tiene ganas?

—Con o sin ganas, *m'hijo. Usté* vaya y haga lo que pueda.

—El hombre tiene razón —comenta alguien—, quién sabe qué tipo de sanitarios mugrientos tienen en esa estación.

Uno de los vehículos se estaciona en un puesto de gasolina. El otro, donde está Rosa, sigue unos diez kilómetros, cruza un paso a nivel, toma por una calle paralela a las vías del tren y se detiene detrás de un enorme galpón.

¿Dónde está la bonita estación —se pregunta Rosa— de techos altos y enormes relojes ingleses, llena de pasajeros bien vestidos, y el altavoz anunciando la próxima salida, y el silbato del tren confirmando su partida, y la gente despidiéndose, y toda la excitación y el lujo de las luces? ¿Dónde está todo eso que ella vio tantas veces en la televisión de su tía en Baeza?

Otra vez, en grupos pequeños y amparados por la oscuridad, los inmigrantes corren agazapados y silenciosos a lo largo de un sombrío tren de carga hasta llegar al último vagón.

Sabino abre sigilosamente las puertas corredizas y, en voz baja, les da las últimas instrucciones.

—Recuerden: no enciendan ninguna linterna hasta que el tren esté en marcha y fuera de la ciudad. Y cuídense de apagarlas cuando estén entrando en cualquier poblado. No cierren la puerta del vagón, dejen entrar el aire. Tampoco la abran más de diez centímetros, porque alguien los puede ver. Y no beban más agua de lo necesario, así no necesitan ir al baño. Mañana al mediodía el tren va a parar para hacer cambio de locomotora, poco antes de una estación. Allí mis colegas van a estar esperándolos. Tenemos contratados otros dos camiones que los van a llevar hasta la frontera con Texas.

Y los temores no tardan en ventilarse:

—¿Y por qué usted no viaja con nosotros?

—¿Y si alguien necesita ir al baño?

—¿Y si alguien de afuera abre la puerta y nos descubre?

—¿Y qué hacemos si nadie viene al final para abrir la puerta y recibirnos?

—No va a pasar nada malo si obedecen las instrucciones —dice Sabino desde la oscuridad, con un tono ligeramente exasperado.

Rosa percibe, a lo lejos, una estación iluminada e imagina la dicha de las familias que van a viajar en ese otro tren, sentados en los bancos de cuero mullidos y con un señor muy gentil y de chaqueta blanca ofreciéndoles algo para comer o beber.

—¡Suban de una vez! *La Bestia* va a salir pronto.

¿*La Bestia*? ¿Por qué lo llamó *La Bestia*? El tono perentorio del coyote les avisa de que no hay tiempo para discutir o vacilar, y uno a uno se encaraman al tren a contragusto, pero sin chistar. Ya han recorrido un inmenso territorio, sobrevivido a peligros e invertido mucho dinero en este viaje. No es el momento de echarse atrás. Cada quien busca un espacio en el piso del vagón e invoca a su santo favorito.

Cuando ya todos han subido, el coyote cierra las puertas dejando un pequeño espacio entre las dos hojas. Allí coloca una corta barra de metal que encaja con fuerza en la ranura para evitar que se cierren con el traqueteo del tren.

—Y este cilindro, que quede aquí; les da la abertura exacta para que entre el aire y para que no los vean. Y ahora, que tengan buenas noches —dice el hombre— y traten de dormir.

Tres campanadas metálicas los sobresaltan. El tren larga un sonoro pitido, se estremece y se pone en marcha. El balanceo los relaja.

Cuando el tren comienza a ganar velocidad y se aleja bramando de las zonas urbanizadas, los pasajeros se animan a encender sus linternas y a sacar algo para comer. Son unas cincuenta personas.

Alguien cuenta un chiste. Otro pasajero cuenta el suyo. Pronto, ya sea porque se agotó el repertorio o porque la hora avanzada los pone más introspectivos, la conversación gira en torno a sus deseos y esperanzas, y a todas las fantasías que han estado perfeccionando cuando soñaban con el país del norte.

—Yo solo quiero ahorrar unos dólares para hacer el techo de la casa de mi madrecita —dice un muchacho de unos veinte años—. Pero esta vez va a ser de verdad, nada de paja, que se la lleva el viento. ¡Va a ser de cemento, como el de la gente pudiente!

—Pues cuídate de hacer también las paredes de ladrillo o de bloque —dice el criticón que tiene la manía de saberlo todo— porque si las dejas de adobe nomás, se te va a caer el techo en la cabeza.

—Yo me conformo con mandarle un dinerito a mi mujer y a los chicos —dice otro—, para que no tengan que preocuparse de si les va a alcanzar o no hasta el fin del mes ¡Cómo ha subido todo!

—Sí, es la carestía de la vida que nos mata, compañero de la inflación y la falta de trabajo. Nunca he visto un año peor. Decían que la exportación del petróleo del Ecuador iba a ayudar, pero tengo para mí que solo ayudó a los ricos.

—*Chist,* cierren la boca —rezongan aquellos que quieren dormir.

Rosa se alegra, porque la conversación del petróleo solo le trae malos recuerdos. La charla sigue en un cuchicheo entre algunos desvelados, pero ella ya se ha envuelto la cabeza con un suéter, para no escuchar.

Las voces se vuelven cada vez menos audibles y las luces de las linternas más escasas, hasta que el sueño termina por silenciarlos a todos y el sonoro ritmo del tren se confunde con los ronquidos de los hombres.

II

Un rectángulo de luz alto y delgado ya se cuela por la ranura de la puerta y anuncia un alba sin pájaros. Varias cabezas se apiñan frente a la abertura y compiten por un puesto en el exiguo espacio para poder mirar hacia afuera, para darle un vistazo aunque sea a este legendario México de los corridos y los mariachis. Alguien se encarga de contárselo a los que no pueden verlo con sus propios ojos, que son la mayoría.

—Cuenta, ¿qué se ve?

—Nada, compadre, campo nomás. ¡No sé por qué tenemos que escondernos tanto, como si fuéramos a robarles algo! ¡No hay nada para robar!

—¿Y qué más se ve? —pregunta otro.

—Pues... el sol, anaranjado, que viaja con nosotros.

—Déjame mirar a mí un poquito.

Los muchachos forcejean. Todos quieren espiar por el fino rectángulo de luz vertical que les muestra lo poco que hay para ver. Algunos acostados, otros en cuclillas, otros de pie y aun otros trepados en los hombros de los que están de pie, forman una torre humana con varios pares de ojos ansiosos por un poco de distracción.

—Bah, ¡cuánta curiosidad por ver esta tierra que no nos quiere ni de paso! —dice una mujer.

Pero México es el vecino de aquel otro portentoso país que tanto los seduce; por eso, merece cierto respeto. Y así siguen mirando y narrando.

—Creo que estamos llegando a algún pueblo, porque hay un camposanto rodeado de cipreses. Y ahora se ven muchas casitas —dice un narrador de la columna de fisgones.

—¡Eh! ¡Eh! ¿Qué pasa?

—¡Alguien se está descolgando del techo del tren!

—Déjame mirar, tú has estado todo el tiempo ¡Qué chavo egoísta, hazte a un lado! Ah, sí, es verdad, es como que..., pues..., ¡hay gente arriba!

—¡Qué locura! ¿Y por qué se bajan ahora?

—Pues, deben haber llegado a su casa, ¿no? Seguro que son mexicanos que quieren viajar «de arriba» —bromea otro.

—A ver, ¡déjame a mí ahora, que tú no tienes corona de rey! ¡Déjame subir a mí!

—Pues, sí, estamos llegando a un pueblo. Ahora hay que quedarse quietitos. Se llama... Morelia.

La torre de mirones se desmorona en un instante como un castillo de uvas y todos se callan y esperan. El tren se detiene en lo que parece ser una estación. No la ven porque están lejos, en el último vagón, pero sí se escucha un rumor de pasos, y les llegan fragmentos de una conversación, cada vez más cerca.

—No, no es por aquí... ¿Aquel vagón? Sí, aquel. ¿Quién le dijo a usted que...? Me informaron que...

Dentro del vagón se deja oír un murmullo apagado como de alas de pájaros asustados.

—*Chist, chist, chist.* Silencio todos, dejen escuchar. Hay..., creo que es un policía, un guarda ferroviario por lo menos. *Chist, chist.*

El aire se hace denso bajo el peso del temor. La gente contiene el aliento, o se lleva una mano al pecho o a la boca, en un intento de acallar el súbito inhalar del aire y un «ah» ahogado en la garganta.

—Están viniendo para aquí.

—Van a vernos por el agujero.

—Cierra la puerta.

—¡No la cierres!

—¡Pues ciérrala, que nos van a ver!

—¿Y si no se puede abrir después?

—¡Qué carajo! ¡Yo abro cualquier puerta!

—¡Ciérrala ya, que están viniendo! ¡Saca la traba!

—¡Cuidado, que no haga ruido!

Mientras uno desencaja la barra de metal, otros dos hombres tratan de cerrar la puerta del vagón de la manera más sigilosa posible. Son solo diez centímetros, y en un par de segundos, ya está cerrada con un suave *clac* imposible de oír para quien no esté con la oreja al lado.

Ya no llega ningún sonido de afuera. Por precaución, apagan las linternas. Algunos rezan. Otros reprimen una tos inoportuna. Pero nadie se mueve de su sitio, porque el miedo tendió un cerco alrededor de cada cuerpo.

Después de unos quince minutos de espera agonizante, las ruedas comienzan a chirriar en las vías; el movimiento lateral del vagón los sacude y los labios se distienden en una sonrisa de alivio y gratitud. Ya están fuera de la ciudad cuyo nombre ya nadie recuerda, excepto Rosa. Morelia suena a fruto delicioso.

—Gracias, Diosito mío. ¡No nos hallaron, esos cabrones!

—Estamos de nuevo en movimiento. ¡Qué susto nos llevamos, qué chévere que estamos viajando otra vez!

El peligro pasó. Aquí y allá una mano o la manga de una camisa absorbe las gotas de sudor frío que el miedo destiló en las frentes.

—Abra la puerta, amigo, que ya no hay peligro.

Los hombres se apoyan con fuerza en la estructura metálica y, uno a cada lado, tironean para abrirla.

—Otra vez. Uno, dos, tres, ¡ahora!

—¡Qué joder! Se me resbala la mano. Es que estoy todo sudado. Déjame secarme.

—Maldita puerta, no tiene de dónde agarrarse uno.

—¿Y cómo es que Sabino la abrió tan fácil?

—Sí, claro, ¡de afuera! Hay dos agarraderas afuera. Es solo un tirón.

—Y por dentro de esta mierda no hay agarradera. Pues, para qué, si estos vagones son para llevar cajas, no gente. Las cajas no abren puertas.

—Otra vez. Vengan más hombres. Pónganse todos contra la puerta y cuando yo diga tres, damos el tirón. ¿De acuerdo?

—Chévere.

—Un, dos, ¡tres!

—¡Aj!

Nada.

Les ha tomado unos diez minutos darse cuenta de que las puertas de estos vagones de carga no se abren por dentro. Ya sea por error de diseño, por falta de utilidad, o «por castigo divino», dice alguien, el caso es que estas puertas no-abren-por-dentro. Cuando se cierran, están trabadas «como las puertas del Cielo ante el pecador que no se arrepiente», recuerda otro en tono sentencioso.

—Te dije, desgraciado, que no debías cerrarla.

—¿Y qué? Estaríamos todos presos ahora si no la hubiera cerrado. O deportados.

—¿No ves que ya estamos presos, idiota, que no entra el aire aquí?

—Pues entonces no respires. Quédate quieto.

—Por favor, muchachos, si se pelean es peor —dice un hombre mayor—. Ya vamos a llegar. Pero es mejor no hablar, no gastar aire.

Rosa está acurrucada en un rincón. Mira hacia la puerta emperrada y sabe lo que les puede ocurrir. Busca amparo en la estampa que le dio Miguel: «¡Quienquiera que seas tú, Mashimón! —suplica la chica en silencio—, ¡haz que se abra esa puerta!».

La primera hora es soportable. Todavía es de mañana y el sol no llegó a calentar el metal del vagón.

La gente reza apenas moviendo los labios. Algún quejido lastimoso de vez en cuando acentúa más el silencio.

El recuerdo de aquel grupo de inmigrantes que murió asfixiado en un tren hacia los Estados Unidos está vivo en la memoria de algunos. Otros, bendecidos por la ignorancia, nunca supieron del accidente. Rosa tampoco lo sabe, pero sí le resulta evidente que el aire comienza a ser escaso. Y el calor ya está apretando.

En un par de horas, la temperatura sube a lo que algunos estiman que ronda los cuarenta grados. El vagón, de claustro se transforma en horno y las botellas de agua se van vaciando.

—Tengo las piernas acalambradas, paisana. ¿Usted también? —se queja un hombre.

—Sí. Será la falta de agua.

—Creo que... podemos morir aquí —dice el hombre con voz pegajosa.

—No diga eso, hombre. Ya falta poco para una estación. ¡Alguien nos va a abrir! —añade otro con tono alentador.

—Maldita la hora en que quisimos meternos en esto de ir al Norte, compadre.

—Mire, no pierda la calma, porque el pánico es el peor enemigo. Consume oxígeno. Piense en algo bonito. Piense en Dios —aconseja una mujer que todavía aguanta firme.

Se siente un sollozo quieto. La mujer agrega:

—Y es mejor no llorar porque gasta agua.

En la siguiente hora, los hombres de mediana edad comienzan a perder el conocimiento y, uno tras otro, caen como moscas. Primero sienten un rugido en la cabeza, luego se sacuden un poco y tiemblan; después, se van desplomando. Los más jóvenes y las mujeres aguantan más. Cuánto más, no lo saben. Alguien pregunta la hora. Rosa mira su reloj y quiere responder, pero se da cuenta de que se le ha atascado la voz en la garganta.

Se escuchan otras frases incoherentes, deshilvanadas, jadeos y, luego, un silencio penoso.

Las lágrimas no le brotan. Y Rosa llora un llanto seco que es más un sofoco que un alivio. Escucha un sonido de agua cantarina rodando por la roca; ahora son piedritas cayendo en un aljibe, en una superficie líquida muy cerca en sus oídos y muy lejos de su boca. En las riberas de la alucinación, en el fugaz momento en que la conciencia puede contemplar la muerte, se figura un paraíso. «Si muero esta tarde —piensa—, tal vez pueda viajar como una pompa de jabón hasta el cielo y allí voy a esperar a mamá».

13. María Moreno

I

El vuelo de Guatemala a Ecuador fue turbulento. Octubre es tiempo de huracanes en el golfo de México, y aunque Ernesto voló sobre el Pacífico, una tempestad había estirado sus tentáculos electrificando el otro lado del continente. Por la noche escampó y, desde la ventana del albergue, en un barrio alto de Quito, el chico pudo observar la ciudad que se curva como un brillante reptil en un valle largo y estrecho en el corredor de los Andes.

Al día siguiente partió en autobús para el norte del país. Viajar por la Panamericana, la misma carretera que lo había llevado en su travesía por México y Centroamérica, fue como reencontrar a una vieja amiga. Cuando llegó a Otavalo ya eran las diez de la mañana.

Los puestos de artesanos en las calzadas desbordan a las calles del centro en la célebre feria incaica. El sol, aunque está en el cenit, hoy no llega a calentar. Ernesto se compra un poncho y un sombrero para resguardarse de la helada que durante la noche bajó de los Andes.

—Te queda muy bien —le asegura la vendedora—, pareces un quichua de verdad.

Parado frente al corral de animales, alguien extiende hacia él una mano agitando tres dólares.

—¿*Mi* permite *un* foto? —le dice el hombre alto, de pelo rubión y ojos azules, en un español elemental.

—Claro, pero creo que se equivocó de modelo. Yo soy de California y estoy de paso por este lugar —responde Ernesto en inglés.

El turista, ruborizado hasta la nuca, se disculpa por el malentendido. Se guarda los dólares y, entre serio y risueño, le dice, cambiando a un inglés cargado de diptongos abiertos que, de alguna manera, todos están de paso en este mundo.

—Cierto —admite Ernesto—, todos somos peregrinos. ¿Y de dónde viene usted?

—De Australia. Estoy con mi grupo de alpinistas y vamos a escalar el volcán Imbabura.

—¿Dónde queda ese volcán?

—Al norte de aquí. Comenzamos a subir en Esperanza, un pueblo de por aquí cerca.

—¡Qué coincidencia! Yo también estoy yendo para Esperanza.

—¿De veras? Nadie va a ese pueblito a no ser que quiera subir al volcán.

—O a no ser que sea del lugar, ¿no?

—Por supuesto —concuerda el otro.

«Y algo me dice que yo soy del lugar —piensa Ernesto—, que en este valle soleado y frío es donde voy a encontrar a los Moreno. ¡Me gustaría ser de aquí!».

El chico se siente a gusto en este pueblo industrioso de mujeres de falda y turbante oscuros, blusas bordadas y collares de perlas doradas; y de hombres de pantalón tres cuartos, poncho, alpargatas y sombrero de ala ancha. Por lo que ve, es un pueblo de comerciantes y artesanos, de músicos y *lutieres*, de gente afable y creativa. Bien le gustaría encontrar allí a los Moreno, encontrar su lugar en el mundo.

De allí a Esperanza, Ernesto, compartiendo vehículo con el grupo de alpinistas, tardó una hora, contando con las varias veces que debieron parar para ceder el paso a alguna pastora que, con su rebaño de ovejas, se había adueñado de la ruta. Y por qué no. Esa tierra feraz era suya antes de que abrieran el camino de asfalto, se dice Ernesto.

Al bajar del vehículo, en una esquina del pequeño pueblo, un muchachito del lugar se acerca a los alpinistas.

—Soy guía. Me llamo José Luis —se presenta—. Si ustedes quieren subir al Imbabura, puedo llevarlos mañana tempranito.

Después de un breve regateo del precio —más por seguir la convención del lugar que por necesidad—, los australianos arreglan una excursión para el día siguiente.

—¿Y tú no quieres ir? —le pregunta el chico a Ernesto—. Es muy bonito allá arriba. Se ve todo el glaciar del volcán Cayambé.

—Yo tengo otras cosas que hacer primero en Esperanza. Dime, ¿tú conoces a alguna familia de nombre Moreno?

—Moreno, Moreno... Déjame ver —piensa el chico, enterrando los dedos en el pelo para acceder a su banco de datos—. Ah, sí, hay una viejita que vive por aquel cerro. Es viuda, vive sola.

Ernesto queda un poco decepcionado. «¿Tendrá parientes en otro pueblo?», se pregunta.

—¿Y tú me puedes llevar allá?

—Sí, te llevo. ¿Cuándo quieres ir?

—Ahora mismo.

—Bueno, deja tu mochila en mi casa si quieres, pues no la vas a necesitar. Es cerca.

El sendero pedregoso que sube la cuesta, explica José Luis con el aprendido tono de guía, es parte de la red del Gran Camino Inca que surca América desde el Ecuador hasta el norte de Chile y Argentina.

—¿Tú dijiste que esta señora podía ser pariente tuya? —pregunta el chico.

Ernesto le cuenta su historia y él asiente con la cabeza.

—Yo sé de mucha gente que se ha ido a los Estados Unidos; y muchos músicos de Otavalo. ¡Quién sabe, tal vez tu mamá se fue allá con un conjunto musical!

María Moreno, artista quichua otavaleña. ¡Eso sí que le gustaría al abuelo!

En una vuelta del sendero aparece una carreta tirada por bueyes, rechinando y cargando una enorme parva de pasto amarillo. Desde su cima, tres chicos sentados como príncipes en un trono dorado, cada quien acunando en sus brazos a una llamita, saludan a los caminantes.

Unos metros más allá, José Luis se detiene y señala para la montaña, del otro lado de una brecha.

—Allá está la casa.

La vivienda, de adobe y techo de paja, cuelga solitaria como un pendiente de oro sobre el fondo esmeralda de la ladera. Atraviesan la brecha y se encuentran frente al cerco de piedras y plantas de tuna que rodea la casa y delimita la propiedad. Del otro lado, ropa lavada está asoleándose, tendida sobre unas piedras. Más allá hay unos sembradíos.

—Aquí vive la doña... No recuerdo su nombre de pila.

El grito de una cotorra enjaulada que cuelga de un árbol anuncia la visita a los cuatro vientos: «¡Cholito! ¡Cholito! *Brrr, brrr.* ¡Cholito!».

Una cara de anciana se asoma por la ventana. José Luis dice algo en quichua y la mujer responde en el mismo idioma, y en unos segundos sale a la puerta. Se ha puesto un sombrero.

II

Es una señora bajita y algo encorvada. O tal vez parece bajita, observa Ernesto, por lo encorvada. Se llama Alcira. El sombrero de felpa, negro, como el de un señor inglés del siglo pasado, le da un aire de dignidad y elegancia. La falda amplia, a media pierna, de lana azul, remata en una cinta roja en el dobladillo. Saliendo por debajo del sombrero inglés cuelga una trenza blanca que le llega a la cintura. La piel de la mujer es del color de la de Ernesto, pero el clima seco y ventoso de las montañas le ha dejado el rostro arrugado como un papel que ha sido abollado y estirado para nuevo uso.

Los dos indígenas, joven y vieja, siguen hablando en quichua y por fin la señora los invita a entrar. Cuando los ojos de Ernesto se ajustan a la penumbra, puede ver que la casa es apenas un cuarto, no más grande que su propia habitación en los Estados Unidos. El piso es de tierra. Ernesto nota, en un extremo, unas herramientas para trabajar el campo y un telar; y en el otro lado, un entrepiso. Una pequeña escalera de palos, con aspecto de escala de gallinero, lleva a la parte superior del entrepiso, que parece ser la alcoba de la mujer. La parte inferior es el cubículo de los animales, según comprueba Ernesto cuando, del rincón oscuro, varios conejitos salen corriendo y anunciándose con un agudo *cui, cui, cui.* El muchacho reconoce la especie: él los tenía en una jaula durante su infancia. Recuerda cuando los bañaba, algo que su padre nunca aprobaba:

—Se te van a morir, Ernesto. A los conejitos de la India no se los baña porque están acostumbrados a lugares secos. Son oriundos de los Andes. Frío y seco.

—¿Y por qué se llaman «de la India» entonces, o de Guinea, como en inglés?

—No tengo idea. Pero yo los he visto en las casas de los quichua cuando trabajaba en el Ecuador.

—¿Trabajaste en los Andes, papi?

—No, trabajaba en el Oriente, donde hay selva y hace calor, donde está el petróleo. Pero por ahí también hay qui-

chua, quichua amazónicos, les dicen, y esos criaban conejitos de la India, como los tuyos.

—La señora cría cuises —explica el chico ecuatoriano—. Los vende en la feria.

Ernesto atrapa uno y lo acaricia mientras le habla a su guía, que ahora hace de traductor:

—José Luis, cuéntale a la señora mi historia, para ver si ella puede ser mi abuela.

El chico habla por unos minutos. Ernesto contiene la respiración mientras doña Alcira lo mira con curiosidad. Después, poniendo las manos callosas en el regazo, comienza a hablar largo tiempo con José Luis. Luego toma las manos de Ernesto entre las suyas, lo mira a los ojos y le dice algo que para Ernesto es absoluta jerigonza.

Según José Luis, la mujer cuenta que ella tenía una hija que se había mudado a Quito, en busca de trabajo. Y que se llamaba María. María Moreno.

Ernesto se lleva una mano al pecho y siente la antigua punzada. ¿Sería su madre?

—Dice que un día recibió noticias de la hija, que estaba esperando un bebé —continúa el traductor.

Los dos pares de ojos quichua se posan en los ojos del muchacho. Por un momento, el universo de Ernesto se detiene y ese imaginado bebé baila en sus pupilas como dos pequeñas llamitas temblorosas.

—Y dice la señora que después su hija le mandó a decir con un intermediario que se iba con su bebé para los Estados Unidos.

«¿Era yo? ¡Oh, santo cielo! ¿Era yo?», se pregunta Ernesto, pero el otro sigue su relato sin pausa:

—Por un tiempo le mandó dinero, dice, pero después no supo más de ella, hasta que recibió una carta.

Ahora es un tremendo nudo el que le cierra la garganta. ¿Su pobre madre lo había tenido a él en Quito, en un lugar sin amigos y sin familia? ¿Y se había ido solita con él a los Estados Unidos? ¿Y qué más? ¿Qué más supo de ella?

Siguen los diálogos en el otro idioma. Si esta es de verdad su abuela, piensa Ernesto, mientras los otros hablan, él la va a ayudar. Cuando trabaje y tenga dinero, le va a comprar una casa en La Esperanza, sin escaleras, con jardincito. Va a... José Luis interrumpe sus pensamientos:

—Doña Alcira me está contando que un día recibió una carta donde decía que su hija había muerto y había dejado un bebé. La carta vino de los Estados Unidos, estaba escrita en español y un amigo se la tradujo al quichua. Todavía la tiene.

Ernesto ya había imaginado la posibilidad de que su madre hubiera muerto. Pero que se lo digan así, de boca, de repente, lo emociona otra vez. Pregunta si puede ver la carta. Lo consume el deseo de saber de su madre y al mismo tiempo anticipa el dolor de conocer algo triste de su historia. Doña Alcira percibe el nerviosismo del muchacho y le ofrece un té de hojas de coca. Eso le va a dar fuerza a su espíritu, le dice, y se va a sentir mejor.

El chico acepta y, como el fuego del brasero ya estaba encendido desde la mañana, en pocos minutos el agua hierve y la abuela echa en la vasija unas hojas de la mágica planta. Luego vierte el té en tres jarritas de aluminio y las sirve. Mientras los dos jóvenes toman unos sorbos, Miguel con gusto y Ernesto con una fruición casi religiosa, la señora se retira a un ángulo oscuro de la casita.

Los cuises andan sueltos, correteando de aquí para allá; la cotorra sigue con su monólogo —«¡cholito!, ¡cholito!»—, y los segundos pasan lentos para Ernesto. ¿Es que la abuela ha perdido la carta? ¿O no recuerda dónde la puso? ¿O es que, en su senilidad, ha inventado todo?

Cuando la mujer emerge de las sombras, lleva una pequeña caja en su mano, amarrada con una cinta que en otros tiempos fue rosada. Los dedos artríticos de la viejita se detienen en cada lazo y Ernesto se esfuerza para no arrebatársela de las manos. El papel está apergaminado y la tinta de las letras escritas a máquina ha perdido algo de color, pero las palabras todavía son legibles.

Ernesto lee en voz alta:

Señora Alcira Moreno Quipé:

Lamentamos comunicarle la defunción de su hija María Moreno ocurrida en el día de hoy. El bebé de pocas semanas que traía fue entregado al convento de esta ciudad para su cuidado. Si desea la extradición del bebé y/o del cuerpo de su hija, deberá hacer los trámites pertinentes ante el consulado de los Estados Unidos en la ciudad de Quito y hacerse cargo de los costos del traslado. Preséntenles esta carta. Sin más, reciba nuestras condolencias y profunda simpatía por la pérdida de un miembro de su familia.

Wilson Freitas, M D
San Diego Medical Center

A Ernesto se le humedecen los ojos.

III

Todavía le tiemblan las manos cuando devuelve la carta a la abuela.

«María Moreno, convento, San Diego. ¡Todo coincide!», razona el muchacho, mirando por la ventanita hacia el cielo inmaculado de los Andes. En el mundo ancho y profundo de su viejo anhelo aún no hay espacio para contener su agitación. «¡Entonces, esta señora de veras es mi abuelita! —piensa—.

¡Y yo soy de aquí! ¡Soy de estas montañas, del ombligo del mundo, de este suelo del gran imperio inca! ¿Y quién sabe si no soy descendiente de algún inca guerrero? ¿Alguien que luchó por su pueblo contra los invasores de España? ¡Tengo que averiguar todo eso!».

—¿Y la fecha de mi nacimiento, o de la carta? ¿A ver, a ver? ¿La dice?

Ernesto la nota enseguida, en letras bien claras, al pie de la página. Entrega la carta a José Luis, apuntando hacia la fecha, y toma el resto del té de coca de un solo trago.

—¡Ay, cholo...! —exclama José Luis—, esta carta dice 1960, ¡entonces tú ahorita tendrías treinta y cinco años!

El vuelo inca de Ernesto cae a tierra hecho pedazos.

—¿Cómo es posible tanta coincidencia? —exclama el muchacho después de un prolongado silencio.

—Pues, el nombre María es más común que la ruda —responde el guía—. El Moreno, no sé si es común... Y lo de San Diego, bueno, que yo sepa, mucha gente va para allá primero y después a las otras ciudades de los Estados Unidos. Es, como dicen, la parada obligatoria, la puerta de entrada.

Doña Alcira sirve otro té y no se habla más de la carta. Conversan, en cambio, sobre la cosecha de papas de ese año y del precio de la quinua. Pero Ernesto aún está conmovido y quiere darle un regalo a esta viejita que ha perdido a una hija —que lleva el nombre de la madre de él— y a un nieto que quién sabe dónde estará, en el país del norte, tal vez preguntándose en este mismo momento por esa otra María Moreno.

Y quiere saber si necesita algo en especial.

—Si tú algún día puedes mandarme un par de anteojos —dice la mujer a través de su traductor—, eso me va a servir para seguir trabajando en el telar. Siempre te lo agradeceré. Mis ojos ya no ven los colores.

Ernesto promete comprarle varios, de varias graduaciones, y mandárselos sin falta.

Con un movimiento rápido, la señora atrapa un conejito de la India y le dice algo a José Luis, quien le traduce a Ernesto:

—Dice la señora que si te gusta el cui. Si quieres, te prepara uno para la cena.

Ernesto piensa que no ha escuchado bien.

—¿Cena?

—Sí. ¿No has probado el cui? Es la comida nacional. ¡Es muy sabroso y nutritivo!

—Ah, no, gracias. Le agradezco mucho, es que..., ¡soy vegetariano! Bueno, no siempre..., es que..., estoy a dieta.

El rostro de la viejita se ilumina con una risa sin dientes al escuchar la traducción de vegetariano y dieta —dos conceptos inimaginables para ella— y disipa la tristeza del momento.

Cuando llega la hora de despedirse, la mujer pone en manos de Ernesto un dulce que ella misma ha hecho, del fruto de la tuna, y le da una bendición en quichua. Luego le dice que lo va a recordar siempre, como a aquel nieto a quien nunca conoció.

Los muchachos se van por el camino de piedra rumbo al pueblo, mientras se sigue escuchando el «cholito-cholito» del loro hasta que están bien lejos de la casa.

14. Almas gemelas

I

—El tren está parando —notan los que aún están conscientes.

En efecto, el tren ya se está deteniendo, con un chirrido metálico.

¡Bang! ¡Bang! ¡Bang...! Decenas de palmas y puños aporrean frenéticos la pared y la puerta del vagón. Para algunos, este es el último esfuerzo antes de perder el conocimiento.

De repente, la puerta se abre con un estruendo y una luz cegadora que algunos creen ser la entrada del infierno. Pero no lo es, se dan cuenta, porque en el infierno hay fuego, y aquí ya se siente entrar el bendito aire del cielo.

Los que pueden se abalanzan hacia afuera dando bocanadas, como pez que busca el agua. Rosa gatea atontada hasta la salida y deja colgar la cabeza fuera del vagón. Respira hondo hasta llenarse los pulmones y, con la mente más clara, salta hacia afuera.

Es un lugar descampado, sin estación visible; otros trenes oscuros están detenidos, paralelos al suyo.

En cuestión de minutos, los más fuertes vuelven al vagón, arrastran hacia la luz a los que yacen inconscientes y los acuestan sobre el terreno pedregoso al lado de las vías. En tres viajes y asumiendo el riesgo de ser vistos, otros salen con botellas vacías y las traen llenas de agua. Poco a poco, los deshidratados se hidratan, los sofocados se oxigenan y los rostros amarillentos vuelven a tomar color.

El milagro de la resurrección, como así lo llamó alguien, los ha dejado en un extraño estado mental y casi ni registran la presencia de los curiosos que los están observando desde el techo del tren. Pasa un buen cuarto de hora antes de que caigan en la cuenta de que los tres chicos que les abrieron la puerta son parte de ese contingente mayor que ha estado viajando con ellos todo el tiempo.

El tren larga un silbato. Una oleada de susto asciende por cada pecho y se atropellan para subir cuando el corazón de *La Bestia* empieza a latir y las ruedas se ponen en movimiento. Esta vez, en tácito acuerdo, las puertas quedan abiertas de par en par. Los que salieron a buscar agua van a toda prisa hasta el vagón y unas manos prestas les ayudan a subir a medida que el tren acelera.

Los tres chicos aprovecharon para meterse en el vagón, como si fuera propiedad pública.

—Disculpe, don, hace mucho sol allá arriba.

—¿Quiénes son ustedes? —les preguntan.

—Los que les abrimos la puerta, don. Si no, ya estarían todos hechos fiambre aquí adentro.

—¿Y qué diablos hacen ustedes ahí arriba del tren?

—Lo mismo que ustedes, don. Estamos viajando *pa'* los Estados. ¿Ustedes no están viajando *pa'llá,* también? Diga, ¿tiene algo de comida? No como desde hace día y medio. Y este, mi hermanito, tampoco.

El muchacho habla con esa cadencia ablanda-corazones aprendida en el infortunio. La gente los mira atónitos mientras les pasa galletas saladas. Los chicos comen con fruición y hablan entre bocados.

—Ah, ¡qué bien que se viaja aquí! Esto es primera clase.

—¿Y ustedes escucharon nuestros golpes y por eso abrieron? —pregunta otro hombre.

—Pues sí, señor. Pensamos que estos vagones estaban llenos de cereales. Nunca vienen vacíos. Por eso nos extrañó oír ruidos. ¿Y cómo consiguieron ustedes un furgón vacío?

—Pues nosotros pagamos al coyote. Él arregló todo —informa el hombre.

—Ah, ¡gente rica! Tienen plata *pal'* pollero. Yo también voy a ser rico cuando llegue a los Estados.

—No, *m'hijo,* aquí no hay ningún rico. Yo tuve que empeñar mi casita para poder pagar por este viaje. ¿Y qué vas a hacer tú allá en el Norte?

—Lo primero, buscar a mi mamá y a mi papá, pues no los vemos desde hace seis años. Nos mandan dinero, regalos y, a veces, nos hablamos por teléfono. Y siempre prometen que van a volver, todos los años, y nunca vuelven. Cualquier día de estos se olvidan de nosotros. Por eso decidimos salir *pa'llá* con mi hermano.

Rosa escucha, pasmada. «¡Buscan a su padre y a su madre! ¡Mis almas gemelas! Claro, es diferente, —piensa—, mi mamá nunca se va a olvidar de mí. ¿O sí?». Una ráfaga de pánico la roza como el ala de un ave nocturna, pero enseguida trata de ahuyentar ese pensamiento dañino.

—¿Cómo te llamas? —le pregunta por fin Rosa.

—Darío. Y este es mi amigo Sergio, y este, mi hermanito Manucho. ¿Y tú?

—Rosa. Quiero decir, Eugenio.

El chico sonríe y continúa explicando:

—Mis padres no saben que yo y mi hermano estamos viajando *pa'llá*. Va a ser una sorpresa. Si es que conseguimos llegar esta vez. Este es nuestro quinto viaje. Siempre nos agarraban en Tapachula y nos mandaban de vuelta, antes de poder subir a este tren. Pero esta vez creo que lo vamos a conseguir.

—¿Y de dónde vienen? —pregunta una mujer.

—De Nicaragua. ¡De la gran ciudad de Managua!

—Y yo, de Guatemala —interviene el otro.

—¿Y cómo llegaron hasta aquí?

—Pues, en tren, siempre en tren de carga. Pero no en el vagón, como ustedes. Siempre arriba.

—¿Y la policía ferroviaria no los hace bajar?

—Cuando llegamos a un pueblo, antes de entrar en la estación, saltamos y corremos y corremos más rápido que el tren, por las calles de al lado. El tren siempre para unos minutos, y eso nos da tiempo de subirle otra vez a la salida del pueblo, cuando todavía anda despacito. Así, nadie nos ve. Y si nos ven, ya es tarde. ¡Ja!, no nos pueden agarrar más. ¿No es así, manito?

El hermanito no contesta. Está ya dormido con la cabeza apoyada en el regazo de una señora.

—Estos fueron nuestros angelitos salvadores —comenta la mujer—. El Señor nos los ha mandado.

—Hay que dejarlo dormir al Manucho —agrega su hermano—. Anda muy cansado. Es que yo no lo dejo dormir arriba. Es peligroso.

—¿Por qué? —pregunta Rosa.

—¿Por qué? Pues, porque te puedes caer si estás durmiendo. En los vagones tanques, uno se puede amarrar con un cinto a uno de esos fierros que hay arriba. Pero los vagones como este no tienen de dónde agarrarse.

—¿Y alguien ya se ha caído?

—Pues, sí...

La expresión del chico es ahora la de un hombrecito envejecido y triste. Todos callan. Poco después, el otro muchacho cuenta con voz casi inaudible:

—Mi amigo se cayó. El tren le pasó por encima. Le cortó una pierna.

—A veces uno se cae y no pasa nada. Otras veces cae mal, entre las ruedas —explica Darío.

La gente escucha el diálogo en silencio solemne. Los chicos continúan:

—Muchas veces hay que saltar de tren en tren, cuando todavía están en marcha, *pa'* tomar la combinación correcta, porque no todos los trenes van a la frontera, ¿sabe? Pero estas vías son viejas. ¿Siente *usté* cómo se sacude el tren? ¿Vio que a veces un vagón se voltea *pa'* la derecha y el que le sigue se voltea *pa'* la izquierda? ¡No andan de acuerdo! Por eso es peligroso saltar, porque aunque uno calcule bien, a veces los vagones se juntan, otras veces se separan. ¡Son traicioneros! También a veces se descarrilan.

—¿Y alguien los socorre a los que el tren les... hiere? —pregunta alguien.

—La diócesis de Tapachula, de Arriaga, o la Casa del Inmigrante del otro lado, en Tecún Umán, según me dijeron, tienen sus hospitales donde atienden a los mutilados. A los chicos que llegan allá les llaman los angelitos caídos. Los grandes ni quieren regresar a sus casas, de mera vergüenza que les da andar sin una pierna, o sin las dos.

—Yo vi a un *bato* caer. El tren iba bien rápido y pasó por un lugar espeso, lleno de árboles. Nosotros nos agachamos a tiempo, pero él no. Le dio una rama en el pecho y allá fue a parar, al medio del campo. ¡Quién sabe si se salvó!

—Por eso don Sabino habló de *La Bestia* —alguien balbucea.

—Sí, el Tren de la Muerte, le llaman.

Los rostros mudados por el espanto asienten en silencio. Los padres y las madres se estremecen ante la imagen interna de sus propios niños.

—¿Y cuando llueve? ¿Cómo hacen allá arriba? —pregunta Rosa.

—Tenemos plásticos. Pero a nosotros nos tocó una noche de granizo. Era como que el cielo se estaba cayendo encima nuestro, como si Dios nos estuviera tirando piedras.

Varias horas después, los muchachos se despiden. Pronto van a llegar al cruce donde tendrán que hacer una combinación para enlazar con el tren que se dirige a Nogales.

—Gracias por las galletas. Y yo les aconsejo que cierren la puerta, pero dejen un palito de espacio *pa'* poder abrirla otra vez. Pero no mucho, *pa'* que los perros no puedan meter el hocico. La *migra* y la policía ferroviaria a veces traen perros —explica uno de los chicos— *pa'* ver si hay algún «pollo» en los vagones.

II

El tren disminuye la marcha. Como el tótem de observadores no ha anunciado la cercanía de un poblado o estación, no saben a qué atribuirlo. Se apartan del agujero. Los nervios están a flor de piel.

—Debe ser un punto de control —supone una voz aflautada, ahogada por el temor de una inminente catástrofe.

Sea lo que fuera, un acuerdo los comprometió a no cerrar las puertas del todo. Aun corriendo el riesgo de ser descubiertos por la policía u olfateados por sus diabólicos perros, la barra de metal está allí, intocable.

Un ladrido lejano les pone los pelos de punta.

—¿Escucharon eso?

—¿Qué? Un perro idiota nomás.

—Y perro que ladra no muerde.

—Pero delata.

—Uf, este se asusta de todo, de su propia sombra.

—¿Y si son los perros de la policía? ¿De esos pastores alemanes que olfatean desde lejos?

Son las 12.20 del mediodía y el tren ya se detuvo. Una fina capa de sudor frío brota de las manos y los rostros. Los labios tiemblan en una oración silenciosa y las plegarias recrudecen.

De pronto, sin aviso, las puertas se abren con un rasguear metálico y algunos no llegan a silenciar un «¡Oh!» seco y duro, como el chillido arisco de un ave, cuando ven a contraluz la figura de un hombre uniformado.

—¡Bajen todos! —les ordena con tono imperioso.

Inmovilizados por el miedo que les recorre la espina dorsal, o tal vez por una íntima determinación de no rendirse como un rebaño de ovejas al grito de un prepotente, nadie se mueve.

—¿Qué carajo les pasa? Ah, ¿el uniforme? Es un camuflaje. Soy el socio de don Sabino. ¡Vamos, pinches flojos, muévanse! El camión los está esperando ahí nomás, en la carretera. ¿Lo ven? ¡Dense prisa!

Las risas de alivio se contagian, porque sobrevivir a una catástrofe siempre llena de gozo. La montonera de impacientes indocumentados desciende del vagón y corre hacia el lugar indicado. Es un paraje semidesértico y el riesgo de ser descubiertos los hace volar ligeros y leves como una nube de insectos.

Al poco tiempo, ya están a bordo de un moderno autobús color azul brillante. Desde las ventanillas, cincuenta rostros eufóricos observan el cambio de locomotora del tren que los condujo hasta ese punto y que ahora va a enlazar con otros ramales. Rosa saluda con una mano a los chicos menos afortunados que ella, que se preparan para saltar de un vagón a otro y continuar el viaje en el techo de otra *Bestia*. Su estación final es Nogales; y después, el Norte.

El vehículo sale al instante y, al poco rato de andar por avenidas suburbanas de lo que parece ser una ciudad de buen tamaño, llegan a un hotel en un lugar retirado. Sus dueños, así como los dueños de los autobuses privados, son parte de la amplia red multinacional de complicidad de funcionarios corruptos y empresarios de la mafia que trabajan en la industria de contrabandear gente.

Allí van a pasar unas horas, antes de partir hacia su próximo destino dorado.

El lugar es modesto. El piso de ladrillos del patio central así como los baños huelen a creosota. En la recepción, cambian dinero. Rosa se compra una gorra de béisbol de segunda mano, unos rollos de galletas Maris y una tarjeta telefónica.

Como siempre, la chica debe llamar dos veces: la primera, para que encuentren a su madre entre las hileras de hortalizas; y la segunda, cuando calcula que Alba ya estará al lado del teléfono, esperando su llamada.

—¡Mami, estoy en México!

—Rosa, ¡qué bueno escucharte! Estuve muy preocupada, hija. ¿Cuándo van a pasar para este lado?

—Esta noche, mami. En unas horas salimos en dirección a la frontera.

—Cuídate, Rosita.

Rosa siente la última sílaba de su nombre algo apagada; quizá un llanto suprimido la acortó.

—Y llama a la abuela, hija, hazme el favor. Yo tengo que volverme. Hay mucho trabajo hoy.

—Ahorita mismo la llamo, mamá. Le mando un abrazo grandísimo.

III

A las tres de la tarde inician el último tramo del viaje en territorio mexicano. Se detienen en varios controles policiales y en ningún caso se los registra, lo que indica la presencia de «amigos» en esta parte de la carretera.

Ya han recorrido más de cuatro mil millas desde el lejano puerto de Guayaquil cuando alcanzan la frontera de México con Texas.

—Miren, ahí está el río Grande —explica el guía señalando a la distancia—, el que divide el país de los dichosos del país de los desdichados; véanlo frente a ustedes.

—Dios habrá estado enojado cuando hizo la división —observa alguien.

—Ah, será por eso que aquí le llamamos río Bravo —bromea el conductor.

La cita con los vehículos menores que van a cruzarlos por el puente en grupos pequeños, escondidos entre cajas de mercadería, se hizo en un campamento de inmigrantes en las afueras de la población. Todavía es de día y no vendrán antes de una hora, cuando anochezca, les informan.

—Los que necesiten ir al baño, pueden bajar. Por ahí van a encontrar una letrina —continúa el guía—. Pero vuelvan pronto. Esta es tierra de nadie.

En efecto, el lugar —fuera de todo control policial— es un punto de encuentro de la inmigración ilegal más pobre de Latinoamérica y sus coyotes y pasadores, que se amontona en la orilla sur del río Grande. Es también un foco de traficantes y criminales. Como dijo el conductor: un antro de marginales.

Rosa también se baja, pues arde de curiosidad por ver el río Grande.

Con otros inmigrantes, la joven cruza el perímetro del campamento, circundado por un anillo de herrumbre, de carrocerías incineradas y de montañas de chatarra, y pronto se halla junto a la orilla. Le sorprende la fealdad del afamado río. El inocente azul del cielo no se refleja en el agua, como ella esperaba; y en vez de flores acuáticas y ramas con musgos y líquenes plateados, arrastran bolsitas y botellas de plástico. Tampoco está bordeado de vegetación vigorosa, sino de unos pocos álamos flacos y de varios montículos de basuras dejados por una legión de indocumentados que acampa en su ribera año tras año.

«Es un río viejo —piensa Rosa—. No es como los nuestros. Este es sucio y viejo. ¿Qué diría el maestro Romero si lo viera?», se pregunta, recordando *El selvinauta* que él le dio antes de partir.

La chica retorna decepcionada y, en el camino, unos niños la detienen y le piden comida. Mugrientos, zaparrastrosos y algunos con llagas mal curadas en el rostro o en las piernas, llegaron en *La Bestia* hace días y están esperando el momento propicio para cruzar. Rosa saca un rollo de galletas de su mochila y les reparte unas pocas.

—¿Qué te pasó en el ojo? —pregunta a uno de ellos.

—Me agarró la judicial.

—¿Y qué es eso?

—¿La judicial? Es la policía federal mexicana. A mí y a otros nos hicieron bajar del tren, nos llevaron a un monte y allí nos robaron y nos pegaron —cuenta, con la boca llena—. Me quedé sin nada, pero al menos no me metieron preso, y aquí estoy.

—Sí, andan encapuchados para que nadie sepa que son de la judicial. Pero yo les vi la placa del coche —explica otro, alargando la mano hacia el paquete.

—¿Y cómo compraste comida si no tenías más dinero? —continúa indagando la chica.

—¡Vivió del aire! —exclaman los otros, riendo.

—¡Mírale las costillas! —dice uno, levantándole la camiseta.

—¡Sacá la mano, huevón! —le grita el chico—. Tuve que bajarme en cada pueblo y pedir limosna —continúa— o afanar algunas frutas de las huertas cerca del tren.

—A mí también me peinaron los bolsillos cuando subieron al tren y después me golpearon porque tenía poco —dice el otro, mostrando los agujeros de sangre coagulada donde deberían estar los dientes—. Pero esos fueron los de la *mara* Salvatrucha, lo sé por los tatuajes. ¿Me das otra galleta?

—Yo ya vi a un *bato* que lo tiraron del tren, porque no le encontraron nada para robarle.

—Sí, está cabrón allá arriba, cuando aparecen las maras. Por eso, siempre hay que llevar palos y piedras para defenderse. ¿Tenés más galletas?

Rosa saca su segundo y último paquete, y los insta a seguir hablando. Quiere escuchar todo. Algún día el mundo va a saber de esto, se promete, pues ella lo va a contar a los cuatro vientos. La emoción la sorprende. No sabía que llevaba dentro ese potencial de rabia que la subleva. Esta noche misma va a tomar nota de todo.

—Por lo menos no nos agarró la migra mexicana, como a aquellos otros que llevaron presos —suelta uno de los chicos, alargando la mano hacia la fuente de comida, en mudo reclamo de la porción que le toca por su información.

Acaban con las galletas y el último lame el papel.

—¡Es que esos eran muy pendejos y dijeron la verdad, que eran hondureños o salvadoreños! Si hubieran dicho que eran mexicanos, seguro que los dejaban sueltos.

—¿Y van a quedar presos? —pregunta Rosa.

—Por un tiempo, nomás. Después, a los de Centroamérica los meten en un bus, de vuelta a sus países. Viajan como diez o veinte horas, no sé, pero sé que viajan llorando. Hombres, chicos, señoras. Todos lloran. Vuelven sin *lana,* sin haber alcanzado el Norte.

—Sí, avergonzados.

—¡Y con deudas!

—Por eso le llaman El Bus de las Lágrimas.

Rosa se pregunta cómo harán, si la pescan, para mandarla a ella de vuelta a Ecuador, que está tan lejos, más allá del océano, más allá de la línea que divide al mundo en dos mitades.

—Peor es para los que nunca llegan —dice otro, taciturno—. A mi amigo lo mató el tren. Se resbaló y la bestia se lo comió. Ese nunca jamás va a ver a su madre en los Estados Unidos.

Una nube de silenciosa tristeza ensombrece las miradas de los chicos, precoces a fuerza de miseria y desamparo.

Ya se está haciendo tarde y Rosa decide que es más prudente regresar con su grupo. Sumergida en sus pensamientos, la muchacha cruza la hilera de vehículos herrumbrados que marca el límite del campamento y se va al lugar donde ha quedado estacionado el autobús. Hay otros, pero no son de su gente. El suyo es de un azul brillante inconfundible. Y no lo ve. Cree, por un momento, que se ha equivocado de calle; pero, de hecho, hay una sola. La chica recorre de punta a punta la calle paralela al campamento y no hay ni rastro de él. Retorna al punto de partida y tampoco se topa con ninguno de sus compañeros de viaje. Se sienta a esperar a la vera del camino, paciente e inmóvil como perro que espera al dueño. Los ojos miran fijos, impertérritos, hacia el lado de la calle de donde debería venir, ya que en la otra punta es camino sin salida.

Los minutos y las horas se alargan en creciente estado de preocupación. Ve el día volverse atardecer, el atardecer transformarse en noche, y la noche tornarse en desespero. Una sombra doliente cubre el mundo cuando Rosa se da cuenta de que no van a volver, que el grupo ha desaparecido, que su autobús azul se ha ido sin ella y se ha quedado sola. La noche circundante se le hace pavorosa y el mundo se le desploma.

Un latigazo de histeria la sacude. Está al borde de un abismo oscuro e infinito, mirando hacia su centro, y siente que ese abismo la está chupando hacia abajo, a un infierno gélido y desolado. Se acerca adonde estaban los niños harapientos, corriendo y tragándose un llanto a cada paso. Pero el llanto le da convulsiones. Cae de hinojos. Nota los huesos derretidos. Siente que se ahoga, que está como girando en un aire sin oxígeno y que se va a morir allí mismo, de falta de aire, arrodillada en la tierra de nadie.

15. Los shuar

I

Desde la terraza de su hostal en las colinas de Quito, Ernesto observa hacia abajo la sinuosa línea luminosa de una procesión que transporta la imagen de un santo, de una iglesia a otra. Otra procesión, dentro de él, viene cargando sus propias imágenes, de Esperanza en Esperanza. Pero a diferencia de los feligreses en su río de luces, él ya no sabe qué cauce tomar. ¿Seguir recorriendo un vastísimo continente en busca de un pueblo y un nombre que tal vez solo existieron en la imaginación de una monja aburrida?

El muchacho ha llegado a esa encrucijada donde dos voces opuestas le machacan la cabeza. Una parte de su mente le manda a admitir la necedad de su proyecto, a abandonar el propósito y aceptar su fracaso. Otra le advierte, con igual vehemencia que, si desiste ahora, el reproche por no haber seguido el camino hasta el final lo va a perseguir durante el resto de su vida.

El duelo mortal entre ambas voces lo ha dejado deprimido y la subida al Imbabura no le ha curado la melancolía. Al contrario: la extrema belleza de los altos picos nevados y el aire transparente de los Andes solo le sirvió para agrandarla. Además, el Imbabura es un volcán apagado, y su ser reclama lava, como si la sola contemplación del fuego pudiera consumir y agotar su desaliento.

—Hoy tenemos una picadita de carne y yuca —le dice el encargado de la cocina, que está ofreciendo la cena a los recién llegados.

—Yuca... ¿Cómo es la yuca?

—Es, pues, es una raíz. También se la conoce como mandioca. Es originaria de mi tierra.

—¿Y de dónde es usted?

—De un pueblito de la provincia de Morona Santiago, en el Oriente. Es la comida básica de los shuar.

—¿Los shuar? Nunca escuché ese nombre.

—Antiguamente los españoles nos llamaban jíbaros, pero es un nombre que no nos gusta.

—Jíbaros, sí me suena. Pero no sé nada de ellos. ¿Y cómo se llama su pueblito?

—Buena Esperanza.

Ernesto lo mira alelado.

—¿Te sientes bien? Me parece que tú necesitas comer —dice el hombre, algo sorprendido.

—Sí, sí, no he comido desde ayer al mediodía. ¿Puede prepararme una picadita?, por favor.

El joven mastica despacio los trocitos crujiente de yuca frita mientras su mente se traslada al insondable mundo de los recuerdos:

—Tú naciste en Esperanza, Ernesto. Eso es lo que nos dijo la hermana del convento —le decía su padre.

—Pero, Esteban, no sabemos si es Esperanza o Buena Esperanza. ¿No te acuerdas, que había una duda? —decía la madre.

—¿Duda? ¿Qué duda, Isabel? No había duda de que era Esperanza. Eso de «Buena» lo agregó la madre superiora, a quien siempre le gustaba complicar las cosas, y nunca nos dejó leer el famoso papel. Además, no existe ninguna Buena

Esperanza en México. El pueblo es Esperanza. A mí me parece que es un típico caso de falsa memoria. Estoy tan seguro de que era Esperanza a secas como que me llamo Esteban.

—Pero, Esteban, ¡tú te llamas Estebani, según tu partida de nacimiento! ¿Te has olvidado?

Ernesto saborea la memoria de la escena con una sonrisa. No recuerda cómo terminó la conversación, pero lo cierto es que su padre era, y es, muy terco, piensa, una de esas personas de convicciones sin fisuras. Y su madre, bien, ella es muy persistente. «¿Es posible que el pueblo que busco sea Buena Esperanza? —se pregunta el chico—. ¡Ah, qué no daría por tener ese papel en mis manos, si es que aún existe!».

—Quisiera hacerle una preguntita —dice Ernesto al shuar mientras le devuelve el plato vacío—. ¿Usted conoce a algún Moreno en su pueblo?

—¿Moreno? No, no conozco. Yo salí de allá cuando era niño y no recuerdo los apellidos de todas las familias.

—¿Y se puede hablar por teléfono?

—No, no hay teléfono en el pueblo. ¿Por qué no te vas para allá? El Oriente es un lugar muy, muy bonito. Es la selva, la región de la Amazonía ecuatoriana. Aquello te va a encantar.

«Ya sé. Papá me dijo que era hermoso —recuerda Ernesto—. Debe haber mucho más que no me dijo».

—¿Y queda lejos?

—Doce horas hasta Macas, la capital de la provincia, y otros cuarenta y cinco minutos al pueblo.

Ernesto agradece la información, aunque sabe que la posibilidad de que un Moreno haya emigrado de un lugar tan remoto es otro disparate. Pero algo extraordinario lo empuja a seguir adelante, algo que desafía cualquier lógica, como un deseo de tender la mano hacia la oscuridad para ver quién se la agarra. Y la gota de energía mental que le dio la noticia de otra Esperanza ya está destilando hacia el resto de su cuerpo. En pocos minutos está empacando sus cosas y pide que lo despierten a las cuatro de la mañana.

II

El autobús es desproporcionado para el camino estrecho por donde circula. Las enormes hojas de los plátanos y los filodendros cepillan los lados del vehículo y aun penetran por las ventanillas abiertas, rozando las mejillas de Ernesto con una rústica caricia.

El chofer se detiene a la entrada de un sendero que se abre paso entre paredes de cañaverales altísimos, veteados de verde y amarillo y de más de diez centímetros de diámetro. El hombre le indica a Ernesto que al final del sendero va a encontrar la comunidad shuar de Buena Esperanza.

El pueblo es un caserío en un claro en la selva, arracimado alrededor de un esbozo de plaza. Con poco optimismo, mira a su alrededor, esperando una señal que le indique cómo y dónde comenzar.

Un hombre de unos treinta y tantos años, de rostro redondeado y pelo negro y largo, recogido en cola de caballo, sale de una casita de madera.

—Buenas tardes. Yo soy el síndico de aquí. Me llamo Daniel Iaui —dice el hombre—. ¿En qué puedo servirle?

—Mucho gusto, señor. Escuché hablar de su comuna y vine a conocerlo.

—Bienvenido —dice el hombre extendiendo la mano—. ¿Y de dónde viene usted?

—De los Estados Unidos.

El síndico llama a su esposa y a otros miembros de la comunidad y pronto unos quince shuar están reunidos a su alrededor, formando un círculo apretado. Algunas mujeres llevan un leve, aunque permanente, tatuaje en el rostro, que consiste en dos o tres líneas discontinuas saliendo del ángulo interior de cada ojo e irradiando por la mejilla hacia abajo en forma de abanico. El toque aborigen contrasta con la ropa moderna, aunque decorosa. Los hombres, en su mayoría vestidos con pantalón caqui o jeans y camisa blanca, llevan un collar de varias vueltas de cuentas de semillas rojas y marrones.

La esposa del síndico trae de la casa un cuenco de madera que contiene un líquido blanco. El esposo bebe un largo trago, y luego pasa de mano en mano.

—Esta es chicha de yuca. Pruébela —invita el hombre a Ernesto—. Tal vez usted no la conoce, porque allá en Quito donde usted estuvo, la chicha se hace de maíz.

Ernesto toma unos sorbos simbólicos. El brebaje es espeso y de un extraño gusto algo dulzón. «¡Quién sabe qué yerba extraña usarán para preparar este mejunje!», piensa con algo de aprensión.

—¿Y cómo se prepara? —pregunta, por decir algo.

—Primero se cocina la yuca y se amasa. Después las mujeres mastican un camote, lo escupen dentro de la masa de yuca, le agregan agua y dejan la mezcla descansar toda la noche. Al día siguiente, ya fermentada, ¡tiene la chicha lista!

Ernesto siente que debe añadir algo más para disfrazar su reacción:

—¿Y siempre se hace escupiendo el camote?

—Sí, el camote u otra papa dulce. Gracias a la saliva humana se produce la fermentación y el alcohol.

«Ah, las bacterias... y el alcohol, del azúcar de la papa dulce, por supuesto». Ernesto recuerda la clase de Química que en su momento le pareció tan irrelevante.

—Es excelente para la salud. ¡Tómese otro trago!

El chico obedece y toma otros tragos. Pronto, la chicha tiene el efecto de desinhibirlo y entra directo al tema que le interesa.

—Señor Daniel, ando buscando a una familia que dice ser de Buena Esperanza, con el nombre Moreno. ¿Hay alguna familia con ese nombre aquí?

—¿Moreno? No, ese es nombre de colono, de blanco. Aquí solo hay apellidos shuar. Por ejemplo, yo soy Iaui, este mi cuñado es Jempe, aquella familia es Chiriap... No hay Morenos.

—¿Y nunca hubo?

—No. Nunca.

Los shuar lo miran con curiosidad.

—¿Y tú te viniste de los Estados Unidos para buscar aquí una familia con ese nombre?

—Sí. Vine de lejos.

—¿Y viniste con amigos? ¿O con tus padres?

—No, vine solo. Ayer en Quito me avisaron de este lugar.

Luego de un incómodo silencio, el síndico le habla de su comunidad:

—Bueno, ya que has venido hasta aquí, déjame contarte. Nosotros los indígenas shuar en el pasado vivíamos solo de los frutos de la selva —dice—. Extraíamos las cañas para hacer nuestras cabañas y las hojas para sus techos. Y, claro, las hierbas medicinales y el ayahuasca para curarnos el cuerpo y el espíritu. Pero después vinieron los *misionarios* y nos hicieron cambiar todas nuestras costumbres y hasta nos prohibieron hablar shuar. Y nos dijeron que era bueno tener dinero, para comprar cosas. Y que deberíamos tener casas de madera, no de cañas.

El muchacho observa las viviendas de los shuar, construidas con largos tablones y techadas con chapas de cinc, y se pregunta si eso de veras constituye un avance arquitectónico.

—Después entraron las compañías madereras —continúa el hombre— que codiciaban nuestros árboles, y allí comenzó la deforestación. A muchos nos han empujado al borde de la selva.

Ernesto no sabe si hay pena o resentimiento en la voz del hombre.

—Pero tenemos este pedacito de bosque virgen que tú ves, y estamos dispuestos a protegerlo. Y sobre todo, estamos dispuestos a conservar nuestra identidad y nuestras tradiciones, ¡a todo costo!

La arenga del shuar se extiende por un tiempo y Ernesto supone que cada visitante debe escuchar el discurso algo triste de este hombre.

Ya es el fin de la tarde. Ernesto se dispone a volver a Macas, y el síndico lo invita a pernoctar en la aldea. Él no quiere aceptar, pero su anfitrión insiste con vehemencia. La noche está tormentosa y no es bueno andar por esos caminos sin asfaltos si se larga a llover, le explica. A Ernesto no le importa. Sabe que hay un transporte de vuelta a las ocho de la noche. Pero cuando llueve, el autobús no circula por las rutas no pavimentadas, le advierten. «La resistencia es fútil», parafrasea Ernesto para sí, con resignación.

Los shuar ya están reunidos en el cobertizo que hace de centro comunitario, donde Ernesto va a pasar la noche. En medio del recinto, una enorme fogata de vez en cuando truena y el humo ya hace lagrimear los ojos. Las mujeres preparan los ayampacos. Un par de bebés cuelgan del techo en unas sillitas trenzadas con hojas de palma, y de vez en cuando alguien los hamaca.

«Bebés ahumados —piensa Ernesto—, el humo y el vaivén los mantienen sedados».

Luego aparece más chicha. No quiere decepcionar a sus anfitriones y acepta cuanto trago le ofrecen, notando que está algo más alcoholizada que la de la tarde. Un canto de tres notas acompaña la danza de unas niñas en la que los collares y los brazaletes suenan como castañuelas algo apagadas. Ernesto, sentado en el suelo y apoyado en un poste que sostiene el tinglado, se siente algo aturdido y mareado. Cierra los ojos y dormita.

Cuando los abre, los shuar han desaparecido, dejando los cuencos de chicha vacíos desperdigados por el recinto y el fuego casi apagado.

El lugar no es más que un cobertizo de hojas de palmera de chonta sostenido por vigas transversales y varios postes. Coloca su saco de dormir sobre una tarima que ha sido dispuesta en un rincón con el propósito de aislar a los posibles huéspedes de las alimañas; luego aviva el fuego, pone su linterna al alcance de la mano y, cierto de que toda precaución ya ha sido tomada, se entrega al sueño.

III

Un vendaval frío lo despierta. No sabe qué hora es, pero por los pocos rescoldos rojizos que han quedado de la hoguera, calcula que han transcurrido varias horas. La oscuridad es completa y las brasas lo miran con ojos de animal. Un incesante tintineo como de jarras rotas parece salir del mismo techo.

Los perros de los shuar ladran. Una tardía tormenta eléctrica, más típica de las tardes que de las noches amazónicas, de repente se desata y trae una lluvia torrencial acompañada de relámpagos. Entre una ráfaga de viento y otra, Ernesto escucha el ominoso tintineo encima de su cabeza. Con un pensamiento premonitorio jala la linterna, se calza e ilumina el techo.

Un grito corto y tajante se dispara de su garganta cuando las ve: suspendidas de las vigas del techo, las pequeñas cabezas, de un tamaño poco mayor que un puño cerrado, se balancean y entrechocan los collares que cuelgan de nucas invisibles. Las sienes proyectan dos mechones deshilachados de pelos secos. Los ojos huecos, los pómulos salientes y la sonrisa postiza de los labios cerrados con una costura de puntadas largas, indican un elaborado ritual.

Algo se revuelve en la memoria de Ernesto. Entonces, la brusca revelación lo sacude de un golpe: ¡los jíbaros! ¡Los reductores de cabeza! ¡Las abominables *tzantzas!*

Escucha un quejido y después se percata de que salió de su propia boca. Un temor antiguo le sube a borbotones, pero no puede, preso del pánico, desviar la vista de la galaxia de cabezas encogidas que flota encima de la suya.

Los hechos del día pasan a los saltos por su mente y su estadía en ese lugar toma de pronto un sentido siniestro. ¡Claro, están resentidos y quieren vengarse! ¡Con mentiras lo han secuestrado y con la bebida lo han debilitado y entorpecido! Y con sus lanzas ponzoñosas lo van a usar de chivo expiatorio. ¿Quién mejor que él para ser sacrificado esa noche tan propicia, sin dejar más rastro que su pequeña cabeza achicharrada? Él mismo se lo dijo: «Vine solo, nadie sabe dónde estoy». Y nadie nunca va a saberlo. ¡Qué inocente fue! Les ha servido su cabeza en bandeja. Los cantos y danzas de la noche no fueron otra cosa que un ritual preparatorio.

«¡Tengo que salir de aquí!», se dice Ernesto.

La cabeza le da vueltas y el miedo le viene otra vez en ondas, como una marea. Apaga la linterna para que no lo delate y trata de orientarse en la oscuridad, con cautela. Teme que hayan puesto centinelas cerca del recinto para impedir su fuga.

Pero ya es tarde.

En el lamparazo de un relámpago ve varias figuras de camisas blancas en hilera, como flotando en el aire, que ya están rodeando el cobertizo.

El miedo, ya desmesurado, le exprime el esófago y lo deja sin resuello por algunos segundos.

Sin despegar la vista de sus verdugos, el muchacho trata de escabullirse caminando hacia atrás. Pero enseguida percibe que alguien se le aproxima por la espalda. Está acorralado.

Quien estaba detrás de él se le adelanta y le ilumina el rostro de lleno con una linterna.

—¿Adónde vas, chico? ¿Tuviste un mal sueño? Te escuché gritar y vine a ver si estabas bien.

Es la voz de un hijo de Daniel.

—Pues, sí, tuve un mal sueño. Iba... al baño —balbucea Ernesto.

—Ve nomás. El excusado está allí —indica el chico con un ademán—. Ah, mi madre se ha olvidado de recoger la ropa del alambre, y las camisas de mi papá están todas mojadas —dice luego, apresurándose a recoger la ropa tendida—. Menos mal que no se las llevó el vendaval.

«Por algo el abuelo dice que "el miedo tiene ojos extravagantes"», piensa Ernesto en cuanto regresa a paso lento de la letrina.

Se queda un rato en pie dejando que la lluvia le moje la cabeza embotada y lo despeje, en cuanto observa al otro meter las camisas bajo el techo de palmas y reavivar la fogata.

—El viento está arruinando las *tzantzas* —dice el joven shuar cuando nota las cabezas enredadas entre sí, y las descuelga del techo para guardarlas en un tarro—. Son el pasatiempo favorito de mi padre.

—¿Son de verdad? ¿Digo, de gente?

—¡Claro que no! Son de monos —responde el otro, sorprendido por la pregunta de Ernesto.

Ninguno de los dos duerme el resto de la noche. Se secan alrededor del fuego y hablan hasta que la lluvia cesa y las ranas llenan el aire con un croar fresco y puro. El chico le explica a Ernesto que su comunidad está luchando para proteger la selva, pero cuentan con pocos recursos. Ernesto quiere saber cómo ayudar, y hablan de posibles proyectos.

El grito estridente de un gallo que escogió el techo de palma como torre de llamado matutino anuncia la hora de levantarse. La familia del síndico se congrega en la cabaña comunitaria para el desayuno. A instancia de Ernesto, la conversación toma el rumbo de la práctica de reducir cabezas. Él vio unas anoche, dice el chico, y le han impresionado un poco. No quiere decir que fue una noche poblada de terrores inconfesables.

El abuelo habla en un castellano difícil, salpicado de palabras en shuar traducidas por los nietos:

—Cuando yo era chico, en los años cincuenta, llegué a hacerlo con mi padre. Cuando se capturaba a un enemigo de una tribu vecina, se le cortaba la cabeza, se le extraían los huesos y todo lo demás, y se la hervía por mucho tiempo en una olla de barro. Después la rellenábamos con paja y le cosíamos la boca, para que el espíritu del enemigo muerto no saliera para perseguirnos. Eran trofeos de guerra.

—¿Y todavía lo practican? —pregunta Ernesto esforzándose para darle un tono de mera curiosidad antropológica a las palabras.

—Solo con los gringos —responde uno.

Después de un par de segundos, el grupo celebra el chiste con aullidos de risas, batiendo las palmas en los muslos y tirándose unos sobre otros.

—Cuando llegaron los misionarios italianos catequizaron a los shuar y les dijeron que no era bueno andar cortando cabezas. Con el andar del tiempo la gente adoptó la nueva religión y manera de vivir —explica el hijo del síndico— y se hicieron católicos. Pero mi padre hace algunas reducciones de cabezas de monos para mostrarles a los chiquillos cómo éramos antes. Ya no hay más *tzantzas* auténticas por aquí. Están en los museos de Europa y los Estados Unidos.

IV

Cuando ya está dispuesto a despedirse de sus anfitriones, Ernesto saca algo de dinero del bolsillo y lo pone en la mano del síndico.

—Para los niños —dice—, y gracias por su hospitalidad.

Le gustaría ser parte de esta raza que nunca fue conquistada por nadie. Ya está saliendo cuando se le ocurre preguntar, más por hábito que por otra cosa:

—¿Hay alguna otra Esperanza por aquí?

—¡Nosotros nunca la perdemos! —se apura a responder el síndico.

—Claro, claro, pero me refiero a un pueblo con ese nombre.

—¡Ah! Por aquí, no.

—Hay una comuna que se llama La Esperanza en la provincia de Orellana —informa un sobrino de Daniel, que trabajó por allí—. Si tienes un mapa, te la muestro.

Ernesto saca un mapa de su mochila y lo extiende en el pasto.

—Hum, no figura. Pues mira, es aquí.

El muchacho traza un pequeño círculo.

A Ernesto se le dilata el corazón al ver otra vez la marca de su infancia en un mapa.

—Justo al sur del río Napo y al este de la Vía Auca —prosigue el otro.

«La Vía Auca —recuerda Ernesto—, la famosa e infame Vía Auca».

—Te explico cómo hacer. Te vas primero a San Sebastián del Coca. Allí te buscas un transporte de la petrolera que baje por la Vía Auca y le pides que te deje en el cruce que va a La Esperanza. Allí, tarde o temprano, va a pasar algún vehículo por el camino de grava que sale para el este y termina en esa comunidad.

—Pero recuerda que no se puede entrar por la Vía Auca, a menos que vivas allá o trabajes para La Compañía o seas misionero —advierte el sobrino de Daniel.

—¿Y quién controla eso? ¿Quién da los permisos para transitar esa ruta? —pregunta Ernesto, ya indignado.

—Los militares, que obedecen a La Compañía. Hay varios controles y está lleno de soldados en el cruce con la ruta que viene de Coca. Cuando yo estaba trabajando por allá, arrestaron a una gente de afuera, de un grupo ecologista, que quiso entrar a escondidas.

«Y mi padre habrá andado por esa ruta de punta a punta —se queja Ernesto para sí—. ¡Qué ironía, que no me dejen pasar a mí!».

—Espera, hay otra manera de ir —recuerda de repente el sobrino—. Del Coca bajas por el río Napo hasta Descanso, y ahí te buscas un guía que te lleve por tierra. La Esperanza queda derecho para el sur, y hay un sendero.

—¡Pero por ahí va a tener que cruzar territorio auca! —advierte alguien.

—¿Y quiénes son los auca? —pregunta Ernesto.

—Los huaorani. Del sur del Napo hasta el norte del Curaray es todo huaorani, menos un corredor de unos seis kilómetros a cada lado de la Vía Auca, donde están asentados los colonos y gente que trabaja para La Compañía.

—¿Y qué problema hay que sean huaorani, o auca? —dice el muchacho con repentina curiosidad.

—¡Son gente mala! Viven para matar —agrega el padre. El hombre dice que la piel del pescuezo se le eriza cuando escucha la palabra auca.

—Ya han lanceado a muchos misioneros, sin hablar de los colonos que se meten en su territorio sin permiso y de nuestros propios parientes.

—Pensé que los shuar no tenían frontera con el territorio tribal de los huaorani —observa Ernesto, que encuentra el mosaico étnico de la región algo complicado.

—No. Nunca la tuvieron, pero con la llegada de La Compañía, hace unos veintitantos años, algunas familias shuar se fueron para el norte porque allí había más trabajo, y parece que los huao les hicieron muchas perrerías.

El hombre no se ahorra palabras para describir la incivilidad de los huao, como él los llama, y comienza a desovillar una historia algo terrible.

—¿Y yo no podría ir y pedirles permiso para pasar? —dice Ernesto, con creciente agitación.

No es que Ernesto crea que esa podría ser «su» Esperanza. Pero el nombre aún ejerce una poderosa atracción, sino una excusa, una manera de justificar su deseo de conocer a estos legendarios guerreros. Además, las historias lo han dejado con más de un interrogante. ¿Podrá ser Rosa heredera de esa cultura tan brutal? ¿O es que los shuar exageran por mero prejuicio de vecinos que se detestan?

—Tú puede que seas bien recibido si les llevas regalos, ya que no eres ni shuar ni quichua.

Ernesto agradece, se despide de sus amigos y deja la suntuosa morada verde de los shuar con una firme promesa de volver. Por el momento, su meta es la tierra ancestral de Rosa. Tal vez la sola mención de la chica le corte la mala racha.

16. La frontera

I

Unos chicos se acercan a Rosa.

—¿Estás bien?

—Me de-ja-ron —responde la chica con un hilo de voz—. ¡Se fueron sin mí!

Los ojos desvarían en sus órbitas y tiene otro vahído. Está a punto de desmayarse. En aquel momento, alguien le pone una mano en el hombro.

—¡No te pongás así! Mirá, de plano que apareció la migra y tuvieron que irse a las corridas para que no los agarraran, y te dejaron sin querer —le consuela el chico.

—¡O se los llevaron a todos presos —dice otro—, y ya los deportaron!

El calor de la mano amiga le da un respiro. Se sienta en una piedra.

«Sí, es la única explicación posible —piensa, todavía con el estómago atascado en la garganta—. Mis compañeros de viaje nunca saldrían sin mí, sin una razón. Jamás. Sí, se ve que ha habido algún problema grave. Gravísimo».

Este pensamiento la devuelve al mundo de los vivos y, poco a poco, va emergiendo de su ruinoso estado.

Cuando ya ha juntando los pedazos de su universo hecho añicos y puestos otra vez en su lugar, y la respiración se le ha vuelto algo más serena, les dice a sus nuevos amigos que quiere ir al otro lado, con ellos. ¿Cómo planean hacerlo?

—Pues, esta noche cruzamos el río, nadando —confiesan—. No hay luna esta noche.

Rosa recuerda cómo en su familia se contaba el viaje de su madre a los Estados Unidos, seis años atrás, justo al día siguiente de su primera comunión. Decían que entró por Tijuana, que el coyote había escondido a los veintidós pasajeros en su van, que le había sacado los asientos del medio y de atrás, y que los mandó acostarse unos encima de los otros, en dos camadas humanas, y luego los cubrió con tablones de madera. La mamá dice que fue incómodo pero seguro, sin ningún incidente desagradable.

Cuando se concertó el viaje de Rosa, el tío le preguntó a don Zabala si él usaría la misma ruta:

—*Las cosas cambiaron, Numpa* —dijo el coyote aquel día—. *El año pasado nomás, con la operación «gueiquiper» la vigilancia en la frontera se hizo mucho más estricta. Ahora, además de un largo muro de cemento en varios puntos, tienen aparatos que sienten el calor humano, las pisadas humanas... hasta los suspiros ¡le juro! Y por añadidura, los patrulleros usan esas luces que permiten ver pero no ser vistos.*

—*¡Cosas del diablo!* —farfulló la abuela.

—*No, es la ciencia, doña Umi. La ciencia que inventan los gringos para jodernos. Por eso los coyoteros creativos como yo tuvimos que adaptarnos a la nueva realidad y buscar rutas alternativas. Así que ya hace un año que abandonamos el paso de Tijuana y perfeccionamos el de Nuevo Laredo. Usted no tiene por qué preocuparse por la niña. Va a pasar del otro lado en nuestros vehículos por un puente que une México con los Estados Unidos. Y allí la pondremos en un bus particular.*

A las diez de la noche, Rosa ya está dispuesta a cruzar el río a nado. Los chicos eligieron un sitio donde creen que no hay muchos remolinos y la correntada es más mansa. Bien saben que muchos inmigrantes han sido tragados por la fuerza infame de estos embudos de agua.

Todos colocan su ropa en una bolsa de plástico y se quedan en calzoncillos. Luego cierran la bolsa con un fuerte nudo y la amarran a la espalda, a modo de mochila. El río está oscuro y envuelto en neblina, y es imposible calcular la distancia que tendrán que cruzar a nado, pero si la bolsa está bien cerrada, nada se va a mojar.

Cuando están listos, miran a Rosa con sorna.

—Oye, todos saben que tú eres chamaca. No eres la primera que se disfraza, pero tú no aprendiste a caminar como hombre. Ándale, sácate la ropa. Si no, no vas a poder nadar y vas a llegar de veras como una mojada.

Rosa duda unos segundos, antes de responder:

—Vayan ustedes nomás.

II

«¡Hazme invisible! Por una vez, una vecita nomás en la vida», pide Rosa a un mago imaginario, solo para que el biógrafo celestial de su vida no diga que nunca lo pidió. Que le ayude a cruzar en alas de la invisibilidad, suplica, y materializarse en carne y hueso del otro lado. Como hace el viento, o las ondas de radio que cruzan fronteras sin que nadie las vea andar por el cielo, pero que tan bien se escuchan sus voces al llegar a las casas de la gente.

Extraviada en el territorio bárbaro y librada a su propia suerte y terror, la muchacha camina a la deriva, entre montículos pútridos y gente extraña. El campamento es un lugar saturado de peligro, más aún para una mujer joven, y doblemente abominable a la noche. Patotas armadas, drogadictos, narcotraficantes de poco estatus, perros pedigüeños, prostitutas, prostitutos y contrabandistas —sin hablar de la masa de desarraigados y desventurados que tratan de cruzar, como ella— usan el lugar como alojamiento y centro de operaciones.

Pasa cerca de un grupo de gente sentada alrededor de una fogata, y un hombre se le acerca y le ofrece algo; drogas, imagina. Finge no comprender y aprieta el paso. Un par de adolescentes duerme en el suelo seco, cubiertos con cartones para abrigarse. Otros buscaron la dudosa protección de la carcasa de un coche calcinado, mera semblanza de un refugio.

Vuelve a la orilla donde cree que es más seguro, porque el ruido del agua y el croar de las ranas le resultan sonidos más familiares.

La ribera del río huele a excrementos. Se topa con unos puercos que están olfateando unos restos de comida y detritos, y da un respingo.

A pocos metros de allí, un pequeño corrillo de hombres y mujeres se congrega alrededor de un farol, junto a las mariposas nocturnas. Uno de ellos está preparando una balsa, similar a la que usó ella para cruzar de Guatemala a México: dos neumáticos de tractor amarrados, con tablas encima. Se acerca a una mujer y le pregunta si puede unirse al grupo.

—Pregúntale al «pasador», *m'hijo.*

Rosa le ruega que pregunte por ella. La mujer le examina la cara con su linterna y la mira con una sonrisa entre burlona y piadosa.

—Va, pues. Eh, Cirilo, aquí quieren saber si tiene lugar para alguien más. Dice si le hace buen precio, porque es bastante flaquito el cliente.

En la semioscuridad, Rosa percibe que la mujer le guiña un ojo.

—Trescientos dólares para cruzarte al otro lado son mis honorarios, para gordos o flacos. Si quieres el servicio completo, hasta Los Ángeles, es mil dólares.

Rosa solo tiene un poco menos de quinientos —la suma inicial que le envió su madre— algunos pesos mexicanos y unos pocos sucres ecuatorianos.

La mujer le susurra algo al oído. Rosa se aparta del grupo, saca trescientos dólares que lleva escondidos en la ropa y vuelve para entregárselos al pasador.

—Aquí tiene trescientos de adelanto. Mi mamá ya me dijo que ella va a pagarle el resto a quien sea que me lleve a Los Ángeles cuando vaya a buscarme allá.

—Dile a tu mamá que si no aparece con el dinero, no nos hacemos responsables por lo que pueda pasarte. ¿Entiendes bien lo que quiero decir? Si no te conviene este arreglo, te dejo del otro lado y tú buscas la manera de seguir. ¿Estamos de acuerdo?

Rosa asiente con la cabeza.

—Bueno, súbele, porque ya salimos.

El grupo, de unas diez personas, se sienta en las tablas flotantes y hacen la señal de la cruz. Rosa se encomienda a la Virgen de Guadalupe, ya que está en su territorio, según aprendió al entrar a México.

El pasador clava una larga caña en la barranca lamosa del río y se da impulso para alejarse. Luego la entierra en el fondo, debe de haber dos metros de profundidad por aquí, y así empuja, paso a paso, ora de un lado, ora del otro, tratando de evitar los remolinos. Más tarde abandona la caña, empuña los remos y los clava en el agua revuelta.

El cruce demora unos veinte minutos y la anhelada costa ya está casi al alcance de la mano. Su socio debe ya estar esperando por ellos del lado americano, dice, y de plano que hasta los está viendo llegar.

Una llamarada de luces inclementes ilumina el río. El coyote blasfema. El ruido de un helicóptero suena como una ametralladora y la voz en español de un *speaker* desde lo alto se hace clara: «Están entrando en territorio americano. ¡Vuelvan! Repetimos. Está prohibido entrar en territorio americano. Repetimos, ¡vuelvan!».

Los reflectores forman un círculo alrededor de los viajeros, que agachan la cabeza y se cubren la cara con las manos.

«Repetimos, ¡vuelvan! ¡Vuelvan a su país!», insiste la voz del dios de acero desde la altura.

La balsa maniobra para regresar con sus ocupantes, pero tres de ellos saltan al agua cuando creen que se hallan fuera del círculo luminoso. Rosa se quita la gorra, la guarda bajo su camisa y los sigue. Su país está muy lejos para volver, dice para sí.

En ese lugar el agua, aunque fría y oleosa, no es profunda. Se sumerge y piensa en la anaconda que vio una noche de luna en el río de la chacra. Nada bajo el agua sin hacer ruido, guiada solo por un inusitado sentido de la orientación. Para ella, es el sagradísimo espíritu huaorani de la serpiente quien la está ayudando. Y como un reptil, se desliza hasta la margen prohibida. Ve un sapo saltando en la semioscuridad. Luego ve a los otros tres surgiendo del agua.

La luz del helicóptero se aleja hacia la orilla opuesta del río, asegurándose del retorno de la balsa y sus ocupantes.

Rosa casi no siente el cuerpo, entumecido por el frío, pero comprueba al tacto que está baboso como un pescado. Se reúne con los otros escapados y se alegra al reconocer a la mujer que le hizo el contacto con el coyote. Se llama Delia.

Los cuatro se arrastran entre árboles espinosos y se ocultan entre las matas, y arrimados unos a otros, tratan de darse calor. Es entonces cuando Rosa se da cuenta de que dejó su mochila en la balsa. No la apena mucho. El dinero está en su bolsita de plástico, debajo de la banda elástica que le aprieta el pecho. Lamenta, eso sí, la pérdida de *El selvinauta,* la estampa de Mashimón y las tarjetas con sus notas de viaje.

Mojados y temblorosos, el tiempo avanza lento para los clandestinos y ni siquiera hay luna que marque su paso por el cielo. Y el segundo coyote, que debería estar por allí esperándolos, nunca aparece.

—¡Qué habilidad tienen estos ladrones para hacerse humo cuando las papas queman! —susurra Hugo, el compañero de Delia.

—¿Alguien sabe la hora?

—No traje mi reloj, para no mojarlo.

—Ni yo.

Rosa observa el cielo, que tantas veces le indicó la hora en el patio de su casa cuando se quedaba leyendo a la lumbre de una antorcha. Pero este es un cielo encapotado. Además, como ya comprobó la noche anterior, las estrellas dislocadas de estas latitudes ya no significan nada para una observadora huaorani. Ni en la rotación de los astros puede confiar.

Con el primer rayo del día y perdidas las esperanzas de encontrar al prometido coyote, los cuatro mojados se echan a andar por un sendero que, según calcula Hugo que ya ha cruzado antes, debe llevarlos a la carretera. El alto pastizal amarillo se les enreda entre las piernas. Cerca de una casa sin valla, un perro comienza a ladrar con furia. Los transgresores quedan paralizados, sin saber por dónde escapar de la nueva amenaza. En un par de minutos, un coche de la patrulla aparece por una calle adyacente y los detiene.

El mundo se derrumba otra vez.

—Documento —pide un patrullero cuando ya están los cuatro sentados, cabizbajos, en la oficina de inmigración.

Delia y los dos hombres muestran sus cédulas mexicanas. Rosa dice que no tiene documentos, pero que se llama Eugenio Moreno y es de Tapachula, el único pueblo mexicano que le viene a la memoria en el momento. Después de tomar notas de sus nombres, los falsos y los verdaderos, los suben al coche de la patrulla y en menos de quince minutos ya han cruzado el puente para el lado mexicano. El oficial los deposita en una esquina y se va sin un adiós. Hugo, veterano ya después de años de cruzar en tiempo de cosechas, conoce el camino hacia el campamento. Y allá se dirigen, con la ropa y los ojos aún húmedos, todavía sintiendo el intenso frío del alba.

—Bueno, *m'hijo,* podemos decir que visitamos los Estados, aunque la visita no haya durado más que unas horas —dice Delia a Rosa—. Pero tú no eres de México, se nota de lejos. Solo que la migra hizo la vista gorda contigo.

—Sí, tenía buena honda —concuerda Hugo.

—Hiciste bien en mentir —continúa Delia— porque a los que no son mexicanos los meten presos y después de unos días los deportan.

—Así es la suerte desgraciada de los ilegales —dice Hugo—; vivimos en un mundo de mentiras, una mentira tras otra. ¿No es así, chamaco?, para poder sobrevivir en este mundo perro.

Rosa se pregunta si Dios la va a juzgar duro por haber faltado a un mandamiento tan importante. El rostro de su madre, o más bien el imperfecto y difuso recuerdo de su rostro, le dice que confíe en su benevolencia.

III

Alicaídos, y con la piel de gallina aún temblando bajo la ropa, los mojados retornados buscan al pollero para que les devuelva el dinero, o trate de cruzarlos otra vez; pero el hombre se ha esfumado. En las aguas marrones y aceitosas del río Grande ya no se ve a nadie, ni nadando ni remando. Solo los remolinos pasan sin cesar. En la costa sí hay algunos madrugadores que, con una jarra de plástico, adaptada de algún botellón rescatado de la basura, recogen el agua jabonosa de la orilla y se lavan el pelo.

Delia y Hugo dicen que esa noche van a intentarlo de nuevo, a nado. Rosa no está tan segura después del escarmiento de esa mañana. ¿Cuánto tiempo, se pregunta, va a poder mantener el descarado invento de su nacionalidad y de su nombre sin pestañear? Y si descubren que es ecuatoriana, está perdida. En vez de depositarla de nuevo en México, la meterán presa para siempre.

Les dice que lo va a pensar.

Revisa la bolsa que lleva escondida y le reconforta ver que el dinero está seco. Dentro de la bolsita tiene también un mapa, ya ajado de las tantas veces que sus ojos y sus manos lo recorrieron a medida que avanzaba hacia el Norte. La frontera de los dos países es enorme, abrumadora, comprueba Rosa con desaliento, va de mar a mar, curvándose según las vueltas del río para luego subir y seguir al este en línea recta. ¿Dónde habrá una abertura en esta inmensa cerca por donde ella pueda escurrirse? Por aquí, con ese violento río y la migra detestable que lo ilumina, razona, ya no es una opción. Por California, según ya explicó don Zabala, hay un muro inexpugnable. ¿Habrá otra salida?

La chica recuerda los capibaras u otro animal de caza que a veces su tío y sus primos atrapaban vivos y los dejaban engordar en un corral por un tiempo, hasta llegado el momento de carnearlos. ¡Cómo corrían desesperados de una punta a la otra del alambrado infranqueable buscando un agujero por donde huir! O a aquel pájaro que entró un día por error en la cabaña, cuando todos habían salido, y quedó por horas revoloteando enloquecido entre los intersticios de las paredes de caña tratando de salir. Cuando llegaron, estaba casi muerto, de sed o de susto.

Ve cómo las puertas se le están cerrando y se esconde para llorar. Tampoco eso puede hacer en público, porque los muchachos no lloran. Se limpia las lágrimas, separa unas monedas y vuelve al campamento en busca de algún vendedor ambulante. Tal vez ese dolor punzante que le muerde el estómago se deba a que no ha comido por las últimas quince horas.

Sentada en un tronco, la muchacha mastica con gusto las tortillas calientes. Un chucho maltrecho y sarnoso que andaba camuflado entre un montón de latas vacías y detritos se le acerca de a poquito, con esa humildad extrema que los perros callejeros aprenden a fuerza de palos y patadas, y se relame. Rosa le da una tortilla y se aleja, esta vez, sí, llorando, por los dos.

Por el cambio en el color del cielo, calcula que deben de ser las ocho de la mañana. Se acerca a un círculo de chicos andrajosos que se han congregado alrededor de una fogata, y allí encuentra a los que cruzaron nadando la noche anterior. También ellos están de vuelta.

—¿Los agarró la migra? —les pregunta.

—Sí, la mera pinche migra.

—A mí también.

—¡Si solo consiguiera unos dólares para cruzar con un coyote! —dice un chico—. Hay uno que hace un precio especial para los menores, pero hay que irse hasta Nogales. Lejos.

—¿Y cómo cruza ese que tú dices? ¿En balsa? —Rosa quiere saber.

—No. Te lleva por el túnel de las aguas servidas, como le dicen.

—¿Y qué es eso?

—La cloaca, chica. Mera mierda. Pero parece que donde él pasa está sequito. Tienes que andar de cuatro. Solo que hay muchas ratas. Y si te muerden, dicen que te da un cáncer maligno. Por eso hay que ponerse muchas camisas, una encima de la otra.

La palabra cáncer le eriza la piel a Rosa y lo descarta de inmediato.

—¡Pero tiene que haber otra manera! Yo escuché de unos coyotes que cruzan caminando nomás, en un lugar donde no hay ni río, ni cerca de metal, ni túnel. Nada.

—Ah, sí, los alambristas, esos cruzan por el desierto. Por allá no anda mucho la migra.

—¿Y dónde es ese cruce?

—En la casa del diablo.

—¿Qué?

—Lejos. Y esos te cobran más caro. Y es lejísimo.

—¿Cuánto?

—Muchas horas de camión.

—No. Cuánto cobran, pregunto.

—Ah, escuché que piden cuatrocientos de los verdes. Pero tienes que ser bien fuerte para caminar, porque si te quedas atrás, el pollero te abandona en el desierto. ¡Y entonces sí que te mueres! Primero te pica una víbora o un escorpión. Después el calor te derrite los sesos, después se te seca la carne y entonces terminas como una momia, de boca abierta mirando el sol.

Rosa no se deja impresionar. Le atrae saber que por allá no hay vigilancia y no necesita ocultar su nacionalidad o practicar un acento extraño. Y la imagen de un simple alambre que divide la frontera la seduce y le resta importancia a los peligros.

¡Qué saben estos chicos de largas caminatas! Seguro que ellos son de la ciudad, que nunca anduvieron por el monte cargando yuca o leña o un coatí en las espaldas, que nunca vieron una serpiente y no saben cómo espantarla, que se asustan de cualquier bicho, discurre Rosa, decidida a investigar a fondo esa posibilidad.

Sobre una fogata, algo en una olla tiznada hierve a borbotones. La muchacha se asoma para ver qué están cocinando. Parecen trapos, y el olor sube en una ola nauseabunda. Los chicos le dicen que es carne que les regaló un carnicero. ¿Querría ella probar un poco? Rosa se disculpa con cortesía. Solo los perros comen tripas en su familia, y el vaho casi sólido que suelta le revuelve el estómago. Además, está muy interesada en saber más acerca de esos alambristas.

—¿Y dónde queda ese lugar donde hay solo un alambrado?

—Si me das una galleta de esas que tenías ayer, te lo digo.

—No tengo más galletas, pero quédate con estas tortillas —dice Rosa, dándole la bolsa donde se había guardado las sobras de su desayuno.

—Bueno pues. Tienes que llegar hasta el pueblo de Sonoyta, y de allí encontrar otro sitio llamado El Papalote.

Rosa toma nota mental de los nombres.

—¿Y tú tienes toda esa lana?

—No. No la tengo.

En efecto, después de su frustrado viaje, ahora solo le quedaron ciento noventa dólares y algún dinero mexicano y ecuatoriano. Podría pedirle a su mamá que le mande los otros doscientos que le faltan, piensa. Pero luego recuerda que su documento de identidad se fue en cenizas. ¿Cómo va a presentarse en el Western Union para cobrarlos sin un papel que la identifique? La acosa un sentimiento de culpa, de idiotez, por no haber previsto este obstáculo.

A lo mejor tiene suerte y encuentra a alguien que le preste un documento, a cambio de alguna comisión, se le ocurre. Quizá tenga esa suerte.

Aferrada a este resquicio de fe, Rosa se despide de los chicos. Se cala hasta los ojos la gorra de béisbol, practica un andar desgarbado de muchacho adolescente, despliega su consigna interna de «yo puedo», y entra en acción.

No tarda en encontrar un transporte que va a Ciudad Juárez, y allá, le dicen, tiene que tomar otro hasta Sonoyta. La chica compra el pasaje y se encomienda a Dios.

Al caer la tarde, un autobús pintado de azul brillante vuelve al campamento y se estaciona a la entrada. Después de una hora de búsqueda frustrada, uno de los chicos harapientos le dice al chofer que la indita ecuatoriana vestida de hombre se fue a buscar a los alambristas.

IV

—¿Quién se iba a bajar en El Papalote? —pregunta la voz estridente del conductor.

Un pasajero sacude el hombro de Rosa y el sobresalto la despierta.

—Tú te bajas aquí, ¿no?

—Ah, sí. Gracias.

Rosa se sorprende de ver el sol otra vez en su cenit. Esto significa que su travesía le llevó un día. El tiempo se le ha tornado borroso, ora estirándose aletargado, ora desapareciendo. Pero ni bien abordó el segundo autobús en Ciudad Juárez, cayó en un sueño profundo; y en esa zona sombría de las pesadillas tenaces y repetitivas, ella ya había llegado al final del trayecto y ya había cruzado el desierto muchas veces. Sus sueños eran los mismos, uno tras otro. Cruza la frontera, ve a su mamá con los brazos abiertos, esperándola, y cuando quiere correr hacia ella, se le quedan las piernas clavadas en el suelo como si hubiera echado raíces, como una estatua de piedra bajo el sol. Entonces viene un hombre sin rostro, la alza, la mete en un vehículo y la devuelve al lado mexicano. El sueño se repetía con algunas variaciones, pero con la demoníaca insistencia de las pesadillas recurrentes.

El sol del desierto de Altar al mediodía hornea la planicie y la luz despiadada de esa hora sin sombras la encandila al apearse del vehículo. Rosa endereza su gorra de béisbol y escanea el lugar.

Esperaba ver un pueblo, pero este sitio no es más que una parada de camiones que transitan la ruta 2, al norte de México, con un puesto de gasolina y unas poquísimas casas de ladrillos del color de la tierra que emergen aquí y allá sobre un suelo pálido y seco.

El aire flota estático en el sopor de la siesta. Solo las chicharras, cantando su nota inalterable en el único árbol del lugar, están despiertas. La gente, si la hay, parece haberse recluido detrás de puertas y ventanas de madera sólida cerradas a cal y canto. Rosa se da cuenta de inmediato de que allí no puede haber un Wester Union. Ni siquiera un teléfono público. Pero hay una tiendita, cuya existencia se debe a la inexistencia de una seria barrera entre los dos países, y donde los emigrantes se abastecen de agua y comida antes de cruzar al otro lado. Y para alegría de Rosa, está abierta.

Le pregunta a la dueña de la tienda si no sabe de algún grupo que vaya a cruzar ese día y la mujer señala hacia un hombre que está sentado en el banco de afuera, fumando.

—Pregúntale al pollero. Está ahí, esperando clientes.

Rosa se le acerca y le pregunta cuánto cobra por llevarla del otro lado. Es un hombre de unos treinta y cinco o treinta y ocho años, calcula, de ojos achinados y cara aindiada, pero no como la de ella, acorazonada, bonita y de nariz discreta, piensa la chica, sino angulosa, con nariz de cuervo y la frente aplastada hacia atrás.

—Trescientos sesenta dólares.

Rosa vuelve a la tienda. Mira la mercadería fingiendo interés, pero realmente está pensando cómo proceder. Vuelve al pollero y le dice:

—Tengo ciento setenta. Pero puedo cocinar para el grupo.

El hombre la mira de arriba abajo, antes de responder:

—En el desierto no se cocina.

Rosa va a sentarse bajo el árbol de las chicharras, luchando contra las lágrimas y esperando un milagro.

Al cabo de una hora, el grupo ya está listo para partir. El tipo llama a Rosa:

—Si quieres que te lleve por ese precio, puedes hacer el trabajo de barrer las huellas.

—Trato hecho —afirma la chica, sin saber en qué consiste el trabajo.

Vuelve a la tienda y, con disimulo, extrae la bolsita de plástico que guarda en el pecho. Los pesos le alcanzan para una pequeña mochila, alguna comida envasada, un galón de agua y una cobija barata. El Camino del Diablo, le dijo la vendedora, es un horno en el verano, pero ahora en octubre puede ser muy frío a la noche. Otra vez lamenta la pérdida de las tarjetas y sacrifica los últimos pesos que le quedan para comprar una libreta y un lápiz.

Afuera, el grupo ya está algo impaciente. Rosa le entrega los dólares al pollero y este le explica sus responsabilidades. En los lugares donde el terreno es arenoso o de tierra suelta, le dice, tendrá que ir en la retaguardia, con una rama de creosote a modo de escoba. Deberá barrer de derecha a izquierda y de izquierda a derecha, pero leve, como soplando, para ir borrando las marcas de las pisadas, y así eludir a los patrulleros que pretendan seguirles el rastro. Esto significa que Rosa deberá ir al ritmo del grupo, pero marchando hacia atrás, o de costado, como un cangrejo. La chica entiende, practica y lo acepta. Para el coyote, Rosa le cayó del cielo. Los adultos no se adaptan a esta manera tan antinatural de caminar y le iba a tocar a él hacer el trabajo, de no haber sido por este chamaco.

—Son ochenta millas que tenemos que andar hasta llegar a la interestatal ocho, en los Estados Unidos. Espero que aguantes.

Rosa no sabe cuánto es una milla en kilómetros, ni quiere preguntarlo.

17. Bienvenidos a territorio huaorani

I

Ya se lo habían avisado los shuar: Coca es el epicentro de la producción petrolera y allá todos llevan el crudo en las botas. Por eso, no le sorprendió a Ernesto encontrarse con una heterogénea mezcla de colonos, indígenas, obreros y ejecutivos transitando calles cubiertas de barro negro y oleoso. Lo que sí le llamó la atención fue la fuerte presencia de soldados, algunos con uniforme del ejército de los Estados Unidos.

—¿Qué diablos hacen allí? —es la primera pregunta que el chico le hace al mesero de la cantina donde está almorzando.

—Pues, aquí muchas empresas americanas tienen concesiones —le responde el hombre—. Se ve que los gringos no confían en nuestras propias fuerzas armadas para proteger a sus ejecutivos.

En la mesa vecina, varios jóvenes comentan con entusiasmo la actuación del equipo de fútbol local contra sus adversarios. A fin de encauzar la conversación hacia lo que a él le interesa, Ernesto calibra bien el volumen de su voz cuando le pregunta al mesero sobre la explotación petrolera del bloque 16, en pleno territorio huaorani.

—¿Qué opinan aquí en Coca? —dice, mirando de soslayo al grupo de la mesa adyacente.

—Digan lo que quieran —responde el dueño del lugar que está sirviendo otra mesa—, no se puede parar el desarrollo. Nuestro país necesita exportar. ¡Tenemos que crecer!

Las palabras no caen en el vacío.

—¿Exportar? ¿Para qué? —le responde alguien de la otra mesa—. Cuanto más petróleo vendemos, más dólares debemos al extranjero. ¿Sabías? ¡Nos encajan sus préstamos sin que nadie se los pida, para que les compremos toda esa parafernalia de tecnología!

—Pero los huaorani le firmaron un contrato y aceptaron —dice el mesero, mientras le sirve a Ernesto un plato de yuca frita.

—¡Fue un dirigente comprado!, porque la mayoría se opone. ¿No te acuerdas, el año pasado, en abril? —dice el otro—. Unos cien huaorani de la oposición se fueron al puente y con las lanzas les reventaron las cubiertas de unos ciento cuarenta vehículos y camiones de la Tanac —agrega, dirigiéndose a Ernesto, por si él no lo sabía.

—La tierra será de ellos, pero lo que hay abajo pertenece a todos los ecuatorianos —interviene otro—; ¡es de todos nosotros!

—Cierto. ¡Y para sacar lo de abajo, contaminan lo de arriba! ¿Tú sabes que las rondas petroleras ocupan un tercio de la Amazonía ecuatoriana? ¿Y sabes cuánto tiempo les va a durar la gasolina suministrada por ese petróleo del bloque 16 a los Estados Unidos? ¡Trece días! Y si no me crees, lee los informes de la RAN. Tienen la oficina aquí a la vuelta.

El dato produjo algo de desconcierto alrededor de la mesa y, por un tiempo, todos cierran la boca, sin saber cómo refutar o digerir esta información.

Quebrando el silencio, Ernesto dice que al día siguiente se va a La Esperanza y tendrá que cruzar por territorio huaorani. ¿Qué opinan ellos? ¿Será bienvenido?

—¿Bienvenido a territorio auca? Sí, siempre que les lleves algunos regalos. Además, te van a ver la cara de *pelao*.

—¿De qué?

—De jovencito. No eres una amenaza para ellos.

El chico calcula el dinero que puede gastar. Sus recursos ya están bastante magros, les dice, y todavía tiene que buscarse un hotel barato. El dueño del negocio le ofrece pasar la noche en un cuarto construido a medias encima de la cantina, por el equivalente a tres dólares, y Ernesto acepta.

El cuartito está aún con los ladrillos al desnudo, pero ya tiene el piso cimentado, y allí Ernesto extiende su saco de dormir. Con un cerillo enciende la espiral antimosquitos que le dieron antes de subir y se cubre el cuerpo de repelente. Leyó que Coca es zona de malaria.

Son las dos de la mañana cuando una decena de perros aulladores lo despiertan. Se han dado cita para pelear justo bajo la ventana, que es apenas una abertura cubierta por una sábana. Por una hora el chico se revuelve en el piso con deseos macabros. Por fin se levanta, baja al baño, llena una palangana con agua y se la arroja a los perros. Esto pone fin al encuentro.

II

El chico desayuna rápido y sale a buscar una tienda. Al final de unas cuadras repletas de bares, restaurantes y prostíbulos hay una que tiene lo que necesita. Allí compra unos regalos: cacerolas de aluminio y fósforos; y para él, pilas para la linterna, un par de botas de goma y una red para mosquitos. Todo a costa de regateo y el consiguiente remordimiento de conciencia.

El sol ya está alto cuando se encamina al puerto de Francisco de Orellana con la carga de regalos balanceando sobre la mochila, y allí se mete en la primera lancha que baja por el río Napo. Desde hace mucho tiempo este puerto fluvial ha sido el lugar de partida de cuanto expedicionario y misionero se atreviera a internarse en la *terra incognita*.

Al término de unas horas, la lancha atraca en un pueblo costero llamado Descanso y varios guías se acercan a los pasajeros. El chico pregunta si alguien puede llevarlo a La Esperanza.

—Déjame que te busque a un guía bilingüe —dice alguien— porque vas a tener que pasar por una comunidad huaorani.

Cuando llega el hombre indicado, negocia un precio con Ernesto, y este le ofrece pagar la mitad en el momento y la otra mitad a la vuelta, como le aconsejaron en la cantina. El otro acepta y trae a un ayudante. Los tres cruzan el río y luego de desembarcar en la costa opuesta, al sur, el ayudante retorna.

No lejos del atracadero comienza el estrecho sendero que se interna mata adentro, hacia el misterioso territorio de los huao.

Como en la selva de los shuar, las lianas y los musgos cuelgan de las ramas en una maraña de vegetación prehistórica que aquí y allá regala con una bromelia gigante, y el silencio es cortado a intervalos por el sonido de un ave o de un mono saimirí. Pero a diferencia de la otra en Buena Esperanza, a mil pies de altitud, esta selva es calurosa y húmeda, plagada de insectos voraces que laceran la piel y hasta abren llagas donde depositan sus larvas microscópicas. Ernesto camina alerta a cualquier serpiente que pueda cruzarse en su camino o a la estela espesa de mosquitos acechando en cualquier curva del sendero.

Sorteando raíces y esquivando plantas ponzoñosas, los dos siguen por menos de dos kilómetros hasta que la vereda, enmarcada en murallas verdes, termina en otro arroyo de barrancas profundas y sin puente a la vista. El aire pesado de humedad se condensa en la piel de Ernesto y la transpiración ya le ha mojado la camisa y le chorrea por el pecho como una pequeña cascada.

Allí cruzan en *talabita,* una especie de canasta cuadrada que cuelga de un cable de acero que atraviesa el río.

—Tracción a sangre, amigo —explica el guía.

A cuatro manos, los dos tiran del cable para hacerlo correr por las poleas; y así, sin otro motor que el de la fibra humana, ya están atravesando en la pequeña jaula sin techo.

El sendero continúa al otro lado.

Los gigantescos árboles cubiertos de trepaderas que forman el techo de la selva son suficientes para esconder el sol, pero no la lluvia; y como en todas las tardes, esta se desata de súbito. El cielo parece descargar toda el agua del universo y hacer estallar la tierra con un torrente colosal. La temperatura se desploma en cuestión de minutos. Dentro de un tronco ahuecado donde se han amparado, Ernesto tiembla. El guía lo mira sonriendo, también castañeteándole los dientes. Un segundo después, este cambia la sonrisa por una mueca desagradable. Una tarántula peluda de siete u ocho centímetros, marrón y anaranjada, le está subiendo por la bota derecha. Se saca la camiseta, la atrapa y la echa afuera. Pero no la mata.

Pasado el chubasco, las ranas comienzan un coro estridente, los pájaros reanudan sus cantos y los hombres, la marcha. Llegan a otro riacho atravesado por un largo tronco que hace de puente y presenta un desafío más formidable. Abajo, un torrente corre rápido y ruidoso y levanta una corona de espuma blanca. El guía carga la mochila de Ernesto y el chico cruza sin mirar el agua.

La vereda continúa otro kilómetro y termina en una tranquera donde se ve un aviso pintado en una tabla que atraviesa el portón, inequívoca advertencia para cualquiera que lea el castellano y que no haya sido invitado: «Territorio huaorani. Prohibido pasar».

El guía llama a la puerta de la tranquera hasta que aparece un indígena.

—Este muchacho viene de muy de lejos para traerles unos regalos y visitarlos por un día. Y mañana quiere ir a La Esperanza —le dice.

A pesar de hablar un español lento y deliberado, el hombre tiene que repetir la instrucción en huaorani. El nivel lingüístico varía mucho de persona a persona en esta comunidad, le explica el guía a Ernesto, y este no es uno de los más versados en el castellano. Los jóvenes sí lo son, porque en tiempos recientes ha habido más escuelas.

El indígena mira los regalos, los acepta y abre la tranquera.

—*Cowode* quedando dos días —dice el huaorani, en medio español.

—Bueno, yo te dejo aquí nomás —dice el guía.

—¿Cómo? ¿Me va a dejar aquí? —Ernesto lo mira estupefacto—. El trato era que me llevarías tú a La Esperanza.

—Yo no soy bien recibido aquí —le susurra el guía—. Cuestiones de familia, yo estoy medio emparentado... Pero tú estarás bien. Te van a llevar al pueblo que buscas y te van a tratar bien para que vuelvas con más regalos. ¿Entiendes? Yo te vengo a buscar pasado mañana a esta misma hora en este portón. ¿Está bien?

—¿Y qué garantía tengo de que vendrás a buscarme? ¡Esto no estaba en los planes!

—Amigo, me debes la mitad de lo que convenimos, ¿no? ¡Es mi negocio! Si no soy yo, será mi ayudante.

Ernesto se enfrenta con uno de esos momentos de duda perversa. Se pregunta si todo no es más que un chiste de mal gusto. El que está frente a él, del otro lado del portón, es bajo y fornido, de espalda maciza. Tiene la piel más clara que los shuar y viste solo un taparrabos. La lanza que lleva en una mano y el collar de colmillos de animal que le adorna el pecho desnudo no parecen una postura. Todo es muy real. Su alternativa es volverse como una gallina o mostrar su temple.

—Muchacho, te veo indeciso —dice el guía—. No tienes por qué preocuparte. Siempre traigo gente aquí, turistas, compradores, antropólogos... Tienen este aspecto diferente, pero son verdaderos comerciantes. Mira, sino, esos enormes troncos que están en el río. Se los venden a los intermediarios que yo les traigo y van a Colombia. No son salvajes, como cree la gente, son leñadores, no temas.

Todo esto es dicho en voz baja, con frases rápidas y sin pausa. El huaorani los observa con ojos astutos, pero es obvio que no comprende.

—Solo te aconsejo que mantengas las botas cerca cuando te vayas a dormir —continúa el guía—. Y antes de calzarlas, siempre asegúrate de que no haya un alacrán adentro.

—¿Alacrán?

—Sí, escorpión.

En otras circunstancias, esto sonaría a broma siniestra, pero lo cierto es que Ernesto está en terreno desconocido, y todo puede ser cierto. Piensa en los roces con la muerte que ya ha tenido en este viaje y recuerda también el haberse prometido seguir el designio de su destino sin vacilaciones. Él tiene fibra para hacerlo. Acepta el desafío y entra al universo de los huaorani como un héroe griego que desciende al mundo de Hades.

III

El chico es recibido con la debida ceremonia. Primero le presentan a los perros de cacería (costumbre que los huaorani aprendieron de los shuar, le aclararon en Buena Esperanza), quienes lo olfatean y registran su identidad. La comunidad se reúne entonces en el área central, limpia de árboles y maleza, y rodeada de cabañas en forma de A, es decir, con los techos que llegan hasta el suelo. Luego aparece comida: yuca y carne de macaco recién cazado, según le informan.

Algunas mujeres llevan ropa de pueblerinas; otras, solo se cubren de la cintura para abajo. Ernesto trata de no observar los pechos desnudos con insistencia y se esfuerza en concentrar la mirada en unos monos que se columpian en un árbol cercano, amarrados al tronco con una cuerda.

Después de la comida, los jóvenes demuestran a Ernesto el uso de la cerbatana, el arma de caza por excelencia. El algodón que ponen en la punta de un fino dardo en la caña, explican los que se expresan mejor en español, es del fruto de un árbol y está embebido en curare, una mezcla de hierbas que paraliza a la víctima.

Ernesto prueba su puntería. Si sopla leve, el dardo cae a sus pies. Si sopla muy fuerte, se desvía del blanco. «Como yo», piensa Ernesto, con un poco de malestar. A veces muy quedado, a veces muy loco.

Las moradas consisten en un solo cuarto largo y espacioso. En el medio de la habitación hay dos piras donde, según le dicen, el fuego está siempre encendido, y el humo ayuda a curar la carne de mono colgada y a impermeabilizar el techo.

—¿Y quién es el jefe de la comunidad? —pregunta Ernesto al más joven, que habla en perfecto español.

—¿Jefe? Depende, depende de la circunstancia. Mira, aquí no hay jefe como lo hay entre los blancos. Cada uno hace más o menos lo que quiere. A menos que haya una amenaza de afuera, entonces sí, se hace una asamblea y los mayores deciden.

La idea de una comunidad sin jefe o con una jerarquía nebulosa le parece inédita. Alguien que escuchó la conversación se le acerca y le aclara:

—El jefe del huaorani es el jaguar. Él es nuestro padre invisible.

Los flecos verdes luminosos que arroja el ramaje pronto se disuelven y, como la lluvia, también el anochecer llega sin previo aviso.

Las mujeres encienden las antorchas alimentadas de sabia que están fijadas a los árboles en torno al área central y el lugar adquiere un aspecto atractivamente fantasmagórico. Los rostros y los torsos desnudos se vuelven más rojizos y las sombras, más temblorosas.

Ernesto está jugando a la pelota con unos chiquillos cuando los adultos los llaman para adentro.

Una casa más pequeña, que según le informan está reservada para los huéspedes, ha sido asignada a Ernesto, y el muchacho pide permiso a los mayores para retirarse. Cuelga la red antimosquitos del techo, encima de la hamaca, y se asegura de no dejar agujeros. Las píldoras antimalaria que le vendieron en Quito le han estado dando náuseas y en un acceso de disgusto las tiró al mato.

Habrá dormido una hora cuando unos sonidos secos de tambores hacen vibrar el aire. El chico salta de la hamaca y espía por una ranura de la puerta. Un líquido hierve en una olla frente a la cabaña del chamán y los auca hacen fila, esperando su turno para beber un trago de la poción, mientras otros cantan y danzan. Luego, uno a uno, todos desaparecen detrás de las chozas, en la oscuridad de la selva, hasta que el área central queda desierta. Ernesto se va a su hamaca, sin saber cómo explicarse el sentido del ritual.

Algo más tarde, un ruido cerca de su cabaña, como si alguien estuviera tirando piedritas en su puerta, lo despierta. No hace caso. Pero quienquiera que esté llamando su atención es insistente. Al cuarto intento, juntando coraje, el chico salta de la hamaca, entreabre la puerta y se asoma con desconfianza. A la luz de la luna ve a una chica de unos trece o catorce años. La muchacha le dice, en tono perentorio aunque casi inaudible, al tiempo que empuja la puerta:

—Déjame entrar.

—¿Qué quieres?

—¿Tienes una linterna?

—Sí, ¿para qué la quieres?

—Quiero que me lleves de vuelta a mi casa. ¡No soy de aquí! ¡Me robaron!

—¿Qué? ¡Yo no puedo hacer eso! ¡Ellos me tratan bien, sería una traición!

—¡Por favor, por favor, yo soy quichua! —dice la chica, todavía en un susurro, mientras se cuela para adentro.

La luz de la antorcha que Ernesto dejó encendida danza en la oscuridad e ilumina a la visitante. Está vestida de colona.

—Entraron a mi pueblo hace unos dos días —sigue diciendo, y se sienta sobre sus piernas en posición suplicante— y me llevaron cuando yo estaba lavando ropa en el río. Fue una venganza.

Todo le sale en un rápido y fluido español.

—Oye, ¡nos van a matar a los dos! —responde Ernesto.

—No. No esta noche. Tomaron ayahuasca. Ya se fueron atrás de las casas a descargar el cuerpo por los dos lados. ¿Tú no conoces la ayahuasca? Y ahora que ya se aliviaron, están todos durmiendo, soñando con la víbora y el jaguar, con sus antepasados, con el universo... No hay nadie en pie. Ni el chamán, te lo juro. Están volando. ¡En otro mundo!

La muchacha lloriquea e inclina la cabeza sobre los pies descalzos del chico, y él siente la cosquilla de los cabellos que lo rozan. Como si fuera un pequeño pájaro que lo está tocando leve con el ala rota, piensa. Él, que tiene una familia, está buscando otra. Y a ella la han arrancado de la única que tiene.

—Tú eres el ángel que yo soñé que iba a ayudarme. Lo supe desde el momento en que te vi venir esta tarde —dice la chica con indecible dulzura, derramando más lágrimas sobre los pies de Ernesto, mientras que con el rabillo del ojo descubre la linterna al lado de la mochila.

Otra vez, la vieja incertidumbre que Ernesto lleva adentro lo inmoviliza y le destroza los nervios. ¿Seguir el destino y poner la vida al filo del precipicio, o ignorar a la chica y cuidar del propio pellejo? ¿Ser imprudente o ser un desertor y un cobarde?

La voz de su padre aconsejándole prudencia ya le llega muy sin bríos, y la voz de la muchacha y la de su propia conciencia lo sacuden con violencia. «No voy achicarme ahora», decide.

—¡Vamos! ¡Vamos! —lo apresura la quichua—. Trae tus botas en la mano, y la linterna.

Los dos salen en puntillas. Con pasos furtivos se acercan a donde están los perros, ya con las orejas enhiestas. Ella se les aproxima con aire seguro y los acaricia, uno por uno.

Luego, a hurtadillas, se escapan por el sendero que lleva a la tranquera.

Las ramas crujen bajo sus pies.

Hasta allí, donde los árboles son escasos, la claridad de la luna y las antorchas los han ayudado, pero al pasar la tranquera, cuando las últimas antorchas ya no parpadean por entre el follaje, la total oscuridad de la selva cae pesada sobre los dos como un manto de plomo.

—Ahora sí, ponte tus botas. Yo sé que ustedes no pueden correr descalzos. ¡Pero rápido! —lo apremia la chica, en un susurro.

Ernesto sacude sus botas boca abajo —algo cae de adentro de una de ellas pero no se detiene a investigar— y se calza. Toca los bolsillos. Tiene su dinero y el pasaporte. Bien. Si sus anfitriones encuentran su mochila y su saco de dormir y su red, pensarán que solo salió a dar un paseo. ¿Y la niña? Ah... cuando descubran la ausencia de ambos, saldrán a cazarlos. Con sus lanzas, con sus cerbatanas cargadas de curare y armadas de dientes ponzoñosos, piensa Ernesto, con un renovado chorro de pánico subiéndole a la boca.

18. El Camino del Diablo

I

A las cinco de la tarde, Rosa y otras diecinueve almas errantes se encaminan hacia la frontera salvaje por una vereda que zigzaguea entre arbustos achaparrados.

—Tengo una recomendación —comienza el coyote—. Como ustedes son todos nuevos en esto de cruzar al Norte, les voy a contar la regla de oro, que tal vez no la conozcan: si por alguna desgracia la migra nos descubre, ¡nunca digan que viajan con un coyote! Yo soy uno más del grupo. Y no se lo olviden, por el bien de ustedes —recalca—. Y el de sus familias —agrega luego en tono de velada amenaza.

Todos asienten con la cabeza, pero se ve en sus expresiones un cierto resquemor.

Enseguida, cada uno se consagra al breve ritual de encomendarse a su protector favorito. Rosa ya escuchó el nombre de muchos santos y santas desde que salió de la chacra y no quiere arriesgarse. De la Virgen María no quiere abusar con pedidos. Además está convencida de que por encima del profuso panteón católico y el más humilde huaorani, debe haber una entidad unificadora, y a ella se dirige, sin intermediarios.

La divisa entre los dos países no es más que un alambrado desvencijado en medio de la tierra de nadie. Un cartel reza: «USA. No pasar».

El pollero pisa el alambre de púas y, con un ademán teatral, invita a sus pollos a traspasar la cerca prohibida.

Es el 20 de octubre cuando Rosa pone el pie «del otro lado» por segunda vez. Ojalá que esta vez su estadía no sea tan breve, piensa, con algo de temor.

Mira hacia adelante y hacia atrás. No hay diferencia alguna. El desierto del Norte no es nada más que la continuación del desierto del Sur, y viceversa. El mismo suelo semiárido salpicado de cactus y pastos duros, de arbustos de creosote de olor intenso, de nopales espinosos. E idénticos zopilotes surcan un mismo cielo azul impecable bajo el mismo sol que caldea la llanura.

El coyote la arma con una escoba del arbusto oloroso y comienza la marcha, y así la muchacha entra en el soñado paraíso mirando hacia atrás.

Pronto se dan cuenta de que el guía es indispensable, porque el Camino del Diablo, más que un camino, es un conjunto de senderos, algunos bien delineados y otros más difusos, que serpentean entre las rocas, subiendo y bajando colinas incoloras y formando un laberinto engañoso. ¡Quién sabe, piensan, en qué páramos de soledad sin salida habrían terminado de haber decidido venir sin el coyote!

Una nube de mosquitas diminutas cada tanto flota en el aire y se mete en la nariz y en los oídos. Rosa no presta atención. El terreno varía entre arenoso y pedregoso, y donde hay piedras no necesita barrer ni caminar de espaldas. Esto le da un cierto descanso a su cuerpo y a sus ojos, y puede observar el entorno, que aún la asombra. Saguaros altos como tres o cuatro hombres; cardones de un solo tallo, como solitarios centinelas armados de pinchos; osamentas desteñidas; algún nido seco, una pluma que tiembla imperceptible en el estupor de la tarde.

—Vamos a andar hasta que se haga de noche —anuncia el coyote— y volveremos a salir un poco antes del amanecer.

El hombre dice llamarse Honorio, pero su sobrenombre es el Chueco. Rosa, que considera casi viejo a cualquier hombre mayor de treinta, lo llama señor Honorio.

Las sombras se demoran en crecer. La tarde se estira y se inclina hacia el oeste siguiendo la curva lenta del sol hasta esconderse detrás de las colinas amarillas. Esto también es nuevo para Rosa, acostumbrada a un ritmo solar más preciso. En el Ecuador el sol no se acuesta de a poquito, sino que se hunde, se cae de golpe —les explica a sus compañeros de viaje— y la noche se abalanza sin aviso encima de la gente, como si Dios apagara la luz cuando hay que ir a dormir.

El otoño se prepara para partir. Los delicados tonos pardos y rojizos de las yerbas resecas y el rojo y púrpura del cielo se deshacen unos en otros en una continuidad sin fronteras. Ahora Rosa concibe la distancia entre ella y su madre como una extensión dorada. Como en un sueño.

El aire se pone más fresco. El sol ya está del otro lado del mundo y su presencia solo se advierte por la cresta luminiscente de las colinas. El guía busca un lugar para pernoctar.

—Les recuerdo: no podemos hacer fuego, amigos, ni encender linternas —advierte el Chueco—. La migra tiene detectores de luz muy poderosos ahora.

Los caminantes consumen en silencio sus comidas enlatadas y sus galletas. Bajo un árbol pinchudo, o detrás de una piedra grande, o en una pequeña cueva, cada quien arma su nido para protegerse del frío duro de la noche y se dispone a dormir. Rosa elige un área lisa y lejos de árboles o protuberancias, para evitar las víboras. Si son como las de su chacra, es seguro que detestan los terrenos limpios. Demarca su territorio con un círculo de piedras y en el medio extiende su cobija.

Aprovechando la tenue luminosidad del cielo, la muchacha se dispone a anotar sus memorias, antes de que mañana se le escapen o interfieran con los sueños. Pues para eso se compró la libreta. Nada personal. Es un recuento de cada curva, cada saguaro que se destaca entre otros, cada piedra de forma peculiar. Y así reconstruye el trayecto desde que salieron esa tarde hasta el momento. Así hizo su gente en la jungla, desde tiempos ancestrales, y todavía hace hoy cuando salen de cacería, para saber volver. Rosa refuerza la memoria con el registro escrito. Hecho el mapeo, guarda su libreta y se acuesta.

La noche, que simplifica la forma de las cosas y aumenta el tamaño de las sombras, le hace cerrar los ojos. En segundos ya está dormida.

II

El aire es frío y las estrellas aún brillan en un cielo límpido e inmenso. Son las cuatro de la mañana del segundo día cuando el guía despierta al grupo. Después de un breve desayuno, se ponen en marcha.

El grupo avanza y una luna encorvada flotando sobre los cerros bajos los acompaña. Una que otra osamenta reluce bajo su luz tenue.

Cuando las sombras se alzan y el cielo comienza a aclarar, puntuales periquitos, cuervos, gorriones y cenzontles sacuden las ramas de los mesquites, llenando el aire de gorjeos, y el alma de Rosa, de nostalgia.

El coyote está hablando por el celular:

—¿Y cómo está la situación por ahí, Raúl? ¡Va, pues! Entonces, vamos a tomar por un atajo. ¡Avísame si sabes de algo más! —y dirigiéndose al grupo, avisa—: Compañeros, parece que la patrulla de Yuma está detrás de esa colina. Quieren emboscarnos. ¡Pero no lo vamos a permitir! Voy a llevarlos por otro lugar menos vigilado.

El grupo se siente aliviado de contar con alguien tan experto y responsable. Valió la pena pagar lo que pagaron, y muchos resuelven perdonarlo por aquella impertinencia del primer día.

La proximidad de la mañana destiñe el alba y le quita los jirones rojizos.

Cerca del mediodía, cuado el sol es más intenso y la somnolencia más invencible, el coyote anuncia una hora de descanso. Cada quien busca un arbusto o piedra que le ofrezca aunque sea la sombra de una sombra.

Allí, bajo un mesquite, alguien descubre el primer bulto horrendo.

Tiene forma humana y consistencia de cuero. Los brazos rígidos en alto y los puños engarrotados, da la impresión de que la muerte lo ha sorprendido en plena pelea por la vida. Los que se animaron a acercarse se persignan y, después de una breve oración, entre dientes, apresuran el paso por ese llano que cobra peaje con la vida.

—Ya está momificado —dice el Chueco—. De esos vamos a ver varios. Hay que acostumbrarse, amigos. Ese es el precio que a veces pagan los que cruzan en el verano y se pierden, cuando la temperatura llega a los ciento treinta *farengei.*

—¿Y por qué no viajan durante la noche?

—Algunos lo hacen, pero el problema es no ver dónde uno pisa, no ver las serpientes que de noche salen de sus madrigueras. Hay algunos pobres desgraciados que se atropellan un cactus. Es un desmadre. Sí, la gente muere aquí. El verano pasado la migra recogió ciento treinta cuerpos.

—Pero oiga usted, compadre, ¿por qué esa gente viaja en verano, sabiendo que esto es un horno encendido? —pregunta uno que a ojos vista no es mexicano.

—Vienen para las cosechas, pues. Son aves de paso.

Por la tarde, el pollero habla otra vez por el celular y otra vez recibe malas noticias. Le avisan que una patrulla los está siguiendo. Se desvían entonces por un camino más tortuoso para despistar a los oficiales. La gente mira hacia las colinas amarillentas, con recelo, y Rosa se concentra en borrar las huellas que dejan sus compañeros sobre la superficie lunar que están atravesando.

¡Qué suerte que han tenido con este coyote!, comentan algunos. Aunque tiene mala honda, el desgraciado está bien conectado, masculla otro entre dientes. Se ve que la patrulla está infiltrada de espías.

Al final del segundo día ya han caminado cuarenta millas. Hoy encontraron otros esqueletos humanos, oscurecidos y encogidos bajo los matorrales. Una vez agotado el espanto de tanta visión lúgubre, los últimos fueron ignorados.

Es casi de noche, la hora en que la penumbra suaviza las aristas de las piedras y los rostros de los hombres. Algunas mujeres se desamarran el cabello y se lo peinan, y los pelos se les paran, estáticos. Rosa ya está envolviéndose en la cobija cuando el Chueco entra en su círculo.

—Dime, Eugenio, Eugenia. Al final, ¿tú eres chamaco o chamaca?

Esto la toma de sorpresa. La entonación del tipo le resulta abominable. Desviando la mirada, le dice con voz áspera:

—Soy huaorani.

—Ah, ahora ya sé que eres mujercita y no quieres decirlo, ¿no es así?

A la chica se le paran los pelos de bajo de la gorra, alertada por la voz empalagosa del hombre.

—Es bueno saberlo, porque vas a necesitar mi protección. ¡Mira que este mundo es peligroso! —dice el tipo, acercándose a Rosa con una estúpida sonrisa pintada en la cara.

En el momento en que osa tomar una mano de la muchacha —que bien conoce ya el rostro meloso y sonriente del peligro—, esta salta hacia atrás como un resorte. Y el jaguar que lleva dormido adentro se le despierta y muestra los colmillos. Agazapada, saca la navaja de la cintura.

—¡No se me acerque! —lanza en voz alta para que todos escuchen.

El arma brilla con resplandor cobrizo a la luz del ocaso. El hombre también se echa para atrás, sorprendido.

—Pero ¡qué es eso! ¡Quería ayudarte nomás, india salvaje! ¡Pendeja desagradecida! Métete en tu cueva. Anda. Y ustedes también. ¡Qué están mirando ahí, parados! —brama el hombre, y los mira con ojos teñidos de bilis—. ¡Y a mí no me provoquen, por el bien de ustedes, chingados!

Los otros miran azorados al tipo enardecido de cólera y el silencio se hace más turbador en la quietud del desierto.

—Y si me matan a mí, mueren todos, pues nadie sabe cómo seguir.

«Pero yo sé cómo volver», piensa Rosa, aunque no lo dice. Solo mantiene los ojos de lince clavados en los ojos del coyote y la navaja en alto, algo temblorosa. El hombre da media vuelta y, erizado de odio, le ladra a los que están mirando:

—¡Todo el mundo a dormir! ¡Y no frieguen!, ¿ah? ¡Que mañana tenemos otras dieciséis horas para andar!

Y le lanza la última mirada a la chica, como diciendo «Nomás deja que te agarre». Un tic nervioso le da un errático parpadeo y se aleja del grupo.

Rosa se envuelve en la manta y guarda la navaja, como siempre, al alcance de su mano.

El enfrentamiento la ha dejado inquieta y desvelada, y las almendras de sus ojos, luminosos en la opacidad del desierto, continúan vigilantes. No lejos de su círculo hay algo que brilla en el suelo reseco. Es un brillo espejado y de contornos dorados. Y hay más de uno. La luz ya cedió a las sombras y parecería que todos duermen. Se levanta sin hacer ruido.

Comprueba que los objetos intrigantes no son más que unas latas de sardinas que la gente dejó esparcidas por la arena. Se dispone a enterrarlas, por precaución, cuando otro brillo, algo más apagado, le llama la atención. Este objeto, suave y negro, es más interesante.

«¡Vaya! ¡Al señor coyote se le cayó su celular dentro de mi territorio! ¡Habrá sido cuando brincó para atrás!».

Se lo guarda y espera.

Ahora que la luna, ya alta, ilumina el desierto con blancura mortecina, la muchacha se aleja a una prudente distancia del grupo, allí donde las sombras se condensan.

«¡Qué suerte! Voy a llamar a mamá. Voy dejarle un mensaje aunque sea, en la oficina del patrón».

Rosa presiona el botón para encender el teléfono, como le enseñó el chofer del autobús en Guayaquil, pues piensa que está apagado para no gastar batería. Pero el botón no responde.

«¡Híjole! No enciende». Para cerciorarse de que no tenga una mala conexión, abre la tapa que cubre la batería y encuentra que en el lugar donde esta debería estar hay solo un hueco, un patético vacío.

«¡Es un pedazo de plástico! y el estúpido ha estado fingiendo que hablaba con sus colegas, pavoneándose por ahí como un gallito, para darse aires, el fanfarrón, el muy puerco, el muy tonto... ¡Entonces, eso de la patrulla era todo mentira!».

Rosa no cabe en sí de excitación por contarles a sus compañeros, pero una voz prudente le dice que se guarde esta carta para un momento más oportuno. Deja el teléfono donde lo encontró y, ahora sí, se afloja la banda elástica y se mete bajo la cobija. Y al fin se duerme, pero como un delfín: con un ojo medio abierto.

III

El tercer día, la temperatura sube inesperadamente. Alguien tiene una radio portátil y escucha que al mediodía va a llegar a los treinta y cuatro grados. El agua comienza a ser consumida rápido. A las diez de la mañana el grupo está cruzando una zona de tierra cuarteada, cocinada a fuego lento y resquebrajada como piel de elefante. Cerca del mediodía, el sol arranca brillo a la arena y el calor se hace aplastante. La única sombra son los parches redondos proyectados por los sombreros de ala ancha, o la sombra deshilachada de algún esqueleto de animal.

Por distraerse, o por mera rabia, un muchacho patea las costillas de una osamenta aún intacta, blanqueada por el sol, y esta se desmorona con un crispado ruido de castañuelas.

Caminan durante horas y el sol lo hace con rayos de fuego junto a ellos. Rosa siente un intenso dolor en la llaga que le ha producido el elástico en el pecho. Podría quitárselo, piensa, ya que ahora todos saben que es mujer. Pero decide no hacerlo. Nunca se sabe qué puede suceder de un momento para otro. Pero, al menos, ya no se preocupa de fingir ser muchacho, porque no solo es penoso, sino cansador.

El coyote ordena parar para comer y descansar, y la gente se refugia del aire caliente a la sombra de filigrana de un mesquite, o a la más esquiva aún de un saguaro. Un moscardón verdoso ronda en la comida haciendo un sonido enervante.

—Pinche mosca, me pone los pelos de punta —suelta alguien, tratando de manotearlo, pero no termina la frase porque, en ese instante, se escucha el ruido distante, pero inconfundible, de un motor y el rumor de hélices cortando el aire.

—¡Corran! ¡Corran! ¡Escóndanse! —avisa el coyote.

En un instante, todos huyen como animales en estampida, pero en diferentes direcciones, para ocultarse bajo algún matorral, dejando esparcidas sus galletas y algunos botellones de agua. El helicóptero se acerca y, de repente, toma otra dirección, quizá hacia otra área de caza.

—Salgan, pollos, no sean gallinas —fanfarronea el coyote cuando ve que pasó el peligro—. ¡Ya no van a volver hoy por aquí estos hijos de la Malinche!

Recomienzan la caminata. Los labios se secan y se parten en estrías rojas, en inútil imitación del terreno brutal que los rodea, y el agua escasea.

Llega el atardecer, con su bendito aire fresco, y la noche, con un frío hiriente. Acercándose a las piedras que aún emanan calor, el grupo de inmigrantes observa la luminosidad de las osamentas de animales que, en la extensa negrura del desierto, largan un brillo electrizante.

—La luz mala, de las almas en pena —comentan varios.

—La luz de la fosforescencia propia de los huesos, que contienen fósforo —se anima a corregir Rosa.

—Sí, de los huesos que contienen fósforo de las almas en pena —le responden.

Ignorantes, piensa ella, entornando los ojos.

IV

Hacia el final del cuarto día, cuando el horizonte parecía más vacío que nunca, la silueta de una casa escuálida al lado del camino se recorta sobre un cielo estriado de nubes finas y alargadas. Parece estar abandonada.

Es una tarde algo ventosa. El oro de octubre se posó sobre las hojas que cayeron de tres árboles desnudos y se amontonan en la puerta de entrada. Rosa nunca vio un remolino de hojas ocres. Recoge una y se la guarda.

El coyote les dice que allá adentro podrán cambiarse de ropa, para estar más presentables cuando lleguen a la ruta.

Con la alegría encendida en cada rostro, allá se encaminan, dejando atrás el Camino del Diablo.

—Y ahora me voy —dice el coyote, cuando ya han entrado en la casa—. La carretera está ahí nomás.

—¿Qué? ¿No nos dijo que en Sentinel nos iba a recoger su socio, y que todo estaba incluido en el precio? —protestan los viajeros.

—Mi socio no puede venir porque se le rompió la *combi*. Quiere mil dólares más para conseguir otra. Lo siento, pero me lo acaba de decir por teléfono.

Los hombres están desconcertados. Nadie tiene ese dinero. Miran al coyote y luego al piso de la casa. Está repleto de escorpiones y de colillas de cigarrillos.

—A ver, vacíen sus bolsillos, y cada uno ponga una tajada, vamos a ver cuánto pueden juntar, voy a ver qué puedo hacer por ustedes. Y tú, Eugenio, que eres el más ágil, vete detrás de esa colina y mira si no hay patrulleros a la vista. Si ves a alguien, nos silbas.

Rosa obedece. Sabe muy bien que lo del teléfono es una farsa, pero necesita pensar cómo alertar a sus compañeros sobre el fraude sin que el hombre se dé cuenta de que ha sido descubierto. El coyote se sienta en el piso del porche, saca una petaca de la mochila y se echa unos tragos, mientras los inmigrantes tratan de decidir cómo proceder.

—Los voy a dejar solos a que deliberen —dice el Chueco cuando termina su cigarrillo, lanzándoles una mirada hosca—. Vuelvo en diez minutos para ver cuánta lana juntaron. Si mi socio acepta lo que tienen, entonces los llevo para la carretera. Si no, se van ustedes solos y se buscan la manera de viajar desde Sentinel.

—¡Nos estás chantajeando!

—Las circunstancias han cambiado. No es mi culpa. Y no salgan de aquí hasta que yo regrese, que alguien los puede ver.

Con paso algo zigzagueante, el coyote se aleja de la casa y sube la colina. Del otro lado ve a Rosa de espaldas, sentada en una piedra, frente a una hondonada. Se acerca por atrás. Con el viento en contra, la chica no escucha sus pasos hasta el último momento, y cuando lo percibe, ya es tarde. Él la sujeta por la camisa.

—¡Ahorita tú y yo vamos a ajustar cuentas! —amenaza.

Le da una bofetada. Rosa se tambalea, pero él la tiene agarrada, casi levantándola en vilo. A pleno sol, un aire glacial se le mete en los huesos.

—Esta es por haber querido engañarme con tu ropita de hombre. ¡Y no saques tu arma porque yo tengo otra igual! —dice el coyote, la voz subiendo de tono.

Las hojas de los creosotes se mueven con una ráfaga de aire tórrido y polvoriento.

La chica quiere escapar, pero la mano del hombre le atenaza un brazo y le pega otra vez. La nariz le sangra.

—¡Y esta es por haberme rebajado y humillado en frente a los otros!

El viento se lleva las palabras y las deja caer detrás de la hondonada.

Rosa grita y trata de zafarse, pero sabe que no hay más un fiel amigo que venga a socorrerla, un *Conde* noble y fiero que le clave los colmillos en la nuca y lo deje sangrando.

—¡Desde ahora, se acabó el juego! —dice el otro, y la arroja al suelo.

Las gotas de sangre que emanan de la nariz manchan la arena. El viento zumba en los oídos.

—¡Me las vas a pagar todas juntas, india retobada!

El Chueco se le tira encima y comienza una lucha desigual. Con una mano le aprieta la cara contra el suelo arenoso y con la otra le está arrancando los pantalones. Rosa le ve las venas del cuello hinchadas y siente las gotas calientes de transpiración del hombre cayendo en su vientre desnudo. Le araña la cara pero el otro trata de cortarle la respiración.

—¡Te mato si me arañas!

Al tipo le rechinan los dientes. Le rasga las bragas de un tirón. Rosa tiene las piernas tan apretadas que ya le hormiguean. El tipo forcejea. Trata de abrirle las piernas con las dos manos y la chica, la boca libre ahora, lo muerde donde puede, dándole dentelladas de animal salvaje. El hombre la golpea otra vez en la cara. Cuando ya la tiene dominada, el viento trae el sonido de un ladrido de perro. Frenético de rabia, el tipo patea a Rosa y la hace rodar hasta dejarla desbarrancarse por la hondonada.

19. Por la cuenca amazónica

I

—Me llamo Leticia —dice la muchacha quichua mientras Ernesto se calza las botas—. Yo conozco el camino, y voy a llevar la linterna, pero tú te encargas del machete. Me traje este de la casa.

Comienza la fuga, ella corriendo adelante, iluminando la senda, y él corriendo atrás y tropezando con las raíces. Le sorprende que el frío de la selva a la noche sea tan intenso, a pesar de estar prácticamente sobre la misma línea del ecuador. «Bien, una variante en la curva estadística a mi favor —razona—. Correr con calor podría ser fatal».

Después de recorrer un largo trecho, Leticia se detiene.

—Cuidado, aquí hay un río, hay que pasar por este tronco. ¿Lo recuerdas?

Ernesto lo recuerda bien, del día anterior. El río es una oscura presencia allá abajo que se escucha, pero no se ve.

—Tú mira mis pies y ponlos donde yo los pongo —aconseja la chica, que parece haber percibido el olor acre del temor en el sudor del otro.

Confiando en la magia de los instintos, que en momentos de peligro se agudizan y ponen en marcha un mecanismo diferente, Ernesto cruza como un suspiro siguiendo las pisadas de la muchacha sobre el tronco angosto.

Retoman el ritmo. Ernesto recuerda aquella otra carrera en la selva de Guatemala, detrás de Miguel, tan ágil, y él tan desmañado. Pero ahora es peor, porque ya tiene los brazos lacerados de unas lianas espinosas.

Poco más tarde le pide a Leticia que le conceda un minuto para recobrar el resuello y se sienta en un tronco. Le pregunta de qué quieren vengarse los huaorani. La chica demora un poco en contestar:

—Por causa de la tala ilegal. Nosotros no queremos que corten los árboles, porque todos vivimos de la misma selva. Por eso la gente de mi aldea el otro día no dejó pasar a los colombianos que venían por el río a buscar sus troncos.

Las aves nocturnas se llaman entre sí con cantos algo aletargados. En un intervalo entre canto y canto, el gruñido de un animal hace saltar al chico como un resorte.

Continúan la carrera. Ernesto no sabe ya cuánto tiempo han estado huyendo por el monte, cuando llegan a un paraje donde los caminos se bifurcan.

—Mi casa es para allá —dice la muchacha—. Mira, ya está por clarear.

Un cuarto de hora más tarde, la chica entra en la aldea seguida de Ernesto. La gente sale de sus casitas de adobe y los rodea. Los padres la abrazan. Ernesto se arroja al suelo, con las piernas extendidas, temblando del esfuerzo, empapado en sudor, la ropa enlodada y los brazos sangrando por las lianas espinosas que le cerraban el paso. Ella, impecable, fresca y vivaz como cuando salió, cuenta el rapto y el rescate, y los mayores se reúnen para organizar la defensa de un posible ataque auca.

—Hay que sacarte de aquí, porque van a querer vengarse por lo que hiciste —le avisan a Ernesto.

A dos jóvenes les asignan la tarea de llevar a Ernesto en la canoa por otro río que baja y empalma con el Tiputini. Una vez allá va a ser fácil encontrar alguna canoa a motor que suba el Tiputini hasta el puente en la Vía Auca, y allí ya va a estar a salvo.

El resto de la comunidad se prepara.

—Ya no nos van a agarrar desprevenidos, como la otra tarde —le dicen a Ernesto—, cuando se llevaron a Leticia. Ahora tenemos centinelas permanentes. Deja nomás que aparezcan. Los vamos a sacar a los tiros. ¡Aquí tenemos plomo para todos!

Los gritos de guerra de épocas antiguas entre ambas tribus aún reverberan en las faldas de las colinas, y los incitan a renovar la lucha.

Los hombres sacan a relucir las armas que cada uno guarda envueltas en una manta oculta entre la paja del techo y afilan los facones. Las mujeres llevan a sus niños a un lugar seguro.

II

Los mayores de la tribu se reúnen y, al comprobar la escasez de municiones, se decide que lo más sensato es llamar por radio a una base militar en Sebastián del Coca para alertarlos sobre un posible altercado con los auca. Aunque despachen solo un helicóptero, dicen, eso les va a meter el rabo entre las patas.

En realidad, los quichua amazónicos no han tenido guerras con sus tradicionales enemigos huaorani desde hace décadas y no están preparados. En el conflicto armado entre el Ecuador y el Perú, que hubo al comienzo de este mismo año por una vieja cuestión de frontera, el Gobierno confiscó las armas y les dejaron unos pocos rifles herrumbrados, entre ellos un par de Winchester de comienzo de siglo, y unas escopetas que dan pena.

Además, nadie tiene ganas de disparar el primer tiro; bien saben cómo es el ciclo de *vendettas* y de violencias con esos salvajes, dicen.

La canoa que va a llevar a Ernesto, de aluminio, es pequeña y leve. Las mujeres tiran dentro unas bolsas con un poco de carne de tapir y otros alimentos. Ernesto se despide y, sin perder más tiempo, el grupo sale río abajo por el túnel verde que corre rápido entre los cañaverales. A su izquierda, el vívido cielo del amanecer, todo rojo y amarillo, los ve pasar, rumbo al sur.

Los quichua se llaman Chuqui y Suyana. Este es el hermano de Leticia. Lamentan que no les dieron un arma a ellos, pero comprenden que estas serán más útiles en la aldea.

Los ríos que atraviesan esta zona se originan en las montañas al oeste, en una precordillera andina que separa la civilización de la Amazonía. Al final de un largo circuito por la cuenca ecuatoriana se unen a otros ríos que bajan de los altos Andes y desembocan en el Amazonas.

Este afluente corre de noroeste a sureste, de modo que los jóvenes se dejan llevar por la correntada. El río baja crecido por las lluvias recientes y montículos de troncos cubiertos de maleza y ramas los acompañan y a veces colisionan con la canoa con cierta violencia. En los terrenos más planos, sin embargo, avanzan remando.

Por un tiempo, solo se escucha el ruido acompasado de los cuatro remos hundiéndose en el agua.

No han navegado una hora cuando ven a la distancia una enorme canoa de madera de unos siete metros de largo por cuarenta centímetros de ancho, con una media docena de huaorani berreando y amenazando con las lanzas pintadas de rojo.

—¡Nos están siguiendo! —exclama Chuqui.

La oleada de adrenalina explota en el pecho de Ernesto como una granada. Y él está sentado en la popa de la canoa, lo cual lo hace un blanco fácil. Cuando se anima a mirar para atrás, ve las caras duras de los huao, blandiendo sus lanzas, y en un vértigo de miedo desollador se hunde en el fondo de la canoa. Un olor picante a sudor le sube a la nariz.

—Quédate tranquilo, Ernesto —lo tranquiliza Suyana—, los auca nunca atacan por atrás, por superstición.

Entonces un huao da la señal a sus compañeros de detener los remos; se pone de pie, con las piernas abiertas para equilibrarse en la canoa, y les grita a los quichua:

—¿Dónde tienen a Leticia? ¿Adónde se la lleva ese *cowode* perro traidor?

Suyana y Chuqui miran a Ernesto, que palidece bajo la piel oscura.

—¡Leticia está en su casa! Ella le pidió ayuda porque dice que tú te la llevaste por la fuerza —replica el quichua.

—¡Es mentira! Y tú sabes muy bien que tu hermana se vino conmigo porque ella quiso. ¡Nadie la secuestró!

En la quietud de la selva, la acústica lleva las palabras intactas.

—¡Entrégame al *cowode!*

Los quichua retoman los remos. Frente a ellos, un enorme tronco está atravesado en el medio del río. Navegando paralelamente a este, se acercan a la margen opuesta del río donde hay un estrecho espacio que les permite pasar. Los huaorani intentan la misma maniobra, pero su embarcación es en sí más larga que el propio ancho del río. La canoa avanza y retrocede varias veces, pero ya resulta evidente que, invalidada por su propio tamaño, está empacada.

Por un largo minuto hay un silencio expectante. De un lado a otro, quichua y huaorani se miran con desconfianza. Entonces, Chuqui les grita a través de la barrera vegetal:

—¿Y por qué se volvió Leticia, entonces, si tanto te amaba, Awañetae? ¿Te ama o no te ama?

El otro demora en responder:

—¡Pregúntale a ella! —dice, instando a sus compañeros a dejar las lanzas y remar en dirección contraria.

Ernesto los ve volverse río arriba y se seca el sudor con el dorso de la mano. Los quichua también retoman los remos y se alejan río abajo, sin decir palabra.

Más tarde, cuando la canoa huaorani ya no está más a la vista, Ernesto le pregunta a Suyana si será verdad que Leticia, al final, se escapó con Awañetae por voluntad propia.

Suyana demora unos segundos antes de responder:

—¡Pregúntale a ella!

III

La luna creciente ya esparce un brillo plateado en el Tiputini cuando Ernesto y los quichua lo alcanzan. Resuelven pasar la noche en una cabaña abandonada, en la ribera del río. Pero el cielo encendido de estrellas los invita a tenderse en la arena de la playa y a hablar del infinito. Un lucero se enciende y se apaga en un instante, temblando.

—Una supernova que acaba de explotar —observa Ernesto, medio para sí mismo.

—¿Qué dices? —pregunta Suyana.

—Pues no fui yo —aclara Chuqui—. ¿Habrás sido tú, que comiste frijoles?

Cuando el agua le devuelve las risas con un sonido cascabelino, Suyana le explica a Ernesto la verdadera causa de la rivalidad entre las dos comunidades. Un bebé de los huaorani murió después de la visita de un miembro de la aldea quichua, que fue a hablarles sobre la tala de árboles. A los auca se les metió en la cabeza, dice, que el quichua había embrujado al bebé.

—Que Leticia se haya escapado con Awañetae no me extraña. Pero algo la habrá hecho arrepentirse.

Ernesto les pregunta si de verdad los huao lo habrían matado si hubieran podido alcanzarlos, o era todo una infame parodia. Los otros se encogen de hombros.

—Con los auca nunca se sabe...

Al despuntar el día, el ruido familiar de una lancha a motor los despierta y, en un segundo, ya están en pie, en la ribera, haciendo señales para que los lleven río arriba. Con una cuerda amarran la canoa a la lancha y, en menos de media hora, están atracando debajo del puente por donde pasa la Vía Auca. Los quichua agradecen el favor y Ernesto ofrece algo de dinero para contribuir con la gasolina.

—No hace falta, muchacho —fue la respuesta—. Paga La Compañía.

Solo entonces se da cuenta de que la embarcación lleva pintado el nombre de su dueño: Petrounido-Flup.

Horas más tarde, Ernesto está siguiendo a sus dos compañeros que cargan la canoa en sus cabezas, como un sombrero de pirata para dos, por una senda que bordea el río del lado norte del puente. En la Vía Auca van a esperar algún camión que suba hasta donde cruza el Napo y de allí será fácil volver a su pueblo, río abajo, dicen los quichua.

—Si no te importa, Ernesto, vamos a parar en casa de unos amigos, aquí en Dayuma.

—Sí, como quieran.

—¿Sabías que mi nombre en quichua significa esperanza? —suelta Suyana, de repente.

En otro momento, el chico lo tomaría como señal de que las estrellas se le están alineando. Pero a esta altura ya no tiene mucha fe en su búsqueda, y le está pareciendo un total sinsentido.

La canoa andante de cuatro piernas continúa con Ernesto en la retaguardia y, poco después, llegan a un claro donde un hombre está atendiendo un fuego frente a la cabaña.

—Ese es un huaorani, uno de los miembros de la ONHAE —explica Suyana—, la Organización Nacional de los Huaorani del Ecuador.

A Ernesto se le cae la mandíbula.

—Son buena gente, no te preocupes, los huaorani no son todos iguales. Estos son civilizados y también están en contra de la tala.

El hombre los recibe con un apretón de manos.

—Buenas, compañeros. ¡Han llegado en buen momento!

Es un joven fuerte, de pelo largo y suelto, peinado con raya al medio, y el flequillo cortado prolijamente. Viste jeans y una camiseta blanca con el logo de la ONHAE.

Una iguana partida al medio se está asando en un brasero en el suelo.

Los visitantes aceptan y se sientan en un tronco que sirve de banco. El almuerzo se estira por una hora hasta que el último huesito del animal está roído y limpio. Pero aparte de la comida (prioridad número uno cuando se trata de un auca, comentan los quichua a Ernesto), el anfitrión muestra gran interés en hablar con el extranjero, cuando sabe que viene del país del norte.

El huaorani se llama Mateo, por haber nacido en el protectorado de la evangelista norteamericana Rachel Saint, donde llevaron a los de su clan. Por un tiempo creyó que vivir como salvaje era malo y sintió vergüenza de sus padres. Pero un buen día, cuando a su padre le prohibieron cantar, tuvo una «conversión al revés», cuenta él, y «vio la luz». Abandonó la reserva y se fue a Coca. Allí conoció a miembros de la ONHAE y lo invitaron a la ciudad de Cambo donde está la sede. Se radicalizó y desde entonces prefiere que lo llamen Moipa, en honor a un gran guerrero tío suyo que atacó a seis empleados de la Cambo en el año cincuenta y tantos, cuando se metieron a hacer las pruebas sísmicas en su territorio. Desde que se pasó a las filas enemigas, los evangelistas lo pusieron en la lista negra bajo el rubro de Comunistas.

—Cuando la Vía Auca pasó por aquí —explica— empezaron a llegar los colonos. Las casitas iban creciendo de la noche para el día, como hongos después de la lluvia. Venían con sus sierras para cortar los árboles, con sus vacas y chanchos para pisotear y arruinar el suelo de la selva. Y con sus pestilencias.

Sin educación formal más que la mitad de la secundaria, la verdadera escuela de Moipa fueron las organizaciones indigenistas.

—Por eso queremos proteger lo que queda de nuestra tierra —continúa—, y estamos luchando para que se prohíba la tala ilegal. El problema es con algunos huao que no colaboran, como los que ustedes ya conocieron, que quieren vender a cualquier precio. Imagínate, en Tigüino, ese asentamiento al final de la Vía Auca, están vendiendo la madera a los colombianos a un dólar por tabla. ¡Un dólar!

Moipa enfatiza el número uno estirando el dedo mayor, gesto aprendido en los bares de Coca.

En eso sale de la cabaña otro joven huaorani que Moipa presenta como su hermano. Se llama Kimo.

A Ernesto le llama la atención los alargados agujeros en los lóbulos de las orejas, rellenados con un círculo de madera pintada. Kimo explica que él no nació en la reserva. El pelo, largo y suelto atrás, con un prolijo flequillo, es idéntico al de su hermano. Lleva sandalias de cuero y Ernesto nota que los dedos de los pies se abren en abanico y que el dedo gordo se aparta del resto como el espolón de un gallo. Pies apropiados para plantarlos seguros en una rama alta, de esas que esconden un panal de abejas o alguna tierna presa, deduce el chico.

—Si no los paramos, entre el desmonte de ellos, el de los colonos y la contaminación de La Compañía, en diez o veinte o cincuenta años no va a haber más selva —agrega Kimo.

—¿Quieres decir que aquí, en territorio huaorani, hay problemas de derrames de petróleo? —pregunta Ernesto.

El chico ya se ha olvidado de lo que lo trajo allí. Un nuevo interés ha reemplazado su obsesión de muchos años, porque este también le mueve los cimientos de su identidad y origen, aunque de una manera diferente.

—Por supuesto. Los derrames aquí en la provincia del Napo son rutina.

—A veces explotan los pozos —agrega Kimo—. Pasó con uno de la Cononaco que prendió fuego, un fuego alto como los edificios en Puyo, y quedó largando humo por una semana.

—Pero la mayor parte de *los afectados* —dice Suyana, usando una expresión ya común en la zona— están para el norte, en la provincia de Sucumbíos, en los pozos de Shushufindi-Aguarico, de Sacha, de Libertador... porque los derrames comenzaron hace treinta años y continúan. Afectaron a ciento cincuenta mil indígenas. A los grupos de los cofán y los secoya los barrieron.

—Aquí no va a pasar eso —dice Kimo, tomando su arma, que Ernesto no había visto hasta el momento—. Si abren el bloque 16 a la producción, los compañeros de allá van a empezar a cortar las varas de chonta y a afilar sus lanzas.

La lanza de Kimo corta el aire y se clava en un tronco, temblando.

—Oye, Suyana —interrumpe Ernesto—, ¿qué pozos dijiste en el norte?

—Shushufindi, Aguarico, Sacha... fueron los peores.

Los nombres retumban en la boca de Ernesto y uno se le queda cimbrando en su garganta. *¿Sacha?*

20. Del otro lado

I

—*Freeze!*

La voz resuena en las colinas del desierto de Sonora y el eco devuelve las palabras: ... *eeze!*, ... *eeze!*, ... *eeze!*

—*Raise your hands!* ... *your hands!* ... *your hands!* —continúa la voz en las montañas.

Con la cara lívida, el Chueco levanta las manos. El dueño de la voz lo está apuntando con un revólver. El pastor alemán que sujeta en una mano está rabiando por echársele encima al coyote. En un par de minutos un *jeep* ya está estacionado frente a la casa, y un segundo todoterreno aparece luego. Otro hombre llega cargando a Rosa en sus brazos. La coloca con cuidado en la parte de atrás del segundo *jeep* y le cubre las piernas con una chaqueta.

El Chueco farfulla algo en español, pero el otro dice:

—*We don't understand Spanish! Come on!* ¡No entendemos español! ¡Andando!

Con el rostro desencajado, el coyote vuelve la cabeza hacia Rosa en el segundo vehículo al tiempo que lo llevan hacia el primer *jeep*.

—Oye, chica —le dice el Chueco con voz de flauta—, yo quería asustarte nomás, mira que somos amigos, tú y yo. Diles que era una pelea de novios, diles que soy un inmigrante, somos de la misma vaina, *m'hija*, somos indios, tú y yo, chica. Indios jodidos, indios chingados, eso somos los dos, diles que soy tu hermano.

«¿Hermano? No fue mi madre quien te ha parido», dice Rosa por lo bajo, mientras lo mira del otro lado del mundo. La boca ensangrentada apenas le permite murmurar aquellas palabras.

El coyote balbucea unas últimas frases patéticas mientras lo meten de un empujón en el todoterreno, que lleva pintado, en letras amarillas: «Yuma Border Patrol».

La tarde ya está declinando.

II

El vehículo se detiene frente a la Unidad Médica cuando el sol ya desaparece en el cielo de Yuma. Traen una camilla y cargan a la chica hacia adentro. Rosa, en estado de choque, no deja que le quiten la chaqueta que le cubre su desnudez, y tienen que sujetarla entre tres enfermeras para inyectarle un calmante.

Después de un chequeo general, una de ellas llama por el interlocutor.

—Aquí tenemos un caso diferente, míster Gordon —dice la mujer, en inglés—. Esta jovencita no tiene documentos, pero le encontramos unos sucres. Ese es dinero del Ecuador, ¿no? Sí, se encuentra relativamente bien. Ha llevado una zurra tremenda, pero no tiene fractura. Sí, claro —continúa en español—. Órale. De acuerdo. Podrá hablar con ella en una hora.

Rosa entendió las palabras «Ecuador» y «sucre». En un minuto, sus esperanzas están desbaratadas como un barco estrellado contra las rocas y hecho astillas. ¿Cómo no pensó que esos sucios sucres iban a delatarla? ¿Qué otra mentira descomunal tendrá que inventar para borrar su identidad? ¿Cómo podrá escapar de no ser mandada de vuelta al Ecuador? ¿Y cómo lo harán? ¿O la meterán en una prisión? Quiere levantarse y escapar, pero apenas puede moverse.

La mujer la ayuda a caminar hasta el baño y a entrar en la ducha. Le pasa la esponja pero Rosa se resiste. Le dice que ella no necesita ayuda. La mujer claudica.

—Aquí tienes ropa —y la deja sola.

Sentada en el piso de la ducha y con el agua golpeándole los hombros, Rosa llora. Llora por el vano sacrificio de su madre, por su derrota, y por el reflejo que le devolvió el espejo cuando se miró al entrar al baño: el rostro color del chocolate, los labios partidos, el círculo amarillo y violeta alrededor del ojo izquierdo, la nariz desfigurada y moretones negros y azulados en todo el cuerpo.

La mujer toca a la puerta y le dice que deje de quejarse, que en ese mismo lugar ya ha visto a muchas jóvenes de su edad violadas o asesinadas, que ella tiene una estrella que la ha protegido. ¿Tendrá ella de veras una estrella? ¿Y de qué le sirve esa estrella si no la guía a donde está su madre? ¿Si la abandona justo a las puertas del paraíso y no la deja entrar?

El agua, la piel limpia y el llanto prolongado la hacen sentirse algo mejor. Se seca, se pasa la mano por los talones agrietados que le recuerdan la textura pajiza y quebrada del desierto, y se viste. La limpia frescura de la ropa le da un grado más de ánimo para enfrentar lo que resta de ese día aciago. Pero se asusta otra vez al pasar frente al espejo, y vuelve a la sala de primeros auxilios tratando estoicamente de reprimir las lágrimas que están a punto de saltar otra vez.

La enfermera la conduce a la oficina del oficial y este, el mismo que arrestó al coyote, se dirige a ella en su buen castellano:

—¿Cómo te llamas?

—Rosa.

—¿Rosa qué?

—Rosa Moreno.

El oficial escribe el nombre en la computadora y luego le toma la impresión digital de las dos manos, que al instante aparece en la pantalla. El crimen está oficializado, y la discrepancia entre el nombre y las diez perfectas marcas de sus dedos ahora está impresa para siempre en los circuitos electrónicos de esa nefasta maquinaria del Gobierno. Qué castigo le traerá este grave delito, y cuándo, Rosa no tiene idea, pero sabe que en algún momento lo van a descubrir y que no podrá negar el acto fraudulento, pues ya está irreparablemente registrado.

—¿Dónde conociste a ese hombre?

—En El Papalote, del otro lado.

—¿Es inmigrante ilegal, como tú?

—No. Como yo, no. Él es el coyote.

—¿Sabes su nombre?

—Honorio. Pero le llaman el Chueco.

—Se quiso aprovechar de ti, ¿no es cierto?

—Sí, dos veces. Pero no lo dejé.

—Ajá. Ya veo... ¿Y tú sabes qué hacemos con jóvenes como tú, que vienen de tan lejos?

—No, señor. Pero yo vengo de México —dice con tono convincente.

¿Podrá mentir otra vez y decir que por acaso encontró unos sucres en la calle? ¿Y que no son de ella? ¿Que alguien se los regaló?

—Conmigo pierdes el tiempo, Rosa, o como quiera que te llames. Tú eres tan mexicana como yo, que nací en Minnesota. Mira, no hay fondos para mandarte de vuelta al Ecuador en avión. Te vamos a llevar a un Centro de Detención Juvenil donde vas a esperar hasta que algún familiar te busque, o el juez decida qué hacer contigo. ¿Tienes familiares aquí en los Estados Unidos que puedan hacerse cargo de ti?

La pregunta le cae como un rayo. Si le dice que tiene a su madre, las van a encarcelar a las dos. Su madre no tiene ese prodigioso plástico verde que abre todas las puertas.

Rosa niega con la cabeza.

—Yo sé que me estás mintiendo, pero es tu decisión —dice el hombre—. O llamas a uno de tus padres o parientes, o tendrás que ir al centro de detención de menores.

—Comprendo, señor.

Rosa baja la cabeza y entierra el mentón en el pecho. «Que sea lo que Dios quiera. No voy a entregar a mi mamá», se dice, con total resolución.

III

Es la hora tristona de una mañana nublada cuando la muchacha llega a la institución, varios días más tarde. En Yuma le confiscaron todas sus pertenencias: la ropa, la mochila y el dinero delator.

Dos chicos que viajaron con ella desde Yuma llegaron esposados. Por alguna razón, a ella le ahorraron esa ignominia. Pero no esta otra: después de pasar por ocho puertas de metal, llega a una sala donde la despojan también de la ropa que recibió en Yuma. La desnudan, le preguntan si lleva drogas y, para asegurarse de que dice la verdad, la obligan a ponerse en cuatro patas como un animal. Una mujer enguantada le mete los dedos en sus partes privadas sin miramientos, para comprobar que no albergan ningún envoltorio.

Sintiéndose injuriada y humillada, Rosa firma unos papeles sin leer lo que está escrito; apenas se detiene en el membrete de las hojas: *Correction Corporation of America.* ¿Corrección de qué? ¿De ser hija?

La conducen a su celda y, en la puerta, lanza un escupitajo al suelo. Se lo hacen limpiar con la lengua, en cuclillas, y luego la empujan para adentro.

Es un lugar largo y angosto con dos cuchetas dobles, una silla y una claraboya cerca del techo. Hay otras dos muchachas en el claustro. Les pregunta en qué ciudad están. Una está metida debajo del cobertor y no responde. La otra no sabe informarla. Dice que a ella le da lo mismo porque la van a deportar. Es de El Salvador.

Rosa se acuesta en el lugar que le asignaron y se cubre la cabeza.

Por la tarde las dejan salir al patio, por un par de horas. Es un lugar encerrado por muros de unos cuatro metros de altura rematados por varias filas de alambre de púas. Allí circulan sin propósito adolescentes de doce a diecisiete años. En un rincón apartado están los que desacataron la ley de inmigración, es decir, los ilegales, como ella, los que hablan su lengua. Algunos de gesto huraño, otros de rostros apáticos, todos no son más que los despojos de un sueño destrozado. Autosegregados de los prisioneros nacionales, a ellos los une un propósito común y una idéntica angustia. Están los que viajaron encaramados en el techo de *La Bestia,* defendiéndose de las maras o la policía que sembraba el terror; los que nadaron en el infame río Grande y los que se arrastraron por un túnel infestado de ratas. Y todos llegaron empujados por el mismo recuerdo sin mella de una madre o un padre que emigró, por el mismo imperioso deseo de unirse a ellos. Antes de que el tiempo cause estragos en la memoria de sus padres. Antes de que se les desdibuje el rostro de sus hijos. O —lo que es peor— antes de que su amor se desvanezca como el recuerdo brumoso de un sueño. ¿Hijos en Nicaragua? Ah, sí, yo tenía uno, pero... se quedó con la abuela, creo... El irreparable y temido olvido de los padres es el pensamiento que destila su diaria gota de dolor en cada uno de los menores prisioneros.

El cuarto de baño es una serie de duchas sin división y un retrete. Rosa detesta la falta de privacidad. Se acuesta y llora. La luz que entra por la claraboya flota polvorienta en una franja que llega sesgada hasta el suelo.

Al día siguiente, después de una noche de sobresaltos, se despierta temprano; demasiado temprano para quien no tiene nada que hacer. Pasó muchas horas de la noche despierta, en una confusa quietud, oyendo las campanadas de una iglesia que martirizaban el aire.

El manto violáceo de la luz de los fluorescentes, inútil y nauseabunda, solo sirve para potenciar su angustia. Se sube a la cucheta de arriba para mirar por la claraboya. Tal vez se pueda ver la torre de la iglesia. Tal vez encuentre un punto fuera de ella hacia donde pueda dirigir su rezo. Pero no. El pedazo de cielo no contiene nada más que el color grisáceo de las cinco de la mañana. Le llega, eso sí, el zumbido intermitente de la calle.

—Yo me aburrí de mirar el mismo paisaje —le dice la salvadoreña.

Se llama María Estela y aparenta tener más o menos la misma edad. Rosa baja de la cama.

La chica, que hoy está más locuaz, le cuenta que cruzó la frontera por un túnel.

—¿Ese túnel lleno de ratas? —le pregunta Rosa.

—No había ratas —dice la chica—, o estarían ahogadas, porque el agua me llegaba casi hasta el cuello. Íbamos agarrados a una soga, en caso de que hubiera algún pozo. Lo importante era mantener la cabeza afuera y no tragar agua.

—Pero entonces, ¿no es el túnel de las aguas servidas?

—¿Qué es eso?

—¿Dónde pasa todo el pis y lo demás?

—¡No, no! Es un túnel para el desagüe que está debajo de la ciudad de Nogales. Tú sabes que hay dos Nogales, ¿no?

—Sí, la Nogales del lado de México y la de Arizona. Ya lo vi en mi mapa.

—Claro, pero no me refiero a eso. Digo que hay dos Nogales, la que se ve y la que no se ve, porque está la de arriba, donde la gente camina por la calle, y la de abajo, donde la gente también camina, pero por los túneles. Cuando llueve se llenan de agua porque, como te digo, son el drenaje de la ciudad. Por ese vine yo.

—¿Y no habría sido mejor esperar hasta que bajaran las aguas, para cruzar cuando no llueve? Podrías haber ido caminando.

—Sí, pero el coyote dijo que cuando está seco hay muchos chicos huérfanos o sin familia que viven allí. Son malos. Atacan y roban a los inmigrantes... ¡Y son muchos! También hay patrulleros y policías de los dos países, buscando ilegales, y todo tipo de gente peligrosa. No, no se puede cruzar en la época seca.

Rosa se estremece con la imagen de un laberinto subterráneo y poblado de cadáveres de ratas hinchadas y de niños sin madre. El único túnel que ella conoce es aquel frondoso, fresco y verde, con su bóveda de lianas y orquídeas que se curva sobre los ríos amazónicos.

—Y cuando ya estábamos tan felices por haber conseguido pasar a este lado —continúa la salvadoreña—, enseguida nos topamos con la migra. Me da mucha rabia. Yo no vengo a robarles nada. Yo solo quiero llegar a Saint Louis, donde están mis padres.

Las dos guardan silencio. El repentino recuerdo de los ríos de la selva que invadió a Rosa le dejó el alma repleta de fragancias y tristeza.

—Esta es la segunda vez que trato de cruzar —continúa la otra—. La primera vez me descubrieron los rancheros, cuando caminaba por un campo lleno de cactus. Tienen sus propios vigilantes, ¿sabías? Andan con rifles y dicen que más de una vez han tirado a los inmigrantes, a matar.

—¿Y les tiraron a ustedes?

—No. Tiraron al aire y salimos todos corriendo, cada uno por un lado. Yo quedé llena de heridas de los espinos de esos cactus horribles que hay por aquí. Al rato llegaron varios coches de los patrulleros y nos agarraron.

—¿Y qué les importa a los rancheros que ustedes crucen?

—Es puro odio, chica. Dicen que estamos traspasando propiedad privada. Pero la verdad es que no nos quieren. Claro que también hay gente buena aquí entre los americanos, y algunos dejan agua para que los ilegales no se mueran de sed en el desierto.

—Vaya, qué país extraño. ¿Unos te tiran con balas y otros te regalan agua fresca?

—Me parece que es así en todos lados, gente buena... gente mala... Cuando uno sale de su casa, encuentra de todo.

Rosa concuerda.

La otra muchacha que comparte la celda es algo mayor que Rosa y María Estela. Está sentada en la cama. Tiene el pelo largo y grasiento, el rostro sin expresión y la vista vacía perdida en alguna mancha de la pared. Rosa se acerca para hablarle y comprueba que tiene un ojo magullado, como el que tenía ella, pero la nariz está desfigurada y los brazos amoratados. Le habla, pero la otra contesta con una mezcla de gruñido y quejido lastimoso. Y vuele a meterse debajo de las cobijas.

—Está bien malita esa —le susurra María Estela en el oído—. Llegó el mismo día que yo. Traté de hablar con ella pero fue inútil. No abre la boca.

—¿Sabes si le pasó algo malo?

—La enfermera de aquí me contó que la violaron. Ella vino en el tren, sabes, ese donde viajan arriba. Parece que subieron los de las maras y la agarraron. Seguro que se la pasaron entre varios, y la dejaron por muerta. Cuando alguien la encontró, desangrándose, al lado de las vías del tren, ya era de noche. Llamaron al grupo Borstar, ¿lo conoces? para que se la llevaran a una clínica.

Rosa escucha incrédula y no responde. El horror de la imagen le destiló una hiel amarga y pegajosa que le impide abrir la boca. La otra prosigue:

—Pues es un grupo de rescate que ayuda a los inmigrantes en peligro. Estuvo varios días en una clínica, según me contaron, y ahora la van a fletar para su casa, en Honduras. La pobre quedó maltrecha y un poco loca de la cabeza.

Rosa quisiera preguntarle quién, quiénes fueron, pero tampoco eso le sale. Además, ¿qué importa el nombre de las bestias si no tienen almas? ¿Si la han perdido o se las han arrebatado, o si Dios nunca les dio una? ¿O si les dio una tan negra y abyecta que ningún bien del mundo se puede reflejar en ellas y son solo un pozo de maldad? Mira otra vez a la violada y le suplica a Dios que le cure todas sus heridas y le devuelva la cordura, porque si el Divino Hacedor no puede o no quiere Hacer eso, entonces sus Haceres no tienen nada que ver con los seres humanos y es mejor olvidarlo. Este último pensamiento le resulta en extremo pecaminoso; pero cualquiera que sea el rincón rebelde de su mente de donde ha surgido, lo ha hecho con fuerza y le impide retractarse de su herejía. ¿Por qué Dios salva a algunos y no a otros? Sin saber cómo, en un minuto se deshace de Dios y sus santos y sufre estoicamente el desamparo del no creyente. Tampoco sabe si este es un indicio de locura o de cordura. Pero es consciente de que al temor del mundo ahora se le ha sumado otro: el de la Divina Injusticia.

Los adolescentes extranjeros están unos días y luego los mandan de vuelta a sus países: a México, a Guatemala, a El Salvador, a Honduras, a Nicaragua... Cada uno de regreso derechito a su casa, aunque esta sea la de algún pariente receloso de aceptarlos, o bajo el pórtico de una iglesia. Al día siguiente, María Estela se despide. La van a fletar a ella también, dice, en el Bus de las Lágrimas.

—Aquí somos todas aves de paso, dice la chica.

«Tampoco eso —piensa Rosa—, porque las aves vienen y van porque ellas así lo quieren. Aquí somos aves de alas rotas, pájaros extraviados en el viento».

Los días pasan sin noticias para Rosa y las horas cada vez más vacías. Busca con ahínco algo para hacer, que no sea morderse las uñas. Ya vio a alguien arrancándose todos los vellos del brazo, uno a uno.

Se sube a la silla para mirar por la claraboya. El atardecer le muestra un cielo rojo, como una herida en carne viva.

Al cabo de una semana, ella es la única residente permanente de la celda. La hondureña se fue, con sus heridas y su locura a carga. Los nuevos prisioneros hablan poco y se van al día siguiente. Y en ese lugar tedioso, invadido de largos focos fluorescentes que desnudan los pocos objetos sin perdonar rincones, no hay con qué matar el tiempo. Desde que le vio la cara a la Injusticia, ya ni rezar puede. Echa de menos la chacra, el cotorreo de los pájaros, su familia. Agoniza por su madre. Si al menos hubiera un libro, un cuaderno y un lápiz, una radio, una ventana que diera a un árbol... Pero no, aquí hay solo un tedio enfermizo y una soledad más grande que el desierto. Es como vivir a la intemperie aun teniendo un techo.

Y esta soledad, que ya orilla el desespero, le clava su aguijón en el cuerpo. Se siente enferma.

IV

Durante el día casi no se oyó el ruido de la calle, pero sí le llegó el plañido triste de las campanas de la iglesia. Por eso Rosa deduce que hoy es domingo. El haz de luz polvoriento que entra por la ventana-claraboya se ha corrido un poco más a la derecha.

Un guardia femenino está apagando las luces del corredor cuando escucha una voz quejumbrosa que la llama desde la celda. Es la chica ecuatoriana. Está sufriendo de un dolor intenso en un lado del cuerpo. Gime, se revuelve en la cama y se agarra el estómago con ambas manos, y con ojos llorosos le suplica a la mujer que llame a la enfermera.

—Me duele, me duele muchísimo —se queja Rosa— . ¡Ay, mamita, me duele!

Una enfermera llega presurosa y comprende el estado grave de la muchacha. Llama a los paramédicos. Debe de ser apendicitis, dicen, porque el dolor está bien localizado y es intenso. Hay que actuar rápido.

La ambulancia no tarda en venir, ya está esperando a la puerta del centro, en la calle de entrada. La niña no para de quejarse. La meten en el vehículo. Con la sirena encendida y su sonido a muerte y todo el aparatoso efecto de las luces intermitentes, en menos de diez minutos llegan al hospital.

Dos enfermeros están bajando la camilla con sumo cuidado para entrar al edificio mientras las luces aún giran con sus destellos de alarma cuando Rosa salta como un gato montés. Y en lo que dura un parpadeo, ya está corriendo hacia la calle. *¡Corre Rosa, corre!* —escucha a su abuela hablándole desde algún lugar—. *¡Que no te alcancen, niña! ¡Mira que la luz se va a poner roja, corre! ¡Cuidado con los coches! Mira que en la esquina hay un viejito, no lo atropelles, niña! ¡Así, así! ¡No mires para atrás, Rosita! ¡Corre, hija! ¡Que no te pillen!*

Los enfermeros todavía están abriendo y cerrando las bocas como peces fuera del agua cuando llega la policía. Un guardia sale a los tumbos detrás de ella por algunas cuadras y luego la pierde de vista, e incapaz de seguir la carrera de una huaorani, desiste. La chica ecuatoriana, admite, se ha hecho humo.

Un grupo de gente está saliendo de una iglesia. Es un casamiento. Todavía corriendo, Rosa entra por la callejuela lateral. En la parte trasera de la iglesia hay una puerta. En un impulso, la chica la abre y se encuentra en un pequeño cuarto. Al menos podrá esconderse allí hasta que se haga de noche. No hay nadie, a no ser por tres estatuas de unos santos despintados en un rincón. Piensa ocultarse entre ellas, pero hay un crucifijo en la pared que la está mirando. Y después de los malos pensamientos que albergó días pasados sobre el Creador y su terrible distribución de la justicia, decide que es mejor no tener nada que ver con lo santo y lo sagrado. Pero allí hay otra puerta. Acerca su oído. Tampoco parece haber nadie del otro lado. Abre con cautela. Es apenas un cuarto de depósito o limpieza. Allí al menos hay trapos, escobas, una alfombra enrollada, sotanas, ropa sucia; en fin, un mundo de recursos para esconderse si llega a oír algún ruido.

Luego descubre un cuartito tipo *closet,* y allí se mete; enciende la luz y cierra la puerta.

Con el corazón dilatado por la carrera y las manos temblando, quisiera rezar. Pero la fe le ha huido, y las palabras se resisten a salir de su pecho. Piensa en Huaengongui, dios padre de la selva, y tampoco para él sube ni una honesta plegaria. Le nace, en cambio, y de repente, un nuevo estado de conciencia, una revelación que su mente, oxigenada y alerta, celebra. ¡Basta de pedir favores a los santos, como un huao pordiosero! Si consigue escapar, se dice, lo hará gracias a su inteligencia y a un «yo puedo» que la alienta. Y gracias a su memoria. Al final, fue el recuerdo de la selva lo que le dio la idea de fingir la apendicitis. Más de una vez ella y sus primos se toparon con un animal que se hacía el muerto, solo para escapar cuando se distraían. ¡Qué bien le vino hoy ese recuerdo!

Asombrada ante la súbita fuerza de tal pensamiento, sabe lo que tiene que hacer. Aquí hay ropa de trabajo. Se quita el detestable uniforme de prisionera y lo guarda en una bolsa de plástico. Se calza un par de jeans, que tiene que sostener con un cinto y darle una vuelta a la bocamanga, y se pone una camisa, que deja hacia afuera.

Apaga la luz y permanece allí unos minutos hasta que su pulso adquiere cierta normalidad, cuando se le ocurre pensar que es la primera vez en su vida que roba algo. Pero esto no es hurto, piensa, esto es expropiación momentánea, dictada por las circunstancias. Si sale de esta, se promete, va a devolver todo.

Conforme con su autoabsolución, y arropada por el terciopelo de oscuridad de su escondite, Rosa cierra los ojos y se da un descanso. Piensa en todo lo que pasó hasta ese momento y jura no olvidarlo. Piensa en su madre. Piensa en todos los chicos que buscan a sus padres. Y en Ernesto.

El tañer de las campanas la sobresalta. El cura estará ocupado ahora tirando de la soga. Es el momento propicio para salir. ¡No puede perder tiempo!

Se escabulle por la misma callejuela por donde entró, pero esta vez lo hace con paso sigiloso. Encuentra un cesto de basura y allí bota la bolsa de plástico con el uniforme. El tañido de la última campanada de las ocho de la tarde deja el aire vibrando por varios segundos. Huye con paso rápido, hacia la dirección de donde vienen los sonidos del centro.

Ya es de noche cuando la chica llega a un lugar de gran movimiento. La ciudad la cohíbe y teme ser foco de atención. Si tuviera cola como el saimirí, la tendría entre las patas. Continúa andando, muy cerquita a la pared. En una vitrina ve su reflejo, y no le parece mal. Pero la sensación de bienestar por la libertad recobrada dura poco, porque el reflejo también deja ver a unos agentes uniformados a sus espaldas. Ahora sí es un saimirí arisco, acorralado por sabuesos, y sin árboles por donde escapar. Sin darse vuelta, casi pegada al vidrio y con la cabeza encogida entre los hombros, se escabulle hasta la puerta de la tienda de ropas y entra. Por un tiempo se esconde detrás de un maniquí y controla el movimiento de afuera. Cuando cree que los sabuesos ya se han ido, sale a pasitos cortos. Alcanza a ver las luces posteriores de un coche de la policía que se está alejando.

Llega hasta una esquina donde escucha a un grupo de mujeres hablando español y les pregunta si podrían ayudarla. Perdió su dinero, dice, necesita una tarjeta para hacer un llamado, porque donde está su madre no aceptan llamadas a cobrar. Nadie tiene tarjetas y alguien le da un poco de dinero. Rosa pregunta si es suficiente para ir a la terminal. Le dicen que sí, pero que es un lugar no aconsejable para jovencitas a esta hora de la noche.

—Nosotras vamos para allá. Te podemos llevar si quieres.

Ávida de compañía y protección, acepta y agradece. Y así se integra al grupo como abeja pegoteada a un panal.

Las mujeres suben a un autobús con Rosa apretujada en el medio.

—¿Y dónde está tu mamá? —le pregunta una de las mujeres, ya oliendo un drama en la vida de la muchacha.

—En Oregón, en una finca.

Las otras no tardan en leer la situación y no necesitan mayores explicaciones.

En pocos minutos, llegan a la terminal. Alguien la acompaña hasta la cabina y cuando el teléfono que tenía tan bien memorizado no parece ser el de su madre, el rostro de la muchacha se deshace en lágrimas.

—Bueno, hija, no llores. Si quieres, te vienes con nosotras. Trabajamos en un hotel a dos horas de aquí y hoy fue nuestro día libre —dice la que parece ser la mayor—. Creo que están buscando empleada nueva para la limpieza.

Rosa se seca las lágrimas. Acepta el ofrecimiento, les agradece con la sonrisa, derrama más lágrimas y vuelve a agradecer.

Las mujeres le compran el pasaje y se la llevan.

—¿Cómo te llamas? —pregunta una mujer de unos veintitantos años.

—María..., ah..., Estela. María Estela.

—Mira, hija, aquí con nosotras no tienes por qué preocuparte por tu nombre o tu historia.

—Pues bien, me llamo Rosa Epayuma. Ese es mi nombre de verdad. Soy del Ecuador.

—Bueno, Rosa, bonito nombre. Déjame arreglarte un poco. Te presto mis aretes. Estos bien grandecitos te van a quedar bien. Y déjame ponerte un poco de brillo en los labios. Apenitas un poco, nada de exagerar. Tú eres una chamaca muy bonita y no necesitas embarrarte la cara con maquillaje. Solo un poco de color. ¡Ah, mira cómo has cambiado! ¡Estás muy *cool!* —dice la mujer, acercándole un espejo al rostro algo escuálido.

—¡Chévere! —dice Rosa.

—Órale —concuerda la mexicana—. Tú sonríele al patrón y vas a ver como todo sale bien.

Rosa ensaya una sonrisa mostrando una impecable hilera de dientes pequeños y parejitos que provoca unánime aprobación. Los ojos le brillan.

El administrador del hotel es un hombre de unos cincuenta años, de barba y pelo negro y modales más pulidos que los otros mexicanos que Rosa conoció en el desierto. Enseguida entrevista a la muchacha, cuyo acento diferente y maneras suaves le caen bien.

—¿Cuántos años tienes?

En el pasado, quitarse años la salvó. Pero en este momento podría ser un inconveniente ser menor de edad. Si se agrega algunos, puede que no le crea. Además, ¿no debería decir la verdad a este hombre?

—Voy a cumplir dieciséis.

—Ajá. ¿Y cuándo vas a cumplir los dieciséis?

Rosa piensa un instante.

—En once meses y diez días.

—Veo que eres muy lista. Pero ¿sabes lavar un baño?

La muchacha debe pensar un poco más esta vez.

—Yo aprendo enseguida cualquier cosa que me enseñen, señor.

—Hum, no lo dudo. Dime, ¿y qué harías si entrara la migra aquí?

—Me escondo dentro de un *closet* —replica la chica de inmediato.

—¿Y si te encuentras cara a cara con uno de ellos?

—Pues, le diría que soy su hija, señor, si usted me permite —dice, sorprendida por la audacia de su respuesta.

El hombre larga una sonora risotada.

—¡Ojalá tuviera yo una hija como tú, en vez de esos tres tarambanas, buenos para nada, que solo saben meterse en líos! Bien, las muchachas te van a dar un uniforme y te van a enseñar el trabajo. El pago es cincuenta dólares a la semana. Buena suerte.

V

Sus compañeras le consiguen ropa de su talla, que Rosa usa bajo el nuevo uniforme. El trabajo es sencillo y ella aprende a hacerlo volando, y entre baño y baño corre al teléfono. Pero no importa a qué hora llame, la respuesta del otro lado es siempre la misma: *Nobody with that name here.* No hay nadie con ese nombre aquí.

Rosa entiende *nobody,* pero no está segura. Las otras lo confirman.

—¿Estás segura de que ese es el teléfono de tu mamá?

—Pues, sí. ¡Estoy segurísima! ¡Llamé muchas veces ya!

Le acosa la duda. ¿O era 503 o 530? ¿Era 981 o 891? Intenta números alternativos. O su memoria se ha deteriorado con el calor del desierto o ha ocurrido algo con su mamá, piensa la chica. Pide un préstamo, compra otra tarjeta y llama a don Pablo en Baeza. Lo saluda brevemente y le deja el número del hotel para que se comuniquen con ella. Sabe que la abuela, ni bien le avisen, va a ir volando hasta el pueblo. En efecto, ese mismo día Rosa recibe el llamado.

—No sé qué pasa, Rosita —dice la abuela, con la mitad del corazón alegre y la mitad angustiado—. El teléfono que tienes es por cierto el de tu mamá, pero ella no se ha comunicado desde hace dos semanas, hija, y en la finca tampoco regresan nuestras llamadas.

Hay solo una manera de saber lo que pasa con su madre, concluye la muchacha: esperar a tener su dinero e ir a donde ella está.

La tarde del séptimo día de trabajo Rosa recibe su pago. Ese día limpia los baños con rapidez y vigor, se arregla con más esmero que de costumbre, pone el dinero en una cartera que alguien le regaló y vuela a la estación de autobuses. Consulta los horarios y los precios, y elige una ventanilla donde están hablando español.

—Un boleto para Eugene, por favor.

—¿Para cuándo lo quieres?

—Para esta noche.

—¿Puedes darme un documento de identidad?

Rosa enmudece por un instante.

—Ah, sí, voy a buscarlo —miente, por decir algo.

De vuelta al hotel, se encierra en un baño. El espejo la sorprende con la imagen de una carita sucia del maquillaje corrido por las lágrimas. Se lo limpia con el dorso de la mano y queda peor. Ahora sí se parece a un saimirí, con las aureolas negras alrededor de los ojos; como si fuese un mono extraviado y asustado.

De repente, el saimirí la mira desde más allá del reflejo y a Rosa se le enciende una luz. Saca de su memoria otro número. Corre al teléfono y lo disca. Una voz femenina responde en inglés:

—*Hello?*

—¿Es la familia Ruiz?

—Sí, ¿quién habla?

—Me llamo Rosa. Soy amiga de Ernesto.

21. Las torres de Sacha

I

—¿Sacha, dijiste? —Ernesto interrumpe al quichua.

Quiere cerciorarse de que ha escuchado bien, que no es el resultado de algún pensamiento errático que le confunde la realidad con los recuerdos.

—Sí, en Sacha hay cuatro estaciones petroleras, están cerca, cruzando nomás el río Napo —especifica Suyana— a una hora de aquí.

—¿Te interesa ir? —pregunta Moipa—. Si tú quieres ver lo que hizo La Compañía, ese es uno de los lugares. Y vas a entender por qué los huao estamos en contra de la explotación en nuestro territorio. La gente de la provincia demandó a la Petrounido hace dos años, y todavía están en litigio. Además, tú sabes, la Petrounido no opera más allá, pero los problemas de salud todavía continúan hasta el día de hoy, y tal vez más, porque las tuberías abandonadas están quedando podridas y gotean petróleo.

Ernesto escucha como en un mar de fondo las palabras: cáncer, tumores, chancros en la piel, niños con dedos fusionados, carcasas de animales, enfermedades de estómago, de los nervios..., mientras sigue repitiéndose el nombre —Sacha, Sacha— como un mantra. Sí, está seguro, segurísimo de haber escuchado ese nombre de boca de su padre. Y lo confirmó el otro día en el teléfono.

—Sí, me interesa verlo —dice, cuando el otro termina el inventario de calamidades.

Finalmente pregunta por ese pueblo, Esperanza, que estaba buscando, y cuando se entera de que es una comunidad relativamente nueva, fruto de la colonización reciente, pierde interés en visitarla.

Ahora su compás interior marca inequívoco hacia el norte, hacia las funestas estaciones petroleras.

—Entonces, te llevamos, porque tú solo no vas a encontrar lo que queremos mostrarte.

Moipa no pierde ocasión de hacer conocer a los visitantes el descalabro social y ecológico del Oriente. «Un verdadero activista este Moipa, y sagaz», piensa el chico, con admiración.

La Vía Auca no está lejos. De hecho, desde la casa de Moipa se siente ya el olor del crudo y cierta aspereza en la garganta.

Un camión de La Compañía, que esa mañana descargó a sus jornaleros al fin de la ruta y está de regreso a Lago Agrio, no tarda en pasar. Ernesto, sus cuatro compañeros y la canoa se acomodan en el acoplado.

—Nadie me pidió el permiso de entrada —dice Ernesto por lo bajo, recordando la prohibición de transitar la Vía Auca.

—El permiso es para entrar. Una vez que estás en el territorio y quieres salir, ya nadie controla.

La Vía Auca es un camino empapado en petróleo que pasa por la selva de lluvia sobre un terreno suavemente ondulado, contra un horizonte coronado de volcanes. Allí es donde la precordillera andina desciende con sus ríos y se deshace en la vasta cuenca amazónica; y donde distintos microclimas conviven en un corredor de fantástica belleza y diversidad biológica. Una cicatriz en la piel reluciente del huaorani, dice Moipa.

A lo largo de la ruta, una hilera de tres tubos de metal, a menudo herrumbrados, a veces apoyados en el suelo, otras veces suspendidos a uno o dos metros de altura, la acompaña en todo el trayecto y sirve de parque de diversiones para los niños que saltan en las tuberías o las usan de columpio. Y no son pocos, porque la ruta también está bordeada de casitas humildes de los miles de colonos que se establecieron allí, conforme se iban abriendo las rutas petroleras y su inseparable oleoducto.

Moipa señala, en un patio, a un niño que está bebiendo agua de un tambor de metal rojo que todavía lleva impreso el nombre de su previo dueño: PETROUNIDO. Lo usan para recoger agua de lluvia, explica Moipa, porque por aquí es mejor que la de los ríos.

Cada tanto el oleoducto pasa por una estación de separación donde enormes llamaradas queman el gas e ilumina las casas, los árboles, el cielo, día y noche, sin descanso. El bramido rojo del fuego es sobrecogedor.

—Siempre hay derrames en esta ruta. Por accidentes o por negligencia, siempre hay petróleo que pierde de algún agujero —explica Moipa— o cae de los camiones de transporte y va a parar a los ríos. Nomás prueba un pescado de aquí, y vas a ver cómo tiene gusto a diesel.

—¿Y quién lo hace? ¿Quiénes son responsables? —Ernesto insiste.

—La Petrounido primero, que les sirvió de modelo a las otras. ¡Le copiaron igualito en todo! Después vinieron Hidrocarburos del Ecuador, la Tanac, la Ontal, la Cecepa... ¿Quién más, Kimo?

—Roca, Yso, Fles, Licur... ¡Son todas la misma mierda con diferentes moscas! —continúa Kimo, con igual elocuencia—. Fíjate, hace unos meses, la ONHAE protestó contra la Tanac por los derrames y unos cien huao tomaron las instalaciones. La Compañía llamó a los militares y ahí se acabó la protesta.

—Exacto. Los milicos y La Compañía son como uña y mugre —concuerdan los quichua—. Fue así desde el día en que la Cambo descubrió petróleo en el Oriente.

En menos de una hora, el camión llega al puente sobre el río Napo y el conductor se estaciona antes del cruce. Los quichua se despiden y se lanzan con la canoa por las aguas marrones, dejando que la corriente los lleve río abajo, rumbo a su aldea.

II

Los Ruiz estaban mirando el noticiero de la tarde cuando sonó el teléfono. No han sabido nada de Ernesto desde hace unos cinco días, cuando llamó desde Quito, y el timbrazo los hizo saltar a los dos del sofá.

—¿Amiga de Ernesto? ¿Tú sabes algo de Ernesto?

—Sí, nos conocimos en Guatemala —dice Rosa, llena de nerviosismo.

—¿Y cómo está? ¿Tú sabes que ahora está en el Ecuador? ¿Te contó algo de sus planes? ¿De cuándo va a regresar?

La avalancha de preguntas desde dos teléfonos dejó a la chica un poco abrumada.

—Me dijo que iría hasta el confín del continente, algo así me dijo.

A los Ruiz se les paralizó la lengua.

—También me dijo que si yo me encontraba en aprietos, al llegar aquí, que los llamara a ustedes. Por eso me dio su teléfono. Disculpen si es un mal momento.

—No, no, está bien. ¿Y dónde estás tú? ¿En el aeropuerto?

—No. En un hotel.

—¿Quieres que te busquemos allí?

—Si no es mucho pedir...

—Bien, dinos dónde estás hospedada, la dirección y el número de tu habitación.

Rosa les dio la dirección y les dijo que preguntaran por ella al llegar.

El hotel queda a poco más de dos horas de San Diego, pero los Ruiz no dudaron un instante en subir al coche y partir hacia el este.

Ansiosos por conocer a quien podrá darles más noticias de su hijo, durante el viaje hicieron variadas conjeturas sobre los «aprietos» a que se refirió la muchacha. En un fogonazo de memoria, Isabel recordó la breve mención de Ernesto a una chica del Ecuador que viajaba hacia los Estados Unidos con un grupo de inmigrantes, en busca de su madre.

—¡Claro! ¡Debe de ser ella, Esteban! ¡La chavala de la que nos habló Ernesto!

El coche se estaciona frente al hotel y Rosa ya los está esperando en la puerta de entrada.

—Rosita, ahora que te vas con los gringos, ¡no te olvides de nosotras! —le dicen sus colegas cuando la ven partir.

—No son gringos. Son de España, ¡de la madre patria!

La muchacha se despide de sus colegas con múltiples besos y da la mano a los Ruiz. El hombre le pregunta por su equipaje y ella le muestra la pequeña bolsa donde guarda una muda de ropa, un lápiz de labios y una libreta. Les agradece su bondad y se acomoda en el asiento de atrás.

Mientras conduce por la ruta 8, Esteban Ruiz observa a Rosa por el espejo retrovisor en un estado de mutismo poco característico en él. No le pasa desapercibido a Isabel que esa jovencita de tez del color de la almendra, ojos oscuros y facciones finas ha despertado algo en la memoria de su esposo.

El acento dulce del español amazónico, la cadencia de su voz y su sonrisa genuina cautivan a Isabel Ruiz desde el primer momento.

—Dime, Rosa, ¿tú eres de la sierra o del Oriente ecuatoriano? —pregunta de pronto el hombre.

—Del Oriente, señor. Soy huaorani.

—Pensé que los guaraníes eran del Paraguay —interviene Isabel.

—No, no es guaraní, señora; el nombre es huaorani, con hache y sin acento —corrige Rosa.

—Extraño parecido de nombres... —observa Isabel—. Tal vez en algún pasado remoto fueron la misma gente, Esteban, ¿no crees?

—¡Vaya uno a saber! —responde el esposo, en tono ausente.

Es evidente que su pensamiento ha huido a otra parte.

—Bueno, Rosa, cuéntanos de ti y de Ernesto —dice Isabel.

—Pues, empiezo con Ernesto, que es su hijo. Lo conocí justo el día en que él salió de la cárcel, en Guatemala.

Esto se le resbaló de la boca a Rosa y enseguida lamenta haberlo dicho. Pero ya es tarde. El pie de Esteban Ruiz se clava en el acelerador y casi se entierra en un camión que viaja enfrente. De donde quiera que el hombre haya estado divagando, el susto lo ha devuelto al presente. Isabel decide que es mejor parar para comer algo, dejar que pase la hora punta y escuchar a la joven sin sobresaltos. Y así lo hacen.

El relato de Rosa confirma la sospecha de los Ruiz. Sí, es la misma chavala de la que les habló su hijo. Isabel le demanda detalles y ella les relata la historia que le contó Ernesto. Sin embargo, esta vez se guarda muy bien de hablar del accidente de Palenque. Suficiente fue haber metido la pata con la mención del encarcelamiento.

—Bueno, ¡reconozcamos que el chaval tiene agallas, vamos! —se jacta el papá, con una sonrisa—, y perspicacia.

¡Mira que hacerle creer al hombre que era ornitólogo! ¡Y conseguir también salvar al pequeño Miguel!

—Hombre, sí, pero yo prefiero tenerlo en casa en vez de andar por el mundo enderezando entuertos —dice su esposa.

Ya es de noche cuando los Ruiz llegan a su hogar. Rosa cree estar un palacio. La instalan en el cuarto de huéspedes, que es el más bello que ella ha visto en su vida. Más aún que el de su tía en Baeza. Porque aquí hay alfombras, no linóleo.

Esa noche la chica se duerme enseguida, acariciando las orejas del perro que se estiró en la alfombra al lado de la cama, y sueña con interminables abrazos.

III

El camión sigue su trayecto hacia el norte y, al cabo de un tiempo, ya se avistan, bajo un cielo violáceo, las enormes columnas de fuego del famoso bloque petrolero. Enseguida aparece el campo industrial, atiborrado de torres, tuberías, cables, postes de electricidad, edificios y tanques, todo rodeado de un altísimo alambrado electrizado. Lo único que escapa ileso del claustro es el ruido inalterable de las bombas en operación, el sonido sordo del fuego consumiendo las moléculas del aire y el humo; un humo espeso que se esparce y pervierte el aire, antes de irse flotando en nubes que opacan el sol convirtiéndolo en un desteñido disco amarillento.

Un helicóptero se desliza lateralmente, algo inclinado, martillando la tarde con un *choc-choc-choc,* y luego desciende en el centro del parque industrial.

Más allá de las instalaciones, Kimo golpea el techo del conductor del camión para que se detenga. Agradecen el aventón y desaparecen en un lugar sin demarcación alguna.

Moipa lleva la delantera. A medida que se internan por la senda que se aleja de la ruta y sigue paralela a un ramal secundario del oleoducto, las gigantescas hojas de la jungla van perdiendo su lustre natural bajo una capa oleosa y el terreno se hace progresivamente más hostil a la vegetación. De pronto se dan de cara con un pantano de lodo ennegrecido. En esta sección, un tubo herrumbrado y partido en una junta larga su líquido espeso, gota a gota, formando un charco que, siguiendo la inclinación del terreno, desagua en el arroyo cercano. A su orilla, los helechos languidecen en el aire malsano y una ceiba anoréxica trata en vano de producir una flor.

Ernesto observa el paisaje mancillado con asombro y rabia.

—Aquí se rompió la abrazadera que enmienda las secciones —señala Moipa— y mira cómo lo han reparado, ¡con un trapo!

—La Compañía volcó millones de galones de crudo y de agua contaminante en los ríos y esteros, y abrió seiscientas piscinas sin forrar, que todavía están filtrando sus toxinas en el suelo —explica Moipa—; pero dicen que ahora están limpiando —agrega con una sonrisa que deja ver varios huecos—. ¿Quieres ver?

La senda continúa hasta llegar a un alambrado y un cartel que les prohíbe la entrada.

IV

Hoy es sábado y el desayuno siempre se sirve tarde en la casa de los Ruiz.

Isabel insta a Rosa a hablarles de su propia travesía. La chica alarga algunos momentos, abrevia otros y se guarda unos tantos. Isabel escucha conmovida.

—¿Y cómo pudiste saltar de la camilla en la puerta del hospital? ¿No te tenían amarrada?

—Sí, sí, pero en el camino le pedí al enfermero, que hablaba español, que me aflojara el cinto porque me estaba apretando mucho. Creo que él tuvo pena de mí porque lo aflojó bastante. Y yo terminé de desatarlo por debajo de la cobija.

—¡Eres una chavala increíblemente valiente! —le dice Isabel a Rosa.

—No es para menos —señala el esposo, con algo de sequedad en la voz—, es una huaorani.

—Ah, ¿entonces usted sabe quiénes somos los huaorani? —responde Rosa con un dejo de orgullo.

—Un poco. Sé que son muy guerreros. No se andan con vueltas cuando no les gusta algo.

—¿Es así, Rosa? —pregunta la señora Ruiz.

—Así es, señora.

—Los aucas fueron los que mataron a esos cuatro evangelistas americanos en 1956, Isabel —dice el hombre dirigiéndose a su esposa—. Lo supo todo el mundo porque salió en la revista *Life*. ¿Lo recuerdas? Con fotos y todo.

Rosa siente un vértigo de vergüenza al escuchar la palabra «auca».

—Creo que recuerdo haber escuchado algo. ¿Eran esos misioneros que fueron a hacer un primer contacto con los..., eh..., habitantes de la selva en el Ecuador?

—Sí, y hace poco apareció la avioneta del grupo, en la playa de un río —agrega el hombre—. También mataron a un cura entrometido, no recuerdo el nombre, y a una monja colombiana que iba con él. Dicen los que encontraron a este cura que le metieron tantas lanzas que el pobre parecía un erizo de mar.

—¿Y tú conoces a esos auca, Rosa? —pregunta la mujer, sorprendida.

—Los auca y los huaorani somos la misma gente —explica Rosa con candor—. Sí, los huaorani mataron a Natan Saint y a sus compañeros, en tiempos de mi abuelo. Pero no fueron los de mi clan. Pero al obispo Labaca y a la hermana Inés los mataron los tagaeri, que no son huaorani; bueno, son una rama muy, muy lejana de la nuestra, dicen.

Después de un silencio algo incómodo, Rosa agrega:

—No nos gusta el término auca. Es muy feo, quiere decir «salvaje». Lo inventaron los quichua.

—Pero... ¿no son salvajes? Andan solo con un tanga y con plumas en la cabeza —insiste el hombre, quien cree que la diplomacia es una pérdida de tiempo. Y especialmente con una huaorani.

—Algunos todavía lo son —concuerda Rosa—. Los que se asustaron de ver lo que las petroleras estaban haciendo, y se han ido bien adentro en la selva, esos sí, quieren conservar sus costumbres, como los tagaeri y otros. Pero los huao, como mi familia, han sido catequizados o evangelizados, y civilizados, hace muchos años.

—¿Entonces tu familia no vive ya en la selva? —pregunta Isabel.

—Más o menos. No vivimos en la ciudad, con los colonos, pero tampoco en el interior, como antes. En mi familia somos huaorani fronterizos, quiere decir que vivimos en el borde de la selva, cerca de una ciudad pequeña donde hay escuelas, coches y comercio. Es cierto que vivimos todavía en casas de caña gadúa y techos de palma, pero es porque nos gusta así. Los techos de cinc son una basura, dice mi tío, porque calientan mucho.

Isabel asiente con la cabeza. Esteban la mira con intensidad. Y para reforzar su posición de «civilizada», Rosa agrega:

—Mi mamá terminó la primaria. Yo estoy en la Secundaria y pienso ir a la universidad, en Quito. Tengo un primo estudiando allá. Va a ser médico.

Los Ruiz se miran. El nivel lingüístico de la muchacha no les deja duda de que ha saltado una importante barrera cultural. Pero Rosa se sintió algo acosada con la historia de los auca y cree que es su turno de aclarar algunas cosas.

—Mi abuelo sí fue cazador y guerrero. Pero ahora, desde que lo echaron de su territorio, no caza más.

—¿Y por qué lo echaron? —pregunta Esteban Ruiz, y deplora al instante siguiente haber formulado la pregunta.

—Fue La Compañía. Las petroleras, ¿sabe? Los metieron a todos en una reserva de misioneros cristianos. Además, los peces comenzaron a bajar ya muertos en los ríos donde él vivía, que ahora es el bloque 16. Morían de lo mismo que murió mi papá.

—¿Cómo fue? —pregunta Isabel, con cierta inquietud, por el cariz molesto que está tomando la conversación.

—Fue en la época de la Petrounido —continúa Rosa—. Mi papá trabajó por un tiempo con ellos porque mi mamá se enfermó y tenía que pagar el hospital. Un día llegó por el río todo sucio de petróleo. Después empezó a sentirse muy mal. Dicen que fue porque tomó el agua contaminada del río. Otros dicen que eran los vapores que salían de las piletas abiertas, esas donde echan el petróleo y toda la porquería. No sé lo que habrá sido. Pero le dio leucemia, y al poco tiempo murió.

—¿Y en dónde fue eso? —pregunta Ruiz. Una ligera sensación de nauseas le sube a la boca.

—En la estación Sacha.

La muchacha aprieta los labios para ahogar un llanto.

El hombre inventa una disculpa para retirarse de la mesa y se va a su despacho, en el segundo piso.

Rosa aprovecha la mayor afinidad que siente con la señora Ruiz y se anima a confesarle la angustia que la atormenta por la falta de contacto con su madre.

—Nadie responde al teléfono, señora, por eso estoy muy, muy preocupada. No sé qué puede haberle pasado. Yo tengo el dinero para viajar, pero no me venden el pasaje, porque no tengo documentos.

Isabel pone un plato de cerezas en la mesa e invita a la muchacha a servirse. Rosa se pregunta si por acaso serían las cosechadas por la mano de su madre.

—No te preocupes, Rosa, lo vamos a solucionar —dice Isabel—. Tenemos unos conocidos en Oregón, y esta misma tarde voy a llamar para ver cómo te pueden ayudar a localizar a tu mamá.

Luego la señora Ruiz le da un beso en la frente, y ese mínimo gesto le hace sentir a la chica tan agudamente la falta de su propia madre que acaba desatando el raudal de lágrimas que se estuvo aguantando con entereza hasta ese momento. Se limpia la nariz con una servilleta de papel, le agradece a la mujer por su ayuda y se come las cerezas entre hipos y sollozos mal contenidos.

V

Pasado el mediodía, Esteban Ruiz aún está en su despacho. Su esposa lo encuentra hundido en un sillón, rodeado de papeles y fotos ya descoloridas por los años: el ingeniero Esteban con los trabajadores de la Petrounido; o dando de comer a un mono; o posando sobre una plataforma al lado de una bomba recién inaugurada; o encaramado a un árbol. ¡Qué joven se lo ve! ¡Y qué contento! ¡Y qué idiota!, piensa, mientras rememora cada lugar y cada ocasión.

—No comiste, Esteban —dice la esposa alcanzándole un plato—. Al menos cómete este bocadillo que te hice con el pollo. No te va a caer nada bien ese whisky en el estómago vacío. ¡Y a esta hora!

—Mira, Isabel, se parecen todos a esta chica —le dice Ruiz en voz baja, mostrándole una foto donde una familia indígena lo rodea y le están colocando una corona de plumas de tucán—. Esto fue en Sacha, no lejos de Limoncocha, donde los evangelistas habían traído a los huaorani. Muchos de ellos trabajaron para mí.

—Ya sé lo que te pasa, Esteban. ¿Por qué sigues pateándote? Tú hiciste lo que tenías que hacer, lo que te mandaron hacer. Ni tú ni ellos sabían las consecuencias.

—¡Claro que sabían! La tecnología que se usó en el Ecuador jamás sería aprobada aquí en los Estados Unidos.

El hombre la mira con ojos de desesperada tristeza.

—Isabel, la contaminación fue el resultado de una consciente decisión financiera de la Petrounido. Que no te quepa duda de eso —dice el hombre, con su característica certeza—. ¡Fue para ahorrarse tres miserables dólares por cada barril de crudo!

—Pero tú no lo sabías.

—Pues debería haberlo sabido, o sospechado —continúa Ruiz, su tono oscilando entre enojado y amargo—. Solo me sonó la alarma cuando los indígenas empezaron a caer enfermos. Al grupo de los cofán y los secoya, ¿te lo conté? ¡Los diezmamos por completo!

El hombre pausa, buscando en el intrincado paisaje interior dónde y por qué le ha fallado a su inteligencia y a su conciencia. Pero solo encuentra un tumulto de reproches.

—Lo que más me pasma es que debería haber renunciado de inmediato, cuando supe y me quejé y no quisieron escucharme. Pero no lo hice. ¿Por qué seguí siendo cómplice? Incluso acepté volver más tarde a hacer las pruebas sísmicas en territorio huaorani, aun cuando tenía unas dudas que me comían el hígado. Sí, en Yasuní, en el bloque 16, el mismo lugar de donde es la familia de esta chica. ¡Maldita sea!

La mujer va a la cocina y le trae un té.

—Esteban, ya has pagado por lo que hiciste o dejaste de hacer, después de todos estos años en que vienes arrastrando esos espectros de la *mea culpa*. No pienses que no lo sé.

El hombre nunca pensó que su sentimiento de culpa hubiera desbordado de la cavidad de sí mismo.

Y Esteban Ruiz, que parecía no conocer la duda, esconde su rostro entre las manos.

—Y ese chaval que no viene, Isabel, me preocupa... ¡Ah! ¡Lo quiero tanto! Y le debo una explicación. ¿Recuerdas cómo se me encaró por teléfono? Que cuándo había estado en el Oriente, que si había estado involucrado en la construcción de la Vía Auca...

El vaho dulce de una gardenia en flor penetra en el cuarto por la ventana abierta y el sol de la tarde que se filtra por la persiana proyecta barras de sombra y luz sobre las fotos. Esteban habla por largo tiempo sobre aquellos cuatro años en el oriente ecuatoriano. Aunque Isabel conoce la historia, siempre la había escuchado en un rosario de reclamos y acusaciones hacia la empresa que lo había usado para enriquecerse. Pero hoy hay un tono de confesión. Volver a ese lugar indeseable de su memoria es angustiante, pero, se da cuenta, necesario. Su relato, al final, es una catarsis.

Luego hablan de Rosa y de ese difícil mundo de frontera, no las que cruzó escapando de una ley sorda y ciega, sino la de esa otra frontera de donde ella viene: la que divide el mundo de la edad de piedra de los indígenas amazónicos del mundo moderno que avanza brutal e invencible sobre ellos.

—Solo quiero que Ernesto vuelva a casa, Isabel —dice el hombre con voz contrita—. Le voy a contar todo lo que pasó en aquellos años, y quiero que sepa perdonarme, porque yo lo quiero mucho y aquel fue un error mío, y que él aprenda de los errores de los padres para no repetirlos.

Esteban calla por unos momentos.

—Y sobre todo, Isabel, espero que él nunca, nunca, vaya a esa selva insana y vea los daños que su padre ayudó a crear.

VI

El cartel, pintado en negro sobre un fondo amarillo, es claro: «Operación de limpieza Petrounido-Flup. Prohibida la entrada».

Los huaorani no hacen caso. Moipa levanta el alambrado y Ernesto y Kimo lo siguen sin vacilación. A medida que desentierran las botas de goma en el suelo esponjoso, un líquido negro y aceitoso mana de las huellas que van dejando, que luego lo vuelven a chupar.

En poco tiempo están frente a una pileta de unos veinte por veinte metros cubierta de una capa negra y brillante, como una superficie de acrílico, quebrada solo por la carcasa de un animal grande que flota cerca del borde. Del centro de la pileta se alza una pirámide de fuego, ora roja, ora amarilla, que va consumiendo la tiesa superficie, y de un lado se desprende una columna de humo que el viento arremolina y se lleva como a un enorme gusano en forma de espiral.

—Esta es una de las seiscientas piletas abiertas que cavó la Petrounido. La hicieron en un terreno elevado —explica Moipa— para que desagüe fácil. Cuando se inunda, va a parar todo a los ríos. En otros sitios aprovecharon lagunas naturales, donde siempre se acercaban animales para beber. Y cuando se contaminaron, se convirtieron en cementerios.

Ernesto siente otra vez esa angustiosa sensación de anarquía desbocada y de disipación de la energía. El vaho de aire nocivo le estrecha la faringe y lo hace lagrimear. «¿Qué habrá estaba pensando mi padre cuando vino a este lugar?

¿Por qué nunca me contó de estos fuegos y este humo, y solo me hablaba de la belleza de los tucanes y los ríos?».

Llega a otra pileta, recubierta por el mismo líquido tornasolado y espeso.

—Este estanque daba agua a los vecinos de por aquí antes de La Compañía, claro —dice Kimo, señalando unas casitas no muy lejos del lugar.

La vegetación que rodea la laguna es esparza: unas palmeras raquíticas, unos helechos sucios y el suelo encharcado de negro. Cerca de la orilla, un pato moribundo aletea la simple coreografía de la muerte en su nicho barroso.

—Por eso estamos luchando —dice Kimo—, porque no queremos que el territorio huaorani sea otro Chernobil. ¡Y que no se vengan con eso de ofrecernos hospitales y escuelitas, porque no hay dinero que pague la vida y la vida de la selva!

Los tres siguen a un perro escuálido que cruza con las patas temblorosas sobre unas tablas a través de un lodazal.

Y allí está, el equipo de limpieza: una cuadrilla de hombres vestidos con pantalones cortos y con los torsos desnudos, sumergidos casi hasta la ingle, todos salpicados de negro. Con las manos desnudas, cada uno va juntando los montículos de petróleo con hojarasca, ramas secas, ranas, aves desplumadas, muertas o moribundas, y los va colocando en bolsas de plástico del mismo color. En cuanto las bolsas están llenas, las acarrean a una fosa contigua a la pileta y allí las acomodan en su lecho de muerte.

—¿Y por qué las colocan allí? —pregunta Ernesto.

—Cuando uno de estos agujeros se llena lo tapamos con tierra y piedras, ¡y listo! —dice uno de los trabajadores, un colono de tez macilenta, haciendo el gesto de quien se lava las manos.

Ernesto nota que el dorso de ambas está lleno de verrugas.

—Es gente bien pobre —comenta Kimo en voz baja para no ser escuchado—. Son los sin tierra de la patria que vienen al Oriente a hacer este trabajo.

—Y todo es inútil, porque cuando el plástico ese se degrade, todo va a colarse otra vez y a seguir contaminando el suelo —señala Moipa en voz alterada.

—¡Ni siquiera cavaron la pileta lejos del río! ¿Por qué carajo no la hicieron más lejos? —dice el hermano.

—Porque nos marcaron este lugar. Mira, este no es asunto tuyo, ni nuestro —le contesta un obrero de rostro embrutecido—. Que a mí me paguen mi jornada es lo único que me interesa.

—A veces algunos se desmayan, por estar respirando esto todo el día —continúa Kimo entre dientes.

—¿Y les dan ayuda médica? —pregunta Ernesto.

—Los vienen a buscar con la *picop* y los llevan a sus casas o al campamento. Ese día no le pagan.

Embargado por la compasión que siente por esos hombres, el chico quisiera gritarles que larguen todo, que están vendiendo la vida muy barata, que esos materiales son cancerígenos, que allí hay arsénico, plomo, mercurio, cadmio... ¿Sabrán ellos qué es todo eso?

—¿Por qué no usáis, aunque sea, guantes de plástico? —les pregunta después de un rato.

—¿Y tú has visto alguno por aquí? —responde uno de ellos, con rabia contenida.

Los últimos rayos de sol, que aquí entran de lleno por el escaso ramaje, forman diminutos arco iris sobre la superficie de la nefasta pileta y levantan un color iridiscente de la piel de los obreros. Sentados en el suelo o en un tronco, cada quien procede a limpiarse meticulosamente el cuerpo de todo rastro negro.

—La Compañía les regala a cada uno un trapo y una lata de bencina por día. Imagínate. No pueden llegar al campamento así manchados de petróleo —comenta Kimo—. ¡Sus esposas no los van a querer así, todos sucios!

—Prostitutas, dirás. En esos campamentos no hay esposas —corrige Moipa—. Solo carne de alquiler.

—Así es. Lo único que nos trajo La Compañía fue contaminación, alcoholismo y prostitución —concuerda su hermano.

Un todoterreno de La Compañía entra en el área de limpieza. El que lo dirige se baja y detrás lo siguen dos guardaespaldas armados. El hombre, que parece ser el capataz a cargo de este sector de limpieza, no se demora en saludos cuando ve a los visitantes. Les dice con tono agresivo que allí no está permitida la entrada, que si no vieron el cartel, que si no saben leer español, y que se vayan a la oficina del campamento si buscan trabajo.

—No, gracias. Si quisiera suicidarme hay otras formas más rápidas —le dice Ernesto, sin disimular ni su indignación ni su acento.

—Y entonces, ¿qué haces por aquí? —le responde el hombre levantando la voz—. ¡Aquí solo se viene a trabajar, no a curiosear! ¡Vamos, márchense!

Los guardaespaldas levantan las armas y apuntan con ellas hacia el camino de salida.

—Vine nomás a constatar lo que hizo mi padre, el ingeniero Ruiz, que mandó construir estas fosas de mierda —dice Ernesto, en una confesión errática cargada de amargura que le ha salido muy a pesar suyo. Los huaorani, sorprendidos, se flexionan en una postura de ataque y con un brazo en alto, como si estuvieran sosteniendo una lanza en la mano.

—Ah, ¿tu padre era de la Petrounido? —pregunta el capataz.

—Bueno... no es mi padre. Es el hombre que me crió —dice el chico, en un intento de tomar distancia con el responsable.

Lo otro le salió como una flecha y quiere retractarse. Pero tampoco esta otra información le sirve de atenuante. Al contrario, está hundiéndose cada vez más en el barro, metafórica y literalmente hablando, porque los huaorani lo miran con recelo y porque el petróleo lamoso donde está parado ya le está llegando hasta la mitad de la bota.

El chico deja caer la mirada sobre unos charcos cubiertos de petróleo. La superficie está sembrada de cadáveres de mariposas disecadas que quedaron allí atrapadas en pie. Se le hace una laguna mental. Dice cualquier otra cosa incoherente, pide perdón con torpeza y sin saber de qué, y baja la cabeza apretando la rabia y la vergüenza entre los dientes hasta que le duelen las mandíbulas.

—Bueno, la Vía Auca va por noventa kilómetros más —agrega alguien después de un silencio—, así que tienes varios días para recorrerla si te interesa ver todo lo que hizo tu papá.

La perturbación de Ernesto resulta transparente para todos. Sea por respeto al rango de su padre o por conmiseración por su calamitoso estado emocional, el capataz le extiende una mano y lo ayuda a salir del suelo gelatinoso donde quedó empantanado.

Moipa, con remordimiento por su reacción hostil, le ofrece un cigarrillo y el chico no acepta. El otro insiste y se lo da encendido.

—Toma. Para los nervios.

Cuando el tabaco mezclado al humo de la laguna le toca un nervio en la boca del estómago, Ernesto se dobla y vomita la iguana indigerida del almuerzo a los pies del capataz.

La arcada ahuyenta a los buitres.

22. Cortesía de la Petrounido

I

La enorme antorcha que cubre el occidente del cielo tiembla un poco y se extingue cuando el camión deja a Ernesto en Lago Agrio. Son las siete de la tarde y los dos huaorani retornan a Dayuma aprovechando el último vehículo que baja por la Vía Auca.

Ernesto conoce el rostro de las ciudades fronterizas y sabe que son el caldero de todo lo marginalizado de cada cultura. Lago Agrio, a veinte kilómetros de Colombia y al borde de las tierras bajas de la selva, pertenece a la misma categoría, con el agravante de que aquí se huele, se respira y se pisa petróleo. Un cinturón de miseria mayor que el centro mismo de la ciudad fue la manera en que la aldea original se fue expandiendo a partir de la llegada de la Petrounido en los años sesenta.

—Le crecieron los ranchos alrededor del pueblo como sarna a un perro —le dijeron en Coca—. Lo único que prospera ahí es la prostitución, el narcotráfico y la mugre. Y las petroleras, claro.

Ernesto camina por la calle principal, donde el calor y la humedad se hacen más intensos por el caos del tránsito y la presencia humana de cientos de transeúntes: colonos, colombianos oportunistas, indígenas amedrentados y cientos de vendedores ambulantes. Y, por supuesto, los extranjeros ligados a La Compañía. Los pesados camiones que ruedan a los tumbos por las calles llenas de baches salpican de un barro negro a toda clase de humanos y animales, sin discriminación. Al menos esto es democrático, razona Ernesto, como la lluvia.

El chico solo quiere encontrar el mejor hotel de la ciudad y someterse a una cura de sueño. Ya ha decidido dejar su orgullo de lado y llamar a su familia para que lo pague con tarjeta de crédito. Sus magros fondos solo le alcanzarían para, en el mejor de los casos, compartir un cuarto con otros veinte indígenas en el albergue que mantiene la curia. Y esto, siempre que haya lugar para él.

Allá al final de la calle se ve un hotel de aspecto respetable. «Seguramente aceptan plástico», piensa.

Mientras camina hacia la recepción, sus botas dejan marcas de lodo oleoso en el piso de madera lustrada.

—¡No, no, aquí no puedes entrar! —dice el recepcionista, con voz ansiosa.

Ernesto lo mira sorprendido pero no se retira. El tipo hace una seña al portero, con ademán impaciente, para que saque al indio del vestíbulo de inmediato. El muchacho está muy confuso y cansado para darse cuenta de lo que sucede. Cuando el portero lo toma del brazo, el chico se zafa de él con un movimiento brusco y le da un empujón. En pocos segundos aparecen otros dos matones de expresión ceñuda y, sin más ceremonia, lo toman uno en cada brazo, lo arrastran hacia afuera y lo echan a la calle, amenazándolo con llamar a la policía.

Ernesto está fuera de sí, los músculos de las mandíbulas tensos y las venas latiéndole en el cuello, dispuesto a quebrar de una pedrada la ventana del bar del hotel que da a la calle. Pero cuando aparece el reflejo de su estampa en el cristal —camisa rasgada, pantalones enlodados, pelo anárquico, rostro oscurecido y con dos rasguños atravesando las mejillas— se ve a sí mismo como lo están viendo los otros: un pobre indio, seguramente borracho, o demente.

Cuando los ojos se enfocan más allá de su reflejo en el vidrio, aparece la figura de un hombre, con una copa en la mano, que lo está observando. A Ernesto se le hace que tiene la apariencia sajona de la variedad americana. Tal vez un hombre de negocios, tal vez de las petroleras.

Busca su pasaporte en el bolsillo, lo abre y lo apoya en el vidrio del lado de afuera, para exponerlo al tipo que lo está mirando. Luego escribe en un pedazo de papel que encuentra en la calle y lo muestra a través del vidrio: *Tell that asshole that I am going to break the window and complain to the American consulate if they don't let me in. Please.* Dígale a ese cara de culo que voy a romper el cristal y a quejarme al consulado americano si no me dejan entrar. Por favor.

¡Ah, el idioma que abre puertas en esos pequeños círculos del tercer mundo donde giran las elites! ¡Y el documento que, como una bandera, legitimiza su presencia en tan digno lugar! El hombre sale para hablar con Ernesto y este se presenta. Le dice que es de San Diego y explica que estuvo en la selva. El otro entra para hablar unas palabras con el administrador y en cinco minutos el chico está en el bar, con sus botas en la mano y en respetable compañía.

—Me llamo Andrew Ericsson —saluda el hombre extendiendo la mano hacia Ernesto—. Aquí me llaman Andrés.

Pronto aparece frente a él una enorme fuente de empanadas de verde y una bebida tónica. Ernesto come y bebe con hambre atrasada. Los ojos azules del hombre, que parecen prestados sobre el fondo cobre del rostro oscurecido por el sol, lo miran con curiosidad. Escucha el relato de la incursión del chico en territorio auca y asiente con la cabeza. Conoce el problema de la rivalidad entre quichua y huaorani, de la venta ilegal de madera, de la voracidad de ciertos colombianos y también del encono de otros huaorani proteccionistas.

—En este momento yo soy consultor de la Petrounido. Los indígenas les han puesto un juicio y mi función es de mediador. Pero los ánimos están bien candentes. Te cuento que ayer mismo un huaorani hirió de lanza a un colombiano. Fue en un campamento de la Petrounido en el río Cononaco, en una de nuestras reuniones. Los soldados inmediatamente huyeron con sus ametralladoras cuando vieron las lanzas y la sangre; yo y otros fuimos evacuados por unos pocos valientes y la reunión terminó en caos. La verdad es que los huao son bravos, amigo.

—¿Y por qué lo atacó?

—Parece que el colombiano había sido mandado por una petrolera, no sé cuál, a quemar la casa de este huaorani. El tipo no quería dejar pasar los camiones de la empresa por la ruta donde él vive. Se les está ofreciendo muchas cosas, pero aun así, resisten.

A Ernesto le intriga la ambigua posición de este hombre, como si no supiera de qué lado está.

—Tendrán sus razones para resistir —dice el chico.

—Bueno, sin duda el tipo los tiene bien puestos, como se dice aquí. Esta gente vio la ruina de los cofán y los secoya, que ya no quedan más que unos cien individuos, y no quiere que les pase igual. El grupo de los tagaeri dijo basta cuando un equipo de pruebas sísmicas en el 84 le mató al líder, un guerrero feroz según cuentan; no quisieron más contacto con la civilización y hoy día viven totalmente recluidos en la selva, bien lejos.

—Habrá sido la mejor decisión para ellos. Al final, tienen derecho a ser «no contactados» y vivir como les plazca, ¿no le parece a usted? —continúa Ernesto, tratando aún de saber dónde está parado el hombre en sus fueros internos.

—Derecho, sí. Que los dejen en paz, no lo creo. Se estuvo hablando por ahí de acabar con ellos de forma drástica.

—¿Acabar? ¿Cómo?

—No sé —dice el hombre, con una mirada aviesa y los dedos tamborileando en la mesa—. Encontrarán la manera.

El consultor pide café para los dos. Ve que su conversación ha afectado a Ernesto de alguna manera demasiado personal que no llega a entender.

—Cuéntame de ti, Ernesto. ¿Qué te trajo al Oriente?

El muchacho le relata su historia, o más bien, hace un recuento de sus tropiezos desde que salió de su casa hasta su épica visita al centro huaorani y finalmente le confiesa al hombre que ya no sabe qué hacer.

—¿Tú quieres decirme que has estado errando de país en país y de pueblo en pueblo, bajo la sola fe en un papelito escrito hace diecisiete años?

—Sí, bajo la fe y la esperanza, por así decir, de un papelito. Bien lo dijo.

—Vuelve a tu casa, chico. Me parece sumamente improbable, e inclusive absurdo, que tu madre biológica dijera «soy de Esperanza», en vez de decir «soy del Perú», «soy del Ecuador», o lo que sea.

—Sí, suena improbable —concuerda Ernesto, con la cabeza apoyada en una mano.

—Si puedo aventurar una hipótesis, yo diría que la Esperanza de tu mamá se trata de algún pueblito fronterizo de México, que se te pasó por alto por no estar en los mapas que consultaste. Yo en tu lugar volvería a los Estados Unidos para hacer una investigación con el consulado —aconseja el hombre.

El chico se mira el reflejo del pelo desgreñado en la taza de café. En realidad, en el último trayecto de sus pensamientos ya llegó a la conclusión de que su búsqueda era irrisoria, y ya se dio cuenta hace rato de que su plan se ha basado sobre datos confusos e incompletos. El comentario del hombre lo confirma, y Ernesto empaca su sueño definitivamente.

—Pero, volviendo a los huaorani —dice el muchacho—, ¿usted cree que ganaron o perdieron con la evangelización?

Después de haber escuchado a sus dos amigos, y a Rosa hace unos veinte días, le interesa la opinión de este hombre.

—Pregunta difícil, Ernesto. Es cierto que en muchos casos los evangelistas consiguieron desterrar prácticas que eran..., bien, no muy constructivas para la comunidad, hay que reconocerlo, porque resolvían con la lanza cualquier antagonismo. Pero cuando los llevaron a la reserva, comenzaron a contraer poliomielitis y otras enfermedades mortales. Fue un proyecto mal hecho, mal elaborado.

—Entonces, ¿usted los culpa a los evangelistas?

—Algunos son bienintencionados, otros se vendieron a las petroleras (con justificaciones internas, estoy seguro) y esa alianza tácita entre los misioneros y las petroleras a mucha gente le huele mal.

—¿Y a usted?

—A mí también, claro. Pero a mi ver, lo que más se les puede achacar a los evangelistas es una posición arrogante —continúa el consultor—. «La de ustedes es una cultura caduca, indigna», les decían a los indígenas, y trataron de cambiarla y moldearla a su propia imagen.

Ernesto recuerda lo que le dijo Moipa por el camino, y sus palabras adquieren ahora otra dimensión:

Nos dieron un sueño que no era el nuestro, Ernesto. ¿Entiendes? ¡Qué digo! ¿Nos dieron...? No. En realidad, nos vendieron un sueño. Y lo pagamos caro, y ahora vemos que no nos sirve.

El hombre continúa y Ernesto ve que se esfuerza por ser objetivo:

—El mayor problema con la conversión de los aucas o cualquier otro grupo es este: les muestran los bienes de consumo de la «civilización», pero no los preparan para adquirir esos bienes. Entonces, se vuelven mendigos.

Alguien se acerca a la mesa y le dice al hombre que ya está reservado su pasaje. Esto le recuerda al chico que tiene que hacer un llamado. Con su pasaporte en la mano, se dirige a la recepción, dejando tras de sí un denso rastro del olor a humo de cabaña huaorani que todavía lleva impregnado en la ropa. Pide una llamada a cobrar. Intenta varias veces, pero en la casa de los Ruiz, o en el celular, nadie atiende el teléfono. Les deja un mensaje. Vuelve a hablar con el consultor. Le agradece la cena y los buenos consejos y, agarrando sus botas incrustadas de barro negro ya seco, se despide. Debería ir al albergue de Los Capuchinos, explica, antes de que se acaben las cuchetas para pasar la noche.

—De ninguna manera. Yo me estoy yendo a Quito con el último vuelo y mi cuarto ya está pagado hasta mañana —dice el hombre—. Puedes ocuparlo.

—Pagado, ¿por quién?

—Por la Petrounido, ¡por supuesto!

Esa noche Ernesto agradece tener una bañera. Se quita la ropa y se despega de la piel los calcetines, y el efluvio invade el cuarto de baño.

Se sumerge en la bañera para recomponer su cuerpo y de repente los dolores claman por su atención. Las ampollas que le sacó el roce de las botas le han dejado los pies despellejados, la uña de un dedo mayor está partida, los hongos que le brotaron entre las piernas y en las axilas lo queman como brasas ardientes y las picaduras que le cubren los brazos, dejándolos como un colador, se le han inflamado.

Por fortuna, el consultor le dejó su bolsa de primeros auxilios con unas pomadas fungicidas y antibióticas, y un jabón desinfectante.

—La selva es una bruja, una amante tramposa, mi amigo: si no te cuidas, primero te seduce, después te mata —le dijo el hombre cuando le alcanzó la bolsa.

—¡Le agradezco!

—A mí no —respondió el otro con expresión divertida—, también esto es cortesía de la Petrounido.

Cuando el chico acaba el tratamiento de sus magulladuras, arañazos, escozores y ampollas, lava la ropa que lleva puesta en la bañera y luego la tiende en la ventana. Se acuesta, pero queda despierto por un tiempo con los ojos clavados en el ventilador que cuelga del cielorraso. Mira las aspas que giran lentamente mientras un pensamiento también rueda dentro de él y sobre sí mismo, en un círculo sin salida: definitivamente, en su horizonte ya no hay ni María Moreno ni Esperanzas.

II

A pesar de la humedad, el monumental calor de la mañana secó la ropa en la ventana. Mientras se viste, Ernesto recuerda su sueño. Soñó que su padre tenía una mancha de sangre que le había teñido la mano derecha, y por más que se la lavara, se resistía a salir. Lo único que sacaría una mancha así de indeleble, le decía su padre extendiéndole la mano, era apretar la de su hijo. Pero este se negó a hacerlo.

Luego del desayuno —que estaba incluido en la generosidad de la Petrounido—, sale a la calle, se compra un par de tenis barato y deja las botas en un basurero. En un minuto, alguien detrás de él las rescata y se las lleva.

En un impulso, compra también una cámara descartable para tomar fotos de la ciudad. ¿A lo mejor su padre querrá ver cómo ha cambiado? Porque es seguro que ha cambiado, y para peor ¿Cuándo fue precisamente que estuvo por aquí? Él no había nacido, su padre tendría unos mal cumplidos treinta años.

Se aventura por las calles laterales, contornadas por alcantarillas abiertas donde corren detritos humanos.

En una esquina, un indígena tirado como un trapo sucio cerca de la cuneta duerme ese terrible sueño hermano de la muerte, esa mal merecida pesadilla del indio alienado que termina su jornada en una descomunal borrachera. Por respeto a su desgracia, Ernesto se abstiene de fotografiarlo.

En cambio, un grafito en un muro sí merece ser su primera toma. Alguien ha pintado con tinta roja: «Fluye el petróleo. Sangra la selva».

La palabra «sangre» le trae otra vez a flote el sueño de esa noche. Una mancha de sangre en la selva, una mancha de petróleo en la mano, un río de petróleo en la selva, un hilo de sangre en la mano...

Sumergido en ese juego de palabras que ya le suenan obscenas y que no hacen más que ahondar su rabia y su tristeza, Ernesto deambula por las calles de Lago Agrio haciendo caso omiso de los vendedores ambulantes. ¿Podrá decirle cara a cara a su padre que él fue un arquitecto del desastre?

La imagen onírica de su padre suplicante extendiéndole la mano, y su negativa a aceptarla, le ha dejado el corazón dolorido. La implosión interna que comenzó el día de ayer en los campos de Sacha ha alcanzado su ápice inverso y ahora el mundo colapsó y dejó un montón de escombros a su alrededor.

El autobús para Quito ya está saliendo y Ernesto ocupa el último lugar, justo encima de la rueda. No le importa. El traqueteo por la carretera, entrecortada por las constantes lluvias de la Amazonía, le resulta hipnótico, y la música machacona de la radio es la anestesia que está necesitando.

Después de tres horas de viajar junto al oleoducto transandino que acompaña la ruta 45, el vehículo entra en la terminal de una ciudad pequeña y el conductor anuncia un transbordo para los que van a Quito.

—¿Qué lugar es este? —pregunta.

—Baeza —le responde alguien que está bajando.

«¡Baeza! ¡Juraría que este es el pueblo de Rosa! ¡Sí, no hay duda que es este!», se dice Ernesto. Ella se lo dijo de pasada. Pero el nombre se le quedó colgado de la memoria con una dulce resonancia, porque en aquel momento Ernesto pensó de inmediato en esa otra Baeza de España, un pueblo no lejos de Jaén, en plena Andalucía. Y él ama Andalucía. ¡Cómo iba a olvidarse de ese nombre! ¡Baeza!

Se baja de un salto. No es un lugar grande, seguramente alguien conocerá a la familia de Rosa.

—Pregunta en el correo —le aconseja el conductor del autobús—, allí sabrán informarte.

—Sí, hay una familia huaorani que tiene una chacra —le dicen en el correo—. Quien seguramente podrá orientarte en esto es don Pablo, el de la telefónica. Él tiene mensajeros.

Don Pablo es un personaje bien conocido por los parroquianos, y en unos minutos el chico está en su negocio.

—Sí, conozco bien a esa muchacha Rosa y a su familia. Tuviste suerte —le dice el hombre—. Mi hijo ya volvió de la escuela y te puede llevar a lo del viejo Caento.

III

Día primero de noviembre.

El teléfono suena en vano en la casa de los Ruiz. «¡Justo ahora, cuando más los necesito, los viejos no responden!», se queja el chico mientras sale de la oficina telefónica. Al otro lado de la calle ve un cartel de «Internet». Entonces cae en la cuenta de que aquí en Quito, en el centro nuevo de la pujante ciudad, es donde corre el petrodólar y hay todo tipo de lujo. El más reciente son los cibercafés, que ya están proliferando.

Entra en el primero que encuentra y pide una máquina. Les va a mandar un correo a sus padres pidiéndoles que le compren un pasaje de vuelta —un préstamo, les va a aclarar—. Teclea la dirección y busca el símbolo de la arroba, que no está donde debería estar. Masculla el monosílabo inglés que ya se ha hecho epíteto universal, y una chica de la mesa contigua le explica, en inglés, que debe teclear: *Control, Shifty, sixty two*. Él le agradece y manda su mensaje, corto y algo desabrido. Sabe que sus padres, que apenas acaban de ingresar al mundo de la cibernética, chequean el correo varias veces al día.

Se vuelve a su vecina de mesa y le agradece nuevamente. Ya se está levantando para ir al aeropuerto a pasar la noche o las noches que sean necesarias en un banco de la sala de espera cuando la chica le entra en conversación. Es brasileña. Trata de practicar inglés, y a Ernesto le divierte el esfuerzo. Pronto desiste del inglés y ensaya un español cargado, aprendido a medias en los *pubs* irlandeses de la ciudad de Buenos Aires, que a Ernesto le divierte más aún.

Sintiéndose lisonjeada por la sonrisa del chico, lo invita a un cóctel que se dará esta noche en un salón del hotel donde se hospeda. Va a haber gente joven, le asegura. El muchacho confiesa que no ha tomado un baño por un día o más, que acaba de llegar de la selva y que su hotel está lejos, en el aeropuerto, y que está sin coche. La brasileña le asegura que podrá bañarse en el hotel, pues es su convidado. Ernesto luego apunta hacia los jeans manchados de petróleo y la chica insiste en que tampoco eso es un impedimento; por el contrario, le dará un toque exótico. Pero que si lo desea ella le puede conseguir una camisa limpia. Cuando la brasileña se levanta de la silla, Ernesto observa los jeans que le marcan las nalgas en dos círculos perfectos y luego su mirada recorre la blusa floreada y audazmente escotada. Siente el hueco que trae en el estómago desde hace tanto tiempo y acepta.

La muchacha se llama Conceição y tiene unos veintitantos años.

El lugar, suavemente iluminado por luces indirectas, está repleto de gente, algunos en pie y otros sentados en la barra o en los varios sillones de cuero distribuidos por el salón. Los meseros se abren paso entre el gentío con bandejas de bocadillos, canapés y bebidas, mientras el pianista distraídamente toca unos arpegios y un cantante melenudo anuncia su próximo tema.

Ernesto encuentra a su nueva amiga en un rincón donde se ha congregado la generación más joven.

—¿Y cuál es la ocasión de la fiesta? —le pregunta Ernesto al oído cuando termina de engullir apresuradamente tres bocadillos.

—*Houve uma conferencia esta tarde das empresas petroleiras que trabalham na* Amazonía —le explica la muchacha—. *Você gostou* del jacuzzi?

—Sí, sí, gracias —dice el muchacho, pensando en la uña partida del pie que terminó desprendiéndosele del dedo gordo cuando se estaba secando—. Y... supongo que la Petrounido ofrece esta fiesta.

—¡No! ¡Qué *coisas* caducas estás *falando!* —sigue la chica, en un español salpicado—. ¡La Petrounido *ya era!*

—¿Era qué?

—Quiero decir, ahora la Amazonía del ecuador es también *nossa, viu?, de nois.*

—¿Y quién es *nois*?

—*Bem, meu amor,* los que no son gringos: la Retrobras, de Brasil, va a comenzar a explotar *dois* bloques, por eso estamos aquí, *of course.* ¿Ves aquella *menina* de la mesa allá? Pues es la hija del *executive* de la ABF, empresa Argentina que acaba de comprar a Tanac; y aquel *cara, la,* es de Hidrocarburos del Ecuador, porque también *ha* empresas *nacionais*, claro. No son todas *multinacionais*. Hay que repartir *o bolo,* el pastel, ¿no crees?

—Claro, me parece bien no ser egoísta con el petróleo —dice Ernesto con una sonrisa—. Dividir el pastel, claro —repite, admirando el magnífico piso de mármol del salón.

Le entra una súbita urgencia de irse de allí. Pero luego piensa que puede ser interesante conocer las antípodas del mundo del que acaba de regresar. Además, un desprovisto como él que no tiene ni un dólar partido al medio tiene que guardar absoluta compostura, al menos hasta ponerse al día con el hambre. Y la curiosidad.

Un joven de Hidrocarburos del Ecuador se acerca a la mesa para saludar y de paso averiguar «quién es el *yanki* ese que Conceição le dijo que había invitado, y que no parece americano para nada, con esa cara de indio, aunque el tipo habla inglés de corrido y tiene unos jeans padrísimos, de esa marca que aquí no se consigue».

—*Nice to meet you, I am Raúl Robledo.*

Más tarde otro también se le acerca con una copa de vino. («Este tipo está platicando español con la mexicana, pero con un acento peninsular... Seguro que es de la Catol, de España, que justamente está en negociaciones para unirse a la ABF. Voy a ver si le saco información»).

—Ya veo que has andado por el Oriente. («¡El tío hasta se vino con los jeans manchados de petróleo! *Cool!»).*

—Disculpen, no tuve tiempo de cambiarme. Acabo de llegar de Lago Agrio.

—Ah, Lago Agrio... ¡Ahí sí que se huele a dólar!

Mientras se sirve un *sex in the beach,* la brasileña observa cómo su invitado se maneja con desenvoltura.

—Como sea, ¡el chico es liiiindo! —le susurra a su amiga en el oído, entornando los ojos.

—Conceição, ese morenito es muy joven para vos —le responde también en voz baja una argentina muy pintarrajeada, que antes de saber que Ernesto era de los Estados Unidos ni lo había mirado—. Es un pollito, ¡no debe tener ni veinte años!

—*Certo.* ¿Será virgen?

—Pero, ¡Conceição! ¡Eres una sinvergüenza! —le dice la venezolana que estaba escuchando.

Las doradas melenas pintadas de las mujeres se menean en el aire cuando echan las cabezas para atrás con risitas cómplices.

En cuanto la velada avanza, Ernesto circula por los diversos grupitos que se arman y se desarman según las leyes de la atención que rige esas situaciones sociales —de dar y, sobre todo, de recibir atención del otro. En cada uno, el muchacho hace su aporte y cuando se aburre, quietamente se mueve hacia otro círculo, sorbiendo el cóctel y llevándose un jirón de frases inacabadas:

«... Y ayer cuando me encontré con la gatona esa... le dije que nos fuéramos a bailar a Los Barriles...».

De vez en cuando un mesero pasa con una bandeja de comida y bebida, y Ernesto alarga la mano para reabastecerse de algún ron que le muerde la garganta.

«Yo creo que el mercado automotor, para sobrevivir, tiene que sacar algo absolutamente diferente...».

Ernesto se desplaza hacia un grupo mixto:

«¡Pero esa se hizo una plástica!

»¿Y por qué no? Todo el mundo se la hace».

«¿Todo el mundo? ¿Quién será todo el mundo?», se pregunta el chico, mientras deja la copa vacía en una mesa y se sirve unos bocadillos de queso manchego y un bombón de *foie*. Alguien le llena la copa otra vez.

«Yo se lo pregunté a mi analista. Dice que es una fijación en la etapa edípica de uno...».

Ernesto vacía la copa y se acerca a la barra, donde varios argentinos de la ABF hablan y gesticulan como romanos. Un mexicano tiene el mal gusto de criticarles las playas y uno de los porteños le salta como un dóberman:

—Pero no me jodás, ¡vos te fuiste justamente a La Bristol! Esa playa es una porquería, *mersa, grasa*, es una negrada... ¿Cómo fuiste a parar allí? ¡Mar del Plata tiene cosas mejores, che!

Ernesto siente que el dóberman le puede caer encima en cualquier momento. Mientras tanto, la esposa le está dando su dirección a otra mujer de pelo color zanahoria:

—Nosotros vivimos en Olivos, querida. Ah, ¿no sabés dónde es? Es donde está La quinta de Olivos, donde vive el presidente Menem, ahí cerquita vivimos nosotros.

Ah, la quinta... la chacra... Ernesto recuerda en ese instante que tiene en el bolsillo del pantalón las fotos de la casa de Rosa que hizo revelar en la terminal, y se escabulle hacia una mesa vacía en un rincón para espiarlas otra vez:

«Aquí están: el abuelo de Rosa en el río, mostrándome la canoa, los chicos trayendo huevos tibios del gallinero, la abuela ofreciéndome un tecito de huayusa... ¡Y yo! andando a caballo por la chacra. ¡Si Rosa supiera que anduve en su caballo! ¡Y si supiera que agregué mi nombre junto al de ella dentro del corazón grabado en el árbol...!».

En la holografía del recuerdo, Ernesto ve la chacra como el paraíso incólume en la tierra.

Un grupo de invitados de mediana edad, aparentemente de la clase ejecutiva, se acerca en busca de una mesa disponible.

—¿Nos permites? —le dice uno mientras acerca varias sillas.

—¡Por supuesto!

Ernesto guarda las fotos al acto, antes de que se las confisquen por estar tan fuera de tono. Porque en este mundo petulante donde suena la música dulce y mentirosa, la pobreza, aunque sea en el mismo paraíso, no tienen cabida. No, aquí gravita en el aire una sensación de exclusividad, de satisfacción, de autoconfianza, de un *¿estoy bien, verdad?* no articulado pero que emana de todos los poros de los cuerpos de los allí presentes, cada uno envuelto en su burbuja de opulencia. *¿Estoy bien, no? ¿Estamos bien, no? ¡Qué bien estamos!*

Aunque ligeramente apartado del grupo, una voz le llega claramente y le interrumpe su voz interna.

—Nadie va a poder abrir pozos allá, con los tagaeri en pie de guerra. Ni las pruebas sísmicas les dejan hacer.

¿Tagaeri? Ernesto se despabila de golpe. Eso sí que es importante escucharlo.

—¡Esos salvajes no tienen derecho a ser un obstáculo para la modernización, para el progreso de toda una nación! —vocifera uno—. Se les está ofreciendo de todo: escuelas, hospitales... y no quieren ni saber. ¡O se civilizan, o que desaparezcan del mapa!

—Alguien propuso mandar un avión de la Fuerza Aérea y bombardearles las aldeas.

Por unos segundos, las bocas se cierran en un silencio culposo.

—¿Estás seguro?

—Como que hay Dios. Tengo un pariente militar.

—A mí eso me parece un poco... drástico —dice otro.

—Sí, pero sin duda acabaría rápido con el problema, ¿no? —dice un tercero.

—Bueno, al menos, que los hostiguen hasta que pasen del otro lado de la frontera. ¡Y después, que se arreglen los peruanos!

Ernesto recuerda lo que le había dicho el consultor sobre los planes de acabar con los tagaeri, y la sombra intensa que pasó por los ojos del hombre en aquel momento.

Tiene ganas de decirles a estos señores de bien que un tercio de la Amazonía ecuatoriana ya está ocupada por la infamia de sus bloques petroleros, que...

Conceição, que percibió el aislamiento de Ernesto y no se le escapa la expresión del chico —una ligera mueca de disgusto— se le acerca con una copa llena hasta el borde para remediar la situación, cualquiera que esta sea.

—*Você não está bebendo nada?* ¿Está a dieta de alcohol, por acaso?

El chico le explica que ya bebió demasiado, que la cabeza le hierve, y que quisiera solo un poquito de agua, si fuera posible. «Eso es lo que quiero realmente —piensa Ernesto—, simple agua, como la de la chacra de Rosa. Fresca, fragante, inocente». Si hay un lugar en el mundo donde quisiera estar ahora es allá, en el borde de la selva del agua cristalina, para aplacar la sed y apagar ese hierro candente que le abrasa el pecho.

Aquel mundo auténtico y fluido y este otro usurpador e hipócrita que lo está rodeando se le hacen dos realidades dolorosamente diferentes, tan distantes que le resulta razonable suponer que una, o la otra, pueda ser otro de sus sueños. ¿O tal vez se trate de uno de esos mundos paralelos que dicen que a veces colisionan con el nuestro y, en un accidental salto de un *quantum,* nos dejan el corazón desbaratado?

—Aquí tiene, su *aguasinha* —dice Conceição cuando regresa en un minuto y le acerca el vaso a la boca.

—¿Querés acostarte a descansar? *Você pode usar minha cama...*

Poco más tarde, cuando los vapores inflamables del alcohol ya le han prendido fuego a las neuronas y las han desconectado de la memoria, Ernesto se encuentra camino a la cama de la chica de la blusa escotada, con ella conduciéndolo de la mano.

Ocho horas más tarde se despierta con un dolor de cabeza descomunal y un vago recuerdo de la fiesta y de las efímeras delicias de la noche en que se convirtió en hombre.

23. Absolución

I

Día primero de noviembre.

La Corte rebosa de gente y la audiencia se halla dividida claramente en dos sectores: caras rosadas, graves e indignadas de un lado; caras morenas, orgullosas e igualmente indignadas del lado opuesto. Después de un breve receso, el proceso continúa.

—El hombre de la derecha es el dueño de la finca —cuchichea uno del público al oído del recién llegado—. Se llama Anselm Hilton. Denunció a una mujer, que trabaja para él hace años, por pasar mercadería a los intermediarios sin recibo y manipular los números. En una palabra, la acusan de ser cómplice de robo. Cuando la policía la detuvo, ella se resistió y la metieron presa. Pero aquí todo el mundo sabe que el tipo la denunció justo el día que ella le dijo que tenía un cáncer, por causa de los pesticidas.

—¿Usted quiere decir que fue un golpe preventivo? ¿Que el hombre tenía miedo de que ella lo denunciara por el uso de los pesticidas?

—Exactamente. Por eso inventó lo del robo. El abogado defensor ya lo enfrentó al finquero con las evidencias, y el tipo niega todo, por supuesto. Pero ella tiene un buen abogado.

—¿Y cómo es que tiene dinero para un abogado particular? ¿Habrá robado de verdad?

—Una ONG de aquí, que ayuda a los inmigrantes, le va a pagar los honorarios. Bueno, allí entran. La señora de verde es la acusada. La otra es la traductora.

El fiscal interroga al finquero, quien reitera su historia: la acusada le ha robado mercadería por un valor de cuatro mil dólares. El juez le da la palabra al abogado defensor, quien también interroga al finquero, destacando que la denuncia fue hecha justamente el mismo día en que la mujer le hace saber sobre su enfermedad, el dieciocho del mes pasado, y no el día del robo, que según los papeles presentados por su contador, aconteció dos semanas antes. ¿Por qué esperó todo ese tiempo? El finquero aduce que no había descubierto la maniobra de su empleada hasta el día dieciocho de noviembre. El *lapsus linguae* es evidente. El abogado le hace ver que hoy es día primero de noviembre, día de los Santos Inocentes, y que mal podría haber descubierto el pasado en el futuro. La audiencia de la izquierda estalla en risas.

—¡Orden en la sala!

El juez deja caer el martillo en el escritorio y amenaza con echar del recinto a los alborotadores.

El abogado defensor susurra algo al oído de la mujer. Esta asiente.

—Con permiso, su excelencia. Mi clienta va a atestiguar y requiere un traductor.

—Permiso concedido.

Alba Caento se levanta con cierta dificultad y con ayuda de su abogado.

—Gracias, su excelencia. Yo quiero decir, en primer lugar, que, desde que llegué a este país trabajé en esta finca, y siempre pagué los impuestos, porque así me lo aconsejaron, para algún día llegar a ser «legal». Segundo, que es verdad que compré una *mica chueca*[4], su excelencia, para poder trabajar, porque me lo exigía el patrón. ¿Y sabe a quién se la compré? ¡Al capataz del señor Hilton!

Unas risas mal reprimidas salen de la audiencia campesina mientras la intérprete se esfuerza por hablar alto y claro. El juez martilla la mesa.

—Y tercero, que en verdad es lo primero porque es lo más importante, es que mal podría haber yo robado nada cuando justamente ese día estaba en el hospital. ¡Y aquí está la copia del formulario de ingreso a la sala de emergencia, que lo prueba!

El abogado pasa el papel al juez, quien lo examina con un lente de aumento.

—El resto de la historia, su excelencia, usted ya la conoce. En los seis años que vengo trabajando en esta finca, y en mi ignorancia, siempre eché los pesticidas sin el equipo de protección reglamentario, pues nunca me dieron ninguno. No sabía el mal que me estaba haciendo. Y aquí me tiene ahora, con cáncer.

La voz de Alba, quebrada por el intenso pesar, se recompone y continúa:

—Por eso quiero pedirle que considere mi circunstancia, su excelencia, y sea... —Alba titubea unos instantes— aunque no sea conmigo, que sea benevolente con mi hija, que en este momento está viajando hacia aquí. Sí, le pedí que viniera a cuidarme... Pero...

Es evidente que la mujer lucha por mantener la compostura.

—... pero la verdad es que no sé dónde está mi hija... Perdimos contacto —continúa, ya llorosa—. Ha salido hace casi dos meses... Vino en la bodega de un barquito... Llegó a

[4] Documento de identidad falso.

México... y nunca más volví a saber de ella... Oh, perdóneme, señor juez, lo único que quiero es que encuentren a mi hija, y que sea generoso con ella. Déle protección. Pero no sé... —dice la mujer, mirando hacia el público campesino— no sé dónde estará mi hijita.

—¡Aquí estoy, mami! —una voz nítida de pájaro se escucha entre la audiencia y dos brazos se agitan en el aire, como un ave en pleno vuelo.

—¡Rosa, Rosita!

El sonido gozoso de la voz de Rosa abre las puertas del cielo para Alba Caento. Tiende los brazos hacia su hija, pero la emoción la sobrecoge y el abogado la sostiene cuando ya se está desplomando. La audiencia entra en ebullición, los cientos de pares de ojos se posan sobre Rosa y la excitación corre y se expande como fuego. El martillo estalla en la mesa.

—¡Orden, orden en la sala!

Nadie lo escucha. La intérprete se seca las lágrimas con la manga de la blusa mientras otros se apresuran a socorrer a Alba. Los campesinos hacen volar sus sombreros por lo alto. El caos ya es irreparable.

—¡Se levanta la sesión, señores! ¡Se levanta la sesión!

Rosa corre hacia su madre y la abraza.

II

Cuando Ernesto abrió su correo electrónico esta mañana en Quito, aún con la resaca pateándole la cabeza como un tropel de potros, un mensaje de su padre apareció en la pantalla: «Estaremos en el aeropuerto. ¡Buen viaje! Papá».

Y a continuación, la copia del itinerario de su vuelo.

Los correos de su padre se destacan por su extrema parquedad. La mamá de Ernesto cree que son resabios del aprendizaje del sistema Morse que su esposo aprendió de niño. Él dice que, simplemente, detesta las computadoras. Para Ernesto, lo importante es que sus padres recibieron el pedido de auxilio y lo socorrieron. Para eso están las familias.

La azafata lo sacude levemente. Ernesto juraría que es la misma mujer de hace siete semanas. Esta vez llena los formularios de entrada al país con mano desganada. Tuvo un sueño repetitivo en el que su padre —que a veces era el consultor de la Petrounido, a veces una multitud— estaba entrando con las botas sucias de barro oleoso en la casa de Rosa. Esta profanación lo había dejado en un estado de angustia extrema.

¡Cielo santo! Fue solo un sueño. Es un alivio estar despierto.

Pero lo cierto es que la realidad de la vigilia también tiene sus fantasmas para Ernesto. Siente haberse alejado de ese «hombre que lo crió» y no sabe si podrá acercarse a él otra vez con un corazón inocente. Es como si hubiera descubierto que su padre en un tiempo fue un ladrón, o un homicida. En lo que se refiere a su búsqueda personal, lo acosa el sentimiento de fracaso. Es verdad que su experiencia en brazos de la chica brasileña le ha robustecido su autoconfianza y hoy se siente «mayor»; pero esa «mayoría» de ninguna manera le ha sosegado el espíritu. Por el contrario, hoy más que nunca se siente como esa golondrina de la canción que está «en la región perdida y sin poder volar».

Además, el cuerpo lo acompaña en los padecimientos del alma, porque, sumado a la nebulosa mental de la infame resaca, un tumulto intestinal (ya sea por su transitar en los trópicos o por el exceso de alcohol) se le desató con violencia justamente al abordar el avión. Doble oprobio.

Ya en el vestíbulo del aeropuerto de San Diego, el chico se esfuerza por responder al caluroso abrazo de sus padres con una cara alegre.

Durante el trayecto del aeropuerto a la casa no menciona para nada su viaje al Oriente ecuatoriano. No es el momento. Hace un resumen muy superficial de su visita al licenciado Moreno en México, a los Moreno Xequijel en Guatemala y a la señora Moreno Quipé, en Ecuador, a quien tiene que mandarle sin falta los anteojos prometidos.

—Ernesto, no te imaginas cuántas noches de insomnio nos has causado —dice la mamá—. ¡Y qué alivio es tenerte de vuelta, sano y salvo, hijo!

—Lo siento, mamá. Y lo peor es que no encontré lo que buscaba —añade con fastidio.

—Nosotros deberíamos haber asumido esa responsabilidad, que al final es también nuestra, porque fuimos nosotros quienes te trajimos a casa. ¿Recuerdas?

—Sí, me acuerdo perfectamente, aunque yo tenía... unas pocas semanas, ¿no? Siempre tuve buena memoria.

—Muy gracioso, Ernesto. Escúchame ahora, hay otras cosas que podemos hacer. Cuando recibimos la visita de Rosa se abrieron otras puertas.

—¿Qué Rosa? —pregunta Ernesto, aunque realmente quiso decir: «¿Qué...? ¿Rosa?».

—La chica ecuatoriana, esa amiga tuya que nos mandaste.

—¿Y estuvo... en casa? —el corazón abatido de Ernesto remonta vuelo como un cometa.

—Un par de noches. Hace unos tres días. Pero, Esteban, ¿tú no le contaste nada a Ernesto en el correo?

¿Tres días? ¿Cuando él estaba en su chacra?

Se le ocurre que esto también puede ser parte de esas bellas simetrías que la vida ofrece; pues, por cada distorsión y desarmonía y degradación que ocurre en algún lugar del planeta, tiene que haber, en algún otro lugar, una fuerza armónica y positiva que restaure el equilibrio perdido, para que el mundo no llegue a extinguirse. Es un discurrir que tal vez leyó en alguna parte, pero no recuerda dónde. ¿O es que lo acaba de inventar? ¿O será tal vez una de esas verdades eternas que están ahí latentes, impresas en el sótano oscuro del ser, esperando que uno las redescubra?

—Bueno, ya sabes cómo es tu padre con los correos... —continúa Isabel—; y como te decía, después llevamos a Rosa a Oregón, donde está su madre, por eso no nos encontrabas cuando llamaste por teléfono. Los González, que viven allá hace mucho, nos ayudaron a localizarla. Muy linda chavala esta Rosa. Y a través de la señora Caento conocimos a un abogado de la Unión de los Campesinos que fue su defensor en la Corte. Ya te contaremos lo del proceso de la mujer. Pero, mientras tanto, déjame decirte que ese tío es estupendo. Se ocupa de casos relacionados con derechos laborales pero también trata de adopciones y búsqueda de familias. Nos dijo que existe la posibilidad de saber más sobre las circunstancias en que apareciste en el convento, porque dice que ahora las instituciones tienen la obligación de abrir sus archivos a los adoptados.

—Interesante. Pero, oye, ¿qué problema tuvo la madre de Rosa con la ley? —quiere saber Ernesto.

—Esteban, cuéntale la historia.

Esteban Ruiz comienza una larga narración, puntuada con exclamaciones y comentarios de su esposa, desde el momento en que Rosa los llamó por teléfono y finalizando con el día de ayer en la Corte.

—¡Qué pena que te perdiste el drama! Tu madre veía a Rosa y a su mamá abrazadas y lloraba como una Magdalena.

—¡Y tú no te quedaste atrás, vamos, que te vi esconder la cara detrás de la gorra!

—Y Alba ganó la causa —agrega el padre de Ernesto, sin contradecir a su esposa— porque tenía una coartada irrefutable. Y además consiguió que le dieran una visa humanitaria, lo cual le permite quedarse en el país por el tiempo que dure el tratamiento.

—Así es —continúa Isabel—. El abogado hizo una defensa brillante.

—Sería muy vergonzoso querer negarle los derechos a esta mujer —dice Esteban— cuando la causa de su enfermedad es nada menos que los pesticidas tóxicos que este señor estaba usando.

El hombre para la frase en seco. El silencio en el coche se pone denso.

—¿Dijiste *tóxicos,* papá?

Esteban Ruiz no quiso decir eso, pero le explotó, como a veces explotan en los sueños los sentimientos diurnos reprimidos.

Después de unos largos segundos, Ruiz padre dice con un tono de angustia que Ernesto nunca había escuchado:

—Yo sé que tenemos que hablar, hijo. Te debo una explicación de aquello que me preguntaste por teléfono.

«Yo sé que hay tanto que tengo que contarte y también pedirte que me disculpes —le dice el hombre en una confesión sin palabras—. Si pudiera derretir los años congelados por el tiempo y navegar hacia el pasado y alterarlo, haría todo diferente, hijo. Pero ahora solo me queda la esperanza de que me perdones».

Ernesto nota en el espejo la mirada acuosa y la expresión otoñal del padre, un rostro más agostado por la melancolía que por los años. Y se da cuenta de que el hombre que le habla ahora no es el mismo Esteban Ruiz del pasado, cuando sus mal cumplidos treinta años eran fruto de un mundo diferente, en un planeta tenido como eterno e indestructible.

Su conciencia se remonta al día en que quedó soterrado en Palenque. Siente que ahora la vida le está cobrando el préstamo que le hizo en aquella ocasión, y que le llegó el momento de saldar la deuda con el destino.

Tiene ganas de decirle en voz alta que ya lo ha disculpado. Porque él es su padre tanto como el otro. Porque él, Ernesto Moreno Ruiz, no es apenas un montón de cadenas de ADN, él es eso y mucho más. Es el recipiente donde sus padres y sus abuelos adoptivos han volcado su propio caudal de humanidad.

Quién sabe. Tal vez fue la mano inteligente del destino, razona, que lo llevó por esos vericuetos de la vida a enfrentarse, en última instancia, no con *su* pasado sino con el de su padre, para ponerle a prueba, para ver si sabe comprender y perdonar, para darle una oportunidad de perdonar. Porque el camino del peregrino es, a fin de cuentas, un camino hacia el sí mismo. Y el sí mismo es una superficie que hay que pulir hasta que se vuelva espejo.

Y en esa intrigante alquimia de la mente, donde lo basto puede transmutarse en oro con un leve toque de la conciencia, Ernesto llega a la conclusión de que su viaje no ha sido en vano. Tal vez él y su padre, juntos, puedan deshacer lo que fue mal hecho, o rehacer lo que fue malamente deshecho. Tal vez su padre necesite de él para curar su espíritu, como él necesitó de su padre para curar su orfandad.

Un farol se enciende dentro de él y le da luz y tibieza, y hasta cree que el interior del coche también quedó más iluminado.

Isabel, nada amiga de esas largas y tercas pausas que a veces les acometen a los hombres, se dirige al chico cambiando de tema:

—Ernesto, el abogado nos va a conseguir una cita en el convento para leer los archivos, si tú quieres. Él se interesó por tu caso.

—Es decir, por nuestro caso, hijo —corrige Esteban Ruiz, saliendo de su hermetismo—, porque tenemos algo que ver en todo esto... ¿vale? Ah, y no salgas esta noche, porque Rosa va a llamar. Por si quieres saberlo, a la chavala no la pueden deportar porque es menor. Así es la ley ahora. La van a matricular en una escuela.

—¡Qué bien! —dice el chico como por acaso.

Lo invade una sensación de epifanía.

24. De Esperanza

I

A las diez menos cinco de la mañana, los Ruiz y el abogado están plantados a la puerta del convento. Aunque Isabel lleva gafas oscuras, a Ernesto no se le escapa que su madre ha estado llorando. A las diez en punto tocan la campanilla. Enseguida, una diminuta ventanita se abre y deja ver un ojo avizor que se mueve de lado a lado. La ventanilla se cierra, el pesado portón se abre y la monja dueña del ojo los invita a pasar.

Entran por un zaguán de techos altos, paredes pintadas de amarillo y largos bancos de madera a cada lado, que desemboca en un amplio patio de baldosas coloniales.

El aljibe con brocal de azulejos, las arcadas moriscas contornadas de buganvillas aún en flor y las macetas con geranios colgadas del alféizar de las ventanas enrejadas le recuerdan a Ernesto el pasado de California en la Nueva España. Piensa otra vez en la confluencia de esos dos ríos que corren dentro de él. Y que el hecho de haber sido depositado en este lugar, tan español, diecisiete años atrás, no es coincidencia, sino otra faceta de lo que él llama las simetrías de su destino.

La monja los conduce a uno de los cuartos que dan al patio. A pesar de la mala iluminación, es evidente que este es el centro de registros del convento: los estantes están repletos de gruesas carpetas negras con etiquetas blancas, cubiertas de un polvo conventual no perturbado por las manos del mundo.

Los archivos de julio de 1978 están ya preparados en un sobre manila encima de una mesa, a disposición de los visitantes.

—No se pueden llevar los legajos —avisa la monja—, pero sí los pueden fotocopiar, si así lo desean.

Los Ruiz y el abogado pasan a otra sala para llenar algunos formularios burocráticos que la monja expeditivamente les puso en frente. Ernesto pone los papeles en la mesa y lee:

20 de junio de 1978, diez de la mañana. Una mujer deja a un bebé de pocas semanas, del sexo masculino, con la hermana Dora en la iglesia de San José. Le dice que es su hijo, y que por el amor de Dios cuide de él hasta su regreso. Antes de que la hermana pueda pedirle explicaciones, la mujer se echa a correr. A las nueve de la noche, no habiendo regresado la madre, la hermana Dora trae al bebé a la guardería infantil de esta institución. Allí se descubre una nota prendida en la bata del bebé que declara su nombre de pila, «Ernesto», y el nombre de su madre, «María Moreno».

Con el pecho apretado, Ernesto observa el papel amarillento que está adjunto a esta primera hoja. A pesar de la tinta desvaída, las palabras se pueden leer claramente:

Nombre: Ernesto Moreno
Nombre de la madre:
María Moreno, de Esperanza.

Nada de esto cambia lo que él ya sabía, solo que el papel no pide que «cuiden bien de él». Aparentemente la historia que él recibió es una amalgama de la nota escrita y el mensaje hablado. Pero al menos es verdad que fue dejado por su madre, aunque fuera temporalmente. «Entonces... ¿mi madre pensaba volver a buscarme? ¿Por qué no lo hizo?», se pregunta.

27 de junio de 1978. El señor Esteban Ruiz y la señora Isabel Echeverría de Ruiz, ambos de origen español y con residencia permanente en los Estados Unidos de América, se ofrecen a tener al bebé «Ernesto» en carácter provisorio o «foster» mientras el abogado de la jurisdicción inicia la búsqueda de los progenitores.

Tampoco eso es nuevo. Pero el abogado debe de haber sido algún papanatas, piensa el chico, pues no puede haber tantas María Moreno en una ciudad. Trata de figurarse también cuál habría sido su vida si el abogado no hubiera sido un papanatas y hubiera encontrado a su madre. ¿Sería el mismo Ernesto que es ahora? Sí y no. Él es una de las tantas posibilidades de Ernesto, una que se plasmó en realidad, en la curva de un universo cuántico de infinitas (¿o casi infinitas?) permutaciones y combinaciones. Pero en este mundo en que se manifiesta, aquí y ahora, este es Ernesto y no otro.

5 de diciembre de 1979. Al no haberse encontrado a los padres del bebé «Ernesto», y pasados los dieciocho meses reglamentarios que estipula la ley, el trabajador social ha demostrado ante el juez de menores que el niño ha sido abandonado, y el juez otorga a la familia Ruiz el derecho de adopción permanente (véanse documentos de adopción adjuntos), con lo cual termina la responsabilidad de esta institución con respecto al niño.

«¿Cómo habré sido de bebé? ¿Cuánto hay de bebé en una persona de mi edad? ¿Habré sido también impulsivo, como papá dice que soy?». El chico recuerda que el abuelo Ruiz una vez le dijo: «Dentro de ti conviven el valiente y el cobarde, el generoso y el mezquino, el humilde y el arrogante. Y algo o alguien hace que se manifieste uno de los pares, y el otro quede dormido. Y cuando uno es joven tiene que vigilarlos a todos. ¡Alimentar a los que quiere ver crecer y matar de hambre a los otros!».

20 de enero de 1980. La señora María Moreno comparece ante esta institución para reclamar a quien dice ser su bebé. Se le comunica que, en vista de su prolongada ausencia, el bebé ha sido considerado «abandonado»; y por lo tanto, de acuerdo a la ley, ha sido dado en adopción permanente; y que, conforme a esta ley, no se le podrá dar el nombre o dirección de los padres adoptivos.

Una sensación de congoja y hasta de culpa le acomete a Ernesto. «¡Me perdiste por unas semanas, mamá!». El chico sabe que el 2 de enero de ese año su familia se mudó a España, que el 6 de enero estaba celebrando su primera fiesta de Reyes en Bilbao con sus padres y sus abuelos Echeverría, y que no volvería a los Estados Unidos hasta después de cumplidos sus diez años. «¿Y por qué esperaron tanto para buscarme?», se pregunta. Quisiera saltar hasta el final para saberlo, pero se contiene.

21 de enero de 1980, diez de la mañana. Un hombre que alega ser padre del bebé «Ernesto» comparece ante esta institución en busca del mismo. Nuevamente, y amparados por la ley estatal, se le comunica que ya ha perdido la patria potestad de su hijo, por causa de abandono, y que tampoco se le puede dar más información sobre el paradero del niño.

A las doce del mediodía, el mismo hombre mencionado arriba rompe con una piedra el vidrio de la ventana de la madre superiora Eloísa de la Cruz, y comete serio vandalismo en el edificio. La madre superiora decide no involucrar a las autoridades en tan triste episodio. Se declara que es «un acto de Dios», donde no hay culpables. Además, se ha actuado al amparo de la ley, que vela principalmente por la protección del bebé y por la privacidad de los padres adoptivos. Pero se le advierte al hombre que si se acerca otra vez a la institución se hará la denuncia.

Después de esto no hay más entradas en las hojas del expediente. El muchacho cierra la carpeta y se sorprende con una risita que le sale sin querer y un «¡Ajá!» de satisfacción. «¡Mi papá rompió una ventana! ¡Tengo que verla, tengo que ver esa ventana, el abogado tiene que decirles que me dejen ver esa ventana!». Solo entonces se da cuenta de que una monja lo estaba mirando, desde un rincón, con disimulado interés. No tiene tiempo de sentirse avergonzado porque la mujer le dice, señalando la puerta de un cuarto contiguo:

—Aquí hay unas personas que quieren verte. Por aquí, por favor.

«¿Verme a mí? Si es la madre superiora para pedirme disculpas o algo así, o el abogado del convento para cubrirse el trasero de alguna posible demanda, están equivocados. No me interesan esas cosas. Es mejor que hablen con papá».

—¿No querrán hablar con mis padres o nuestro abogado? Ellos están en la otra sala.

—No, no, es con usted.

Ernesto entra en el cuartito y percibe la fragancia de la flor del naranjo.

Sentados en un sillón, una mujer y un hombre lo miran sonrientes.

II

—¡Finalmente, hijo! ¡Hemos estado buscándote por tantos años! ¡Qué guapo eres! —dice la mujer, levantándose y extendiendo los brazos.

«¿Hijo?».

Ernesto siente el corazón arder en su cavernoso interior.

«¿Dijo "hijo"?». El ansia se le sale por los ojos.

—¿María Moreno? —balbucea por fin Ernesto.

—Sí, Ernesto, soy yo. ¡Perdóname, hijo! —exclama la mujer entre lágrimas—. ¡Tenemos tanto que explicarte!

El ardor del corazón se le ha extendido como una suave corriente eléctrica por todo el cuerpo, y aunque él también quiera extenderle los brazos, tiene las piernas flojas, como las de una novia que va a desposarse con alguien a quien no conoce. Y aunque quiera sonreír, los labios que mantiene apretados para no dejar salir el llanto tampoco le dejan salir el bosquejo de una sonrisa que se le dibujó en su mente. Y cuando finalmente toma las manos de su madre, que está esperando el gesto, las lágrimas se le escapan y la sonrisa se distiende.

El pelo negro de su madre, cayendo en gajos encaracolados, enmarca un rostro de quien no ha llegado a los cuarenta. Es un semblante más bien ancho, como de luna llena, de líneas suaves y armónicas, de frente ancha y límpida. Un rostro bello, con pequeñísimas arrugas en la comisura de la boca y alrededor de los ojos, pero aún joven. Y tiene el color de la miel silvestre y ambarina, de la castaña dorada, como la de él; y un cutis luminoso, aún fresco, tan fresco como el de la maestra de su primer grado en la escuela primaria, recuerda el chico.

—¡Y cómo te pareces a tu abuelo, hijo! —dice el hombre, también levantándose y extendiendo los brazos hacia Ernesto.

—Y este es tu padre, Ernesto —afirma María Moreno.

El chico le toma las manos. Recuerda la pedrada en la ventana y le sonríe. Y ese hombre que tiene las mismas facciones de Ernesto, aunque labradas en una piel más clara y con el pelo entrecano, le devuelve la sonrisa con otra muy amplia bajo un par de bigotes exuberantes.

—¡Siéntense, por favor! —pide Ernesto con dificultad por su respiración acelerada, batallando contra las lágrimas.

Ernesto acerca otra silla y toma una mano de cada uno de esos dos seres que lo llaman hijo, en cada mano suya. Es un sentimiento dulce y largamente añorado. Quiere mostrar hombría pero su madre debe secarle los ojos acuosos con las manos. Su mirada reposada lo reconforta.

—Te estarás preguntando por qué te dejamos, ¿no es así, hijo? Eso te debe haber dolido mucho.

—Sí, claro, siempre me lo pregunté. Y, sí, me ha dolido... un poco. Pero cualquiera que sea la razón, yo no les guardo rencor. Nunca les guardé rencor —se apresura a decir.

—Pues, esta es la historia, hijo: Yo trabajaba en una guardería, donde me permitían llevarte, aunque eras muy pequeñito, apenas de pocas semanas —cuenta la madre—. Tu padre había quedado en México y pensaba venir en esos días a juntarse con nosotros. Aquí había trabajo. Un día alguien denunció a la guardería por tener empleados indocumentados, y yo era uno de ellos... Hubo una redada. Cuando los vi entrar, yo te jalé y salí a las carreras huyendo de la migra. Pero no podía correr contigo; por eso, cuando de repente me encuentro frente a la iglesia de San José, me meto y te dejo con una monja que andaba por allí. Pensé que ella podría cuidarte por unas horas hasta que yo me zafara de los agentes. Tú ya tenías un cartelito con tu nombre y mi nombre, porque así era el reglamento con todos los niños de la guardería. Tú sabes cómo los bebés se parecen unos a otros... Era necesario que pusiéramos el nombre del bebé y el de la madre, para saber quién era quién, e hijo de quién.

—Bueno, ándale mujer, prosigue la historia —apremia su esposo.

A Ernesto le da placer observar los bigotes de su padre haciendo un dibujo en el aire mientras habla; porque no son caídos, como los usan los bandoleros, piensa, sino enhiestos, con una curvita hacia arriba.

—Va pues, como te decía, salí corriendo, y cuando llegué a la esquina, ¡me pillaron! Les dije a los agentes que no podía ir presa, que tenía un hijito, al que tenía que amamantar. Pero no me hicieron caso. Nada. Me detuvieron y me deportaron. Y a tu padre también, cuando me fue a buscar adonde me tenían detenida. Nos metieron en un bus y así nos obligaron a salir, yo con las lágrimas bañándome la cara y la leche resbalando en cascadas, mojándome hasta las enaguas. Y tu padre, penando y rabiando. ¡Cuánto lloré esa noche, y las noches siguientes y las siguientes... hasta que ya no me quedaba hálito para llorar! De vuelta en México, esperamos a juntar un dinerito para volver a buscarte, los dos juntos. Pero, tú sabes, el hombre propone y Dios dispone. Tu padre tuvo un accidente en el trabajo. Se cayó de un andamio. Creímos que se moría.

El hombre toma la mano de su esposa. Aquel mal paso en el andamio todavía lo llena de culpa, y la imposibilidad de viajar para buscar a Ernesto le dolió más que las costillas que se fracturó del golpe, dice el hombre, sacando un enorme pañuelo del bolsillo.

Esos ojos grandes de su padre, como dos lagunas azabaches, reconoce Ernesto, requieren nada menos que tal pañuelo de dimensiones extravagantes. Imagina que su padre debe de tener algo de sangre mora, porque ya vio esos mismos ojos inmensos en un cantaor de *cante hondo* en Sevilla, y nunca pudo olvidar la expresión fogosa del hombre. Ahora se la encuentra otra vez, en la mirada intensa de su propio progenitor. ¿Tendrá también él, Ernesto, genes árabes entreverados con todo lo demás?

—¡Perdónanos, hijo! —dice el padre, secándose los lagrimones.

Ernesto le aprieta suavemente la mano y asiente con la cabeza. La mamá prosigue:

—Tu padre estuvo en coma por dos meses en un hospital.

—¿En Esperanza?

—En Aguascalientes. Cuando salió del estado de coma lo llevamos a casa. Solo por un milagro se puso bien. Yo tenía que trabajar y cuidarlo. Pero durante todo ese tiempo también escribí cartas al convento, con un traductor, diciendo que yo era tu mamá. Al final de varias cartas y una llamada por teléfono me respondieron, pero me dijeron que tú no estabas allí porque ese no era un orfanato; que estabas en casa de una familia, y eso era todo lo que sabían. Nada más. Entonces, cuando tu papá se repuso totalmente, decidimos regresar para buscarte. Un hijo de la propia carne no se deja así, sin que a uno se le rompa el corazón en mil pedazos. En aquella época todavía era fácil cruzar la frontera sin papeles. Lo primero que hicimos fue correr hasta aquí. Y nos dijeron que no valía la pena buscarte porque... ¡te habían llevado a España! Y nos cerraron la puerta en la cara. Tu padre casi mete fuego a este convento...

Ernesto observa a su padre y detrás de esa expresión de niño que llora y se ríe en el mismo exhalar del aire, adivina un carácter impetuoso que le es familiar.

—Al final nos mandaron a hablar con el juez. Pero, claro, en ese momento no teníamos los documentos de residentes, no había llegado la amnistía, e ir al juez era meterse en la boca del lobo. Igual lo hicimos. No valió de nada. El juez dijo que ya era tarde, que tú estabas adoptado, que te habían llevado a España y no podía dar más información. Y nos deportaron otra vez.

María Moreno mira a su esposo.

—Después de un tiempo volvimos a los Estados, como siempre —agrega el padre, sonándose la nariz— cruzando por donde siempre cruzaba la gente antes de que hicieran ese muro. Y nos quedamos aquí y volvíamos religiosamente todos los años a golpear a las puertas de este convento y a preguntar por ti, con la esperanza de encontrar una monja más comprensiva. Era nuestro peregrinaje anual.

—Sí, y también con la esperanza de que algún día, cuando tú crecieras, quisieras volver a San Diego y te acercaras a este lugar a preguntar por nosotros, caso de que tus padres te hubieran dicho que eras adoptado.

—Lo hice —dice Ernesto—, varias veces, pero a mí también me cerraron la puerta en las narices. Órdenes del juez, me decían: «Los archivos están cerrados». Por eso decidí buscarlos. Pero, dígame, madre, ¿dónde está su pueblo? Me recorrí medio continente buscando todas esas Esperanzas.

—Ya me ha contado tu linda madre Isabel, hijo, nos ha contado de tus aventuras. Pero Esperanza es el nombre de tu papá, no de un pueblo. Nosotros somos de Aguascalientes, en México.

—Así es, Ernesto. Yo soy Julio Esperanza —aclara el hombre, atusándose los bigotes con los dedos.

—¿Cómo? Pero... yo siempre creí... ¡Mire lo que está escrito en el papel! —le señala Ernesto a su madre, mostrando el ya legendario mensaje—. Aquí pone «María Moreno, de Esperanza», ¿Lo ve?

—Creo que tu madre tiene mucho que explicarte, je, je... —dice Julio Esperanza—. María, aclárale a nuestro hijo eso de la coma.

—Va, pues, es que mi escritura no es muy buena. Yo no fui mucho a la escuela, ¿sabes?, y parece que puse esta coma donde no debía, por los meros nervios del primer día de trabajo en la guardería, no sé... ¿Así que todos pensaron que yo era del pueblo de Esperanza, y no casada con Esperanza? ¡Ay, ay, ay...! ¡Qué confusión por una cosa tan chiquita como una coma mal puesta!

—¿Usted quiere decir que la coma fue un... accidente? —pregunta Ernesto.

—Órale. Por eso yo digo, es mejor no usar ni puntos ni comas, hay que escribir como uno habla, y pronto. Pero ya ves cómo son las cosas de este mundo: están patas para arriba, están exactamente al revés.

—¿Cómo al revés? —indaga Ernesto, quien ya sospecha en su madre una veta filosófica.

—Porque muchas veces, lo pequeño puede ser importante, y lo que aparenta importante puede ser una bobada, y a veces lo más valioso está escondido en lo más humilde. Y el hecho más pequeñito puede llevar a una cosa enorme. ¿No te parece, hijo?

Ernesto concuerda.

—Una coma es menos que una patita de mosca —sigue la mujer, como quien habla a un chiquillo— más pequeña que un granito de arena ¡y mira cómo te ha llevado a viajar por todas esas tierras del Señor! ¡Por todas esas enormes distancias! ¡Y mira cómo, al final, nos hemos encontrado, en el mero y mismísimo lugar donde nos separamos! Por eso yo siempre digo, la vida es un círculo.

La mamá abraza a Ernesto y lo besa y le deja la marca del lápiz de labios en cada mejilla.

—Así es, hijo, los extraños caminos de Dios —agrega el señor Esperanza.

«El divino desorden», recuerda el chico, evocando las palabras de su abuelo Ruiz. «Creo que el universo tiene un gran diseño —decía el viejo—, aunque parezca caótico e inescrutable; y si nuestras vidas coinciden con ese diseño superior, entonces habremos vivido para algo. Creo que un dios urde nuestras historias, Ernesto, y nuestro trabajo es entender y seguir la trama. ¡Ese es el trabajo del peregrino!».

—Es verdad. ¡Nunca pensé que los encontraría donde comencé! —dice Ernesto, pensando en aquel círculo del mapa que él siempre llevó adentro.

Piensa en la carta del abuelo, en el sentido de su búsqueda, paralela tal vez a aquella otra a la que el viejo se refiere. Y se siente un centímetro más cerca de aquel lugar sagrado que evocaba su abuelo, donde habita la persistente memoria de un edén.

—¡Pues ya no hay más órdenes de ningún juez para que nos separen, muchacho! Y vámonos ahorita mismo a celebrar, que tienes que conocer al resto de la familia. Tus abuelos, tus tíos, tus tías... Y por supuesto, tus tres hermanos menores y otras dos que adoptamos —dice la señora de Esperanza.

—¿Adoptaron? —pregunta Ernesto sorprendido.

—Sí. Un día aparecieron las mellizas en la puerta de la casa, en una canasta de pan. ¡Imagínate! Eran bebés, como tú —dice el señor Esperanza—. Tu mamá dijo: «Esta es una señal del cielo, este es un buen augurio de que algún día vamos a encontrar a nuestro Ernesto». Y así fue que las adoptamos y las criamos como nuestras.

—Y esa noche, Ernesto, escuché una voz en la oscuridad que me decía que iba a encontrarte al final de un largo viaje. ¿Viaje? ¿Qué largo viaje podría hacer yo, pobre de mí, con todos estos niños agarrados a mi falda?, me preguntaba. Así que lo dejé en manos de Dios. Y resulta que era al final de *tu* viaje, ¡no el mío! —dice la mamá de Ernesto, riéndose.

—Vamos andando —dice el padre— que este convento tiene olor a encierro. Y ya sabes cómo somos las familias mexicanas. Te están preparando una fiesta en casa.

El muchacho comprende que su ascendencia no podía ser de más noble y venturoso linaje.

Los Esperanza salen de la penumbra del convento con Ernesto, de manos dadas, hacia la luz del día. Los Ruiz, orgullosos de su hijo, y con una sonrisa de labios apretados, los siguen detrás.

Epílogo

Ecuador, Oriente (2011)

En una pequeña Corte que funciona en el segundo piso del centro comercial de Lago Agrio, los abogados de la Cavalloil-Petrounido se enfrentan con los abogados de la organización indigenista ecuatoriana, en el mayor pleito del medio ambiente de la historia. Treinta mil miembros de varias comunidades indígenas y de colonos reclaman veintisiete billones de dólares de indemnización por daños causados durante las décadas de la explotación petrolífera en la región por parte de la compañía Petrounido, adquirida por la Cavalloil en el año 2001.

En una oficina adyacente, un ingeniero, un geólogo y una abogada de derechos humanos, miembros del equipo consultor de los demandantes, observan con asombro las columnas de documentos que se apilan hasta el techo en los estantes. Son doscientas mil páginas, les informan, que contienen las evidencias del delito, listas para ser presentadas ante el juez. Ellas prueban que un tercio de la jungla ecuatoriana fue afectada por las operaciones de las petroleras, y que cerca de mil cuatrocientos indígenas han muerto de cáncer como consecuencia directa de tal contaminación producida por la Petrounido.

Los abogados de la Cavalloil (empresa que, al comprar la Petrounido, heredó el juicio) rechazan la evidencia y, con variadas maniobras, alargan el proceso.

Un funcionario entreabre la puerta y asoma la cabeza:

—¿Esteban Ruiz?

—Soy yo.

—Pase, ingeniero. El abogado Pablo lo está esperando.

En un rincón de la oficina, los otros dos se hablan al oído:

—Esta es una lucha muy desigual, Rosa. La Cavalloil tiene los mejores abogados de los Estados Unidos y una fortuna y un poder incalculables.

—Ya lo sé, Ernesto. Pero no olvides que David le ganó a Goliat...

Índice